À la découverte de
Jehane
Benoit

D1590908

Catalogage avant publication de Bibliothèque et Archives nationales du Québec et Bibliothèque et Archives Canada

Paulin, Marguerite
À la découverte de Jehane Benoit :
le roman de la grande dame de la cuisine canadienne
ISBN 978-2-89585-118-9
1. Benoit, Jehane, 1904-1987. 2. Cuisiniers - Québec (Province) - Biographies. 3. Cuisine canadienne. I. Desjardins, Marie, 1961- . II. Titre.
TX649.B46P38 2012 641.5092 C2012-941200-7

Les Éditeurs réunis bénéficient du soutien financier de la SODEC et du Programme de crédits d'impôt du gouvernement du Québec.

Nous remercions le Conseil des Arts du Canada de l'aide accordée à notre programme de publication.

Nous reconnaissons l'aide financière du gouvernement du Canada par l'entremise du Fonds du livre du Canada pour nos activités d'édition.

Édition :
LES ÉDITEURS RÉUNIS
www.lesediteursreunis.com

Distribution au Canada :
PROLOGUE
www.prologue.ca

Distribution en Europe :
DNM
www.librairieduquebec.fr

Imprimé au Canada

Dépôt légal : 2012
Bibliothèque et Archives nationales du Québec
Bibliothèque nationale du Canada
Bibliothèque nationale de France

MARGUERITE PAULIN MARIE DESJARDINS

À la découverte de Jehane Benoit

Le roman de la grande dame de la cuisine canadienne

LES ÉDITEURS RÉUNIS

MADAME BENOIT
COOKS AT HOME

Mme. Jehane Benoit

A ma petite Sylvie
Avec amitié
Jehane Benoit
'80

PaperJacks LTD.
Markham, Ontario, Canada

Préface

Le moment est venu pour moi de revivre des moments spéciaux avec Jehane Benoit, cette dame au grand cœur, et de l'honorer dans cette préface. C'est la moindre des choses que je puisse faire pour celle qui m'a accueillie chez elle à bras ouverts, et qui, au cours des années, est devenue un peu ma grand-mère du Canada, une sorte de grand-mère adoptive.

J'ai eu le plaisir de la rencontrer grâce à mon père, René Delbuguet, qui, dans les années 1980, faisait des photographies pour les livres de la grande dame de la cuisine. C'était à la ferme Noirmouton, dans les Cantons-de-l'Est. On faisait des photos d'un méchoui. Madame Benoit adorait sa campagne et la bergerie qu'elle partageait avec son mari. Elle avait trouvé son coin de paradis ! Elle adorait s'asseoir sur sa balançoire, derrière la maison, et contempler les champs et la colline. Je la vois encore aller chercher ses herbes fraîches dans son jardin, et vérifier son potager. Je la revois aussi chez elle, entourée d'objets qu'elle chérissait : un santon de Provence qui représentait un berger, et une petite tapisserie de son chat adoré.

Vers 1981, madame Benoit m'a offert d'aller vivre dans cette magnifique partie du Québec et de l'aider dans son travail. Quelle chance inouïe pour moi de partager le quotidien d'une femme si renommée et d'apprendre d'elle. Très tôt le matin, elle se mettait au travail dans la cuisine ou dans son bureau. Sa bibliothèque contenait des centaines de livres de recettes. Nous passions une partie de notre temps à essayer des recettes, à en modifier, à en inventer, à cuisiner pour son mari, Bernard, qui revenait manger à midi, à recevoir des équipes de Radio-Canada, à filmer, à cuisiner pour des groupes qui venaient visiter la ferme. Nous travaillions constamment avec le micro-ondes. Madame Benoit était convaincue que le micro-ondes-convection était le four de l'avenir. Le soir, je la retrouvais régulièrement devant la télévision, entourée de livres de recettes. Madame Benoit était passionnée de cuisine. Même après des journées bien occupées à cuisiner, elle pensait encore gastronomie, un livre ou une revue sur ses genoux et son chat tout proche. Le soir de son émission favorite, elle nous préparait un plateau-repas et nous nous installions tous les trois devant la télévision.

C'est avec grand plaisir que j'ai appris que le livre *À la découverte de Jehane Benoit* allait être publié. Pour la plupart des gens, madame Benoit était une cuisinière de renommée internationale, l'auteur de livres de recettes, une animatrice de radio et de télévision, autrement dit une influence majeure dans le domaine culinaire du Canada. Pour moi, elle était aussi une femme qui allait de l'avant, forte, travaillante, positive et passionnée, une femme curieuse et ouverte, une personne généreuse, terre-à-terre et aimante. Il faisait bon vivre à ses côtés et elle mérite qu'on lui rende hommage et qu'on la remercie pour tout ce qu'elle nous a donné.

Avec tout mon amour, madame Benoit, et toutes mes pensées.

SYLVIE DELBUGUET ROSS

1

Il y avait longtemps que Robert ne s'était pas senti aussi nerveux et heureux à la fois. Cette virée à la campagne n'était pas seulement une bonne bouffée d'air frais qui ramonait ses poumons de citadin. C'était de la nostalgie qu'il éprouvait à chaque splendide paysage qui se déployait devant ses yeux. Pour rien au monde, il n'aurait manqué ce rendez-vous. Un rendez-vous avec l'Histoire, ni plus ni moins, aussi palpitant qu'une rencontre amoureuse. La semaine précédente, une collègue du *Temps* lui avait signalé une vente-débarras à Sutton, dans les Cantons-de-l'Est. Et pas n'importe où : dans la maison même où avait habité Jehane Benoit. Robert, extrêmement occupé avec un article devant paraître le soir même, avait nonchalamment noté l'adresse sur un bout de papier et, tout en parlant au téléphone, avait remercié d'un geste sa collègue. De retour chez lui, il s'était souvenu du renseignement en retrouvant le bout de papier dans la poche de son veston. Dès lors, des images étaient venues le hanter.

Le début de tout un voyage dans le temps.

Si, en ce samedi matin, il roulait sur la route de Sutton, c'était en partie à cause de l'amour et de l'admiration qu'il portait à sa mère. Berthe Drouin, née Daigle en 1915, avait été une maîtresse femme. Elle n'avait jamais craint de se lever tôt pour accomplir des labeurs parfois très lourds. Très jeune, elle avait dû abandonner l'école pour des emplois mal rémunérés, jusqu'à ce que, grâce à un proche de la famille, elle déniche un poste de ménagère dans le presbytère de sa paroisse. À l'époque, on s'adressait à ces bonnes gouvernantes en les appelant « madame curé », mais Berthe, à vingt-cinq ans à peine, paraissait très jeune et avait été baptisée « mademoiselle curé ». Douée et de bonne volonté, la jeune femme avait réussi à s'occuper en magicienne de la maison de pierres attenante à la grande église. Très vite, elle avait été reconnue pour ses talents de cuisinière. Elle savait faire un plat avec presque rien. Il n'y avait qu'à regarder le curé, bien rouge et bien gras, pour en être convaincu.

Le matin même de son mariage, en juillet 1933, Berthe avait suivi son beau Jacques Drouin à Montréal. Tout se passa relativement bien pour ce couple modeste même si, dans la ville, les retombées de la Grande Crise se faisaient encore sentir. Jacques travaillait six jours sur sept rue Masson, dans un magasin de marchandises sèches. Joindre les deux bouts avec un seul salaire relevait du miracle. Jacques aurait voulu garder sa Berthe bien au chaud chez elle, et qu'elle y élève les enfants qu'ils auraient bien un jour, mais, au bout de deux ans à s'échiner, il dut lui demander d'aller travailler.

Berthe était bien en peine, encore perdue dans ce vaste Montréal. Un matin, une voisine lui parla d'un restaurant qui venait d'ouvrir, rue Sainte-Catherine.

— Il s'agit de quelque chose de tout à fait nouveau, expliqua-t-elle. Ça s'appelle Le Salad Bar. Et le plus intéressant dans tout cela, c'est que c'est une femme qui le gère. Va la voir, elle cherche des employés honnêtes. Je suis sûre que ton passé de cuisinière chez monsieur le curé va t'être utile. Cette dame s'appelle Jehane Patenaude.

Cette femme, fort indépendante de toute évidence, ne portait pas, selon la coutume, le nom de son époux, Carl Otto Zimmerman. Plus tard, pourtant, lorsqu'elle se remarierait, on la connaîtrait sous le nom de Jehane Benoit.

Le couple Drouin était heureux et soulagé, mais leur bonheur demeurait précaire et le serait bientôt plus encore. En 1939, à la déclaration de la Deuxième Guerre mondiale, Berthe annonça enfin à Jacques qu'elle était enceinte. Quelques semaines plus tard, avant même d'être conscrit, il était emporté par une crise cardiaque. En 1940, Berthe donna naissance à son petit garçon, et dut le confier chaque jour à une gardienne pour aller travailler. Le temps passa, puis elle se vit contrainte de trouver un emploi, quand le Salad Bar fut détruit par un incendie. La vie à Montréal était si rude que Berthe pensa retourner à la campagne, chez le curé. Mais, grâce à un mot de recommandation de sa patronne, Jehane Patenaude, désolée de la fermeture de son restaurant et de la situation de son employée, Berthe trouva un poste de cuisinière à Westmount. Les Beaulieu, amis des parents de Jehane, n'auraient pu rêver d'une meilleure recrue. Berthe devait en effet travailler dans cette magnifique maison victorienne jusqu'à sa retraite, et continuer de servir les enfants Beaulieu à la mort de leurs parents.

Tout en roulant dans la région de Sutton, lumineuse et gaie en ce matin de printemps, Robert se souvenait de son enfance, de sa mère et de cet emploi presque miraculeux qu'elle avait décroché dans ce restaurant d'avant-garde, le Salad Bar de Jehane Patenaude. Il imaginait Berthe, toute jeune, prenant le tramway pour se rendre dans l'Ouest. Jusqu'alors, elle n'avait jamais traversé la rue Saint-Laurent pour aller chez les Anglais, comme on disait, dans le beau quartier du Golden Square Mile, au 1324 rue Sherbrooke Ouest, à l'angle de la rue de la Montagne.

Depuis que sa collègue au journal lui avait parlé de cette vente-débarras dans les Cantons-de-l'Est, Robert constatait que son esprit était plongé dans le passé. Les souvenirs, dorénavant, lui revenaient en vrac à l'approche de l'immense domaine qui, autrefois, avait été celui de Jehane et de son second époux, Bernard Benoit.

Par petits groupes, les gens faisaient le tour du propriétaire. La maison, construite sur l'immense terrain vallonné de ce beau coin de pays, serait à vendre bientôt, disait-on. Mais avant, la famille avait décidé de se défaire de certaines choses ayant appartenu à la grande dame de la gastronomie, l'auteur d'une toute première encyclopédie de la cuisine canadienne. Après avoir garé sa voiture, Robert Drouin se dirigea vers la maison, puis entra directement dans la cuisine. Aussitôt, il fut ému de se retrouver dans la pièce de prédilection de cette femme qui avait connu sa mère, et qui, certainement, avait eu de l'affection pour elle, car Berthe était la gentillesse même. Mais ce qui lui tenait le plus à cœur, c'était de pouvoir toucher à ces objets liés au monde culinaire, celui que Jehane Benoit avait fait connaître pendant plus de cinquante ans, autant dire des reliques. Il circula parmi de nombreuses personnes qui examinaient ici un ensemble de vaisselle, là de la coutellerie, et ressentit un malaise devant ces gens pouvant s'approprier aussi aisément les biens d'une telle femme. Jehane Benoit n'était pas là pour les entendre, ni pour les voir, mais peut-être que oui, après tout… Certains critiquaient à haute voix ce qui était à vendre, d'autres se jetaient sur des objets en se bousculant, d'autres, enfin, faisaient des remarques enthousiastes. Mais toute cette curiosité, ce voyeurisme, en vérité, avait quelque chose de malsain. Le cœur de Robert se mit à battre très fort. Il ne pouvait imaginer que, bientôt, cette cuisine serait vide. Cette cuisine-là ! Car c'était bien celle de la grande Jehane Benoit.

Sur les objets que l'on manipulait, des prix étaient affichés. Certains étaient raisonnables, d'autres semblaient inabordables. Tout était bien disposé sur des tables, des chaises, des tréteaux et des comptoirs – une vie entière d'achats utiles pour l'exercice d'un métier qui était également une science. Robert prit une casserole entre ses mains. Elle rutila sous le rayon de soleil qui vint la frapper. Si son budget le lui avait permis, il aurait voulu emporter tout ce qui se trouvait là. Il se retourna lorsqu'il entendit une voix s'adresser à lui.

— Tout cela est fort intéressant, dit un homme.

— Connaissiez-vous Jehane Benoit personnellement ? demanda Robert.

— Non, mais j'ai entendu parler de cette vente. Comme j'habite dans les environs et que je passe mes week-ends à ce genre d'activités, je suis venu ici sans vraiment savoir ce que j'y trouverais. J'étais l'un des premiers arrivés et, déjà, il y avait beaucoup de monde. Depuis sept heures ce matin à ce qu'on m'a dit. Les plus beaux objets sont évidemment partis les premiers.

Robert fut surpris de constater que plusieurs des badauds et des acheteurs qui se pressaient dans la cuisine ne savaient même pas qui était Jehane Benoit. Cette femme avait pourtant été une pionnière en art culinaire, tant au Québec qu'au Canada anglais. Au début des années 1960, elle avait animé des émissions à la radio et à la télévision, en plus de publier de multiples ouvrages qui s'étaient avérés bien plus que de simples livres de recettes. Jehane Benoit avait été une sommité du monde de la gastronomie, une pédagogue ayant inculqué un savoir-vivre et un savoir-faire à plusieurs générations. Robert se fit la remarque qu'il n'était pas rare qu'au Québec on oublie les grandes figures qui avaient ouvert la voie dans des domaines divers. La devise de la Belle Province, le fameux «Je me souviens», pensa-t-il, était toujours aussi fausse. Que n'avait-on pas oublié, en effet? Et surtout qui! À peine quelques années après sa mort, en novembre 1987, Jehane Benoit était déjà devenue un nom parmi tant d'autres, que l'on citait, à l'occasion. Et voilà que ses biens étaient dispersés sans autre avis.

Ce jour-là, Robert rencontra deux ou trois personnes qui semblaient vouer un culte à la gastronome. Comme lui, ces gens étaient venus dans la maison de cette célébrité pour voir ce que l'on y vendait mais aussi pour sauver du mépris des objets ayant appartenu à cette femme d'exception.

— J'étais une petite fille, lui raconta une femme, et je me souviens du jour même où maman a acheté l'encyclopédie de Jehane Benoit. Maintenant, c'est moi qui l'utilise.

— Cet ouvrage extraordinaire a été un des plus grands succès de librairie de l'époque. Ce livre de référence, d'ailleurs, a souvent été réédité, ajouta Robert.

— Ma mère nous concoctait des mets tellement bons que j'en ai encore l'eau à la bouche, renchérit une femme coiffée d'un chapeau d'un autre temps. Vous avez raison: Jehane Benoit a eu une grande influence sur les femmes du Québec. Toutefois, je me demande si aujourd'hui on a le temps de cuisiner comme elle nous l'enseignait.

Robert souligna que les recettes de madame Benoit étaient néanmoins faciles à faire et délicieuses.

— Elle a publié son encyclopédie au moment où les femmes commençaient à réellement s'émanciper, dit-il. La première édition date en effet du début des années 1960.

— Mais comment savez-vous tout cela ? Êtes-vous historien ? Écrivain, peut-être ? demanda la femme à Robert.

Celui-ci sourit. Il pensa à sa mère. Et à son propre métier de journaliste politique.

— C'est vrai, j'écris à mes heures… Il s'agit tout simplement de se renseigner, se contenta-t-il de dire.

Dans la cuisine remplie de gens, il continua ses achats. Un petit poêlon pour faire un œuf au plat, une râpe à fromage, deux cuillers de bois pour touiller la salade, une paire de mitaines élimées à impressions de petits moutons. Tout ce qui s'offrait à ses yeux était fort attrayant, mais il n'avait pas une fortune à dépenser. Aussi renonça-t-il à un très beau plat de service en faïence. Puis, après avoir payé à un tout jeune homme dont il se dit que c'était peut-être un descendant de Jehane, il se faufila parmi les gens et se dirigea vers sa voiture.

Il aurait pu passer tout l'après-midi là… Le domaine, immense, invitait à des heures de promenade. En ce jour très doux, ici et là des plaques de neige mouillée rappelaient néanmoins que l'hiver pouvait à tout moment ressurgir. Robert posa ses achats sur la banquette arrière de sa voiture, et s'accouda à la portière. Il contempla longtemps le paysage. Comme c'était beau ! Et comme cela lui semblait familier. Il pensa qu'il serait dommage de démolir la maison pour en construire une plus moderne, et souhaita que ce moment n'arrive jamais. Du reste, les acheteurs qui acquerraient ce domaine ne se contenteraient sans doute pas de cette demeure qui avait grand besoin de réparations. Il songea aux descendants de Jehane, se souvenant d'une émission consacrée à la grande dame de la cuisine. Elle avait eu une fille, qui à son tour avait eu deux enfants. Ces gens devaient être bien peinés de tourner cette longue page de leur vie, d'autant plus que leur grand-mère les avait adorés. Un jour, quelque entrepreneur construirait peut-être même des condominiums sur cette terre. Alors, tout disparaîtrait. Robert posa les yeux sur un bâtiment délabré, une grange à l'abandon. Se souvenant encore des images de l'émission, il se dit que c'était la fameuse bergerie de Jehane et de Bernard Benoit. Soudain, et ce fut comme un choc, il se revit entrer dans cette bergerie. Alors l'espèce de sentiment de déjà-vu qu'il éprouvait depuis son arrivée se dissipa. Mais oui ! Il était déjà venu là, avec sa mère, lors de quelques jours de vacances en Estrie chez une cousine éloignée qui avait eu pitié de leur condition de citadins. Robert se souvint des moutons en liberté, et du mari de Jehane, Bernard Benoit.

— Ce sont mes filles, avait-il dit, en parlant des moutons.

Robert chercha à ordonner les souvenirs qui lui revenaient, pêle-mêle. Puis, il avisa une planche au-dessus de la porte de la grange. Un panneau sur lequel un mot était gravé et que le temps n'avait pas effacé. *Noirmouton*. Un nom plein de mystère. Le nom du domaine chéri des Benoit. Robert pouvait mal imaginer que tout ce qu'il voyait, bientôt, n'existerait plus. Ces gens qui sortaient de la maison, avec leurs précieux paquets, emportaient avec eux bien plus que des objets : ils signaient la fin d'une époque, ils partaient avec l'âme d'une femme qu'il ne fallait pas oublier. L'histoire de Jehane Benoit était unique. Il fallait la raconter. Robert s'assit dans sa voiture. Descendant la pente menant à la route principale, il se dit qu'il faudrait écrire sur cette femme. Soudain, l'idée lui parut évidente : il proposerait ce sujet à la rédaction du *Temps*.

2

Robert Drouin n'avait jamais regretté de s'être rendu jusqu'à Sutton, ce samedi-là. Cependant, il s'en voulut amèrement d'avoir privé Berthe, sa mère, d'une promenade aussi exceptionnelle. Elle avait soixante-quinze ans, était retraitée depuis longtemps mais, à part son arthrite qui souvent l'obligeait à garder le lit, elle pouvait se déplacer. Pendant une semaine, il garda pour lui le secret de sa visite à feu Jehane. Car c'était bien ça qui s'était produit : il avait senti une réelle connexion avec cette femme, une connexion d'outre-tombe, un genre d'appel. Rien d'ésotérique dans tout cela. Robert, journaliste de métier, avait cette inclination à vouloir tout connaître, tout comprendre, à analyser et à remonter le temps. Mais Jehane, certainement parce qu'elle avait connu sa mère, l'avait différemment interpelé. Il voulait savoir qui, vraiment, avait été cette femme. Pour mieux comprendre sa mère ? Pour mieux comprendre Nicole qui l'avait quitté pour un ami commun après quinze ans de mariage ? Pour mieux comprendre la femme tout court ? Il n'en savait rien. C'était comme ça.

Le samedi suivant, alors qu'il rendait visite à sa mère à la résidence Saint-Dominique, il constata qu'elle était en pleine forme et il lui dit qu'ils iraient faire un tour en voiture.

— Où, Robert ? Et combien de temps ? Tu sais bien qu'ici, on mange à l'heure des poules… Je dois rentrer avant le couvre-feu.

Il rit et répondit qu'elle serait rentrée à temps, en se disant que si la visite de Noirmouton, ou du moins de ce qui en restait, se prolongeait, il dînerait en tête à tête avec sa mère au restaurant. Berthe regagnerait à la nuit tombée la grande pièce qui lui servait d'appartement. Tout se passerait bien.

L'après-midi promettait d'être un vrai petit rêve. Dès qu'ils se retrouvèrent en direction de Sherbrooke, sur l'autoroute 10, la mère et le fils se remémorèrent leurs lointaines vacances de juillet 1971.

— Nous étions allés chez ma cousine Suzanne, tu te souviens, Robert ?

Bien sûr ! Le jour même de sa visite à la vente-débarras, le samedi précédent, il s'était souvenu de ce court séjour en Estrie, avec sa mère. Il avait alors 31 ans… À cet âge, il était déjà un journaliste reconnu et sortait depuis des années avec Nicole, qu'il allait épouser quelques mois plus tard. Mais Robert, bon fils dévoué à sa mère, avait délaissé sa fiancée pour passer des vacances chez cette cousine.

— Suzanne habitait Eastman, elle y tenait une petite pension. Nous avons passé six jours là, au pied du mont Orford. Un jour, sachant que j'avais travaillé avec madame Jehane Benoit au Salad Bar, Suzanne a proposé d'aller voir son domaine et nous y sommes allés, tous les trois, dans sa grosse Oldsmobile. Tu étais content, toi, car elle était décapotable et elle t'avait laissé conduire.

Au récit que lui faisait sa mère, tout heureuse, Robert retrouvait ses souvenirs, ce jour d'été, la prairie, des groupes de moutons noirs et blancs. Comment avait-il pu oublier tout cela ? La mémoire était une surprenante machine. Pourtant, il avait bel et bien été fasciné par ces bêtes. En ville, rue de Brébeuf, dans le petit logement qu'il partageait toujours avec sa mère, entre deux séjours chez Nicole, Robert ne voyait à l'occasion que des écureuils et des pigeons, sauf lors de leurs promenades quotidiennes au parc La Fontaine. Ce véritable bain de campagne lui avait fouetté le cœur et le sang.

— Le mari de Jehane, Bernard Benoit, t'avait fait faire le tour de la bergerie. Ce jour-là, Jehane n'y était pas. Ça ne faisait pas très longtemps que le couple habitait Sutton, quelques années tout au plus si mes souvenirs sont bons. L'histoire des moutons était donc relativement récente.

— Mais si Jehane Benoit avait été là, elle t'aurait reconnue, n'est-ce pas ?

— Oui. J'ai tout de même travaillé quelques années au Salad Bar. Et elle m'a présentée aux Beaulieu, que j'ai servis toute ma vie dans leur maison de Westmount. D'ailleurs, tu leur dois un peu ton poste, toi aussi…

Les Beaulieu, grands imprimeurs, avaient en effet contribué à ce que Robert fasse ses débuts dans le journalisme, à *La Patrie*. Il avait vingt ans, pas d'argent pour étudier en sciences politiques comme il l'aurait souhaité, mais il était ambitieux et grand liseur. Il était resté à *La Patrie* jusqu'à la fermeture, en 1978, et y était devenu, au fil des ans, chroniqueur politique, s'efforçant de rester neutre – une qualité rare dans le milieu. Depuis cette date, il avait été rescapé par *Le Temps* où on lui avait confié la même chronique, après le départ du grand Paul-Henri Lavoie, par ailleurs auteur de nombreux ouvrages historiques de la période de l'entre-deux-guerres.

— Oui, bien sûr maman que je m'en souviens… Cela dit, j'aurais peut-être dû me faire camionneur ou avocat, plutôt que journaliste…

— Pourquoi dis-tu cela, Robert ? demanda Berthe, navrée, les yeux remplis d'inquiétude.

Il regretta de s'être emporté. Sa pauvre mère de soixante-quize ans, après la vie qu'elle avait eue, et le courage que, sans cesse, elle avait montré, ne méritait pas de se faire du souci pour son fils de cinquante ans. C'était pathétique.

— Maman… Oublie ça, une mauvaise semaine, c'est tout !

Tout au long de la route, Robert avait tenté de ne pas penser à cette mauvaise semaine, justement, pour se concentrer plutôt sur la surprise qu'il réservait à Berthe qui ne se doutait de rien, même si elle avait été étonnée qu'ils empruntent l'autoroute et qu'ils roulent vers Sherbrooke. Suzanne avait disparu depuis des lustres, ce n'était donc pas chez elle qu'on allait. Chez qui, alors ?

— Une surprise, maman, je ne te dirai rien.

Et ses tourments revenaient, ou plutôt ses frustrations, à savoir l'entretien qu'il avait eu avec la rédactrice en chef du *Temps*, dès le lundi. Enthousiaste, ne se méfiant aucunement, il avait été droit au but avec son idée qui n'avait rien à voir avec la politique : il fallait écrire un papier sur Jehane Benoit. Robert était allé sur les lieux le week-end précédent. C'était une honte d'avoir vu partir, aux mains d'inconnus, un tel patrimoine. Des chaudrons, des peaux de mouton, des meubles, de la coutellerie, des vêtements ! Une vie de travail, de souvenirs, envolés comme ça, du jour au lendemain, alors qu'il y avait dans cette maison de quoi constituer un musée.

Mais la rédactrice en chef, Roxanne Provencher, l'avait sèchement interrompu. Jehane Benoit était morte depuis trois ans. Rien ne justifiait qu'au bout de si peu de temps on consacre une page à sa mémoire. Si un manuscrit inédit avait été retrouvé, ou si on avait appris l'existence de quelque événement salace dans sa vie, alors peut-être qu'on aurait pu écrire quelques lignes sensationnalistes à ce sujet. Mais une vente-débarras n'était pas une nouvelle. Certainement pas.

Robert était retourné dans son bureau dans un état d'accablement pitoyable. Ce n'était pas son année. Depuis janvier, il avait l'impression de vivre sous une chape de nuages. Nicole était partie. Il n'avait pas pensé emmener sa mère à cette fichue vente, ses deux derniers articles sur la guerre du Golfe avaient été sauvagement révisés, et voilà que son idée d'écrire sur Jehane Benoit avait été rejetée comme une pomme pourrie d'un panier.

Au volant, il ruminait, furieux. Cette histoire n'en resterait pas là. Il n'en avait rien à faire, au fond, de Roxanne Provencher. Pas besoin d'elle pour écrire. De tour de roue en tour de roue – une vraie méditation sur fond de babillage de sa mère qui s'extasiait sur les défilés des arbres qui bientôt auraient des feuilles –, l'idée lui vint qu'un article de journal ne suffirait pas à rappeler correctement le souvenir de cette femme. C'était un livre qu'il fallait écrire, et il l'écrirait.

Lorsqu'il arriva enfin devant Noirmouton, et qu'il vit des larmes couler des yeux de sa mère, il sut qu'il avait raison et, du coup, il se sentit parfaitement heureux.

3

En ce 23 février 1904, un jour glacial, le petit cercueil de Jean-Marie Patenaude trônait tristement au centre de l'allée de l'église, devant l'autel. Deux ans plus tôt, dans cette même église, on avait baptisé l'enfant. Les parents, Marie-Louise et Alfred-Wilfrid Patenaude, priaient. Tout était silencieux. Mais, soudain, la mère, enceinte de plusieurs mois, éclata en sanglots.

Le petit Jean-Marie avait été fauché par l'une de ces nombreuses épidémies qui sévissaient alors à Montréal, en ce début du XXe siècle. Les installations sanitaires de la ville étant précaires, tous pouvaient contracter quelque maladie incurable. En dépit du confort dont ils jouissaient, Alfred-Wilfrid Patenaude et sa femme n'avaient pas échappé à ce sort, une malédiction réservée aux plus pauvres qu'eux. Dans leur maison de Westmount, au 378 avenue Wood, ils avaient tout tenté pour que leur fils survive. Au chevet du petit Jean-Marie, en effet, les meilleurs médecins s'étaient succédé sans pouvoir le sauver. Les parents avaient dû se résigner à le voir rendre son dernier souffle. La mort ne faisait pas, elle, de discrimination. Leur fils, comme des milliers d'autres enfants, n'aurait pas la chance de vivre et d'être aimé.

Pendant la cérémonie, la cérémonie des anges, un rite funéraire émouvant, le prêtre recommanda l'âme pure du petit Jean-Marie à Dieu. Il essaya tant bien que mal, évoquant la miséricorde du Seigneur et la vie éternelle, de consoler la famille éplorée.

— L'âme de cet enfant a été rappelée au Père éternel, car il avait besoin d'un ange…

Pour réconforter, mais surtout pour rassurer, le prêtre précisa que l'enfant, baptisé, et par conséquent délivré des limbes, avait déjà trouvé le repos et l'allégresse au paradis. Il n'y avait ni enfer, ni purgatoire pour les pauvres êtres qui n'avaient pas eu le temps de faire le moindre mal en ce monde. L'enfant veillerait sur ses parents, et sur le bébé qui naîtrait bientôt.

Le prêtre ne croyait pas si bien dire.

Quand ils se retrouvèrent seuls dans leur grande maison, désormais privée du babil de leur fils, Alfred-Wilfrid et Marie-Louise se retirèrent chacun de leur côté, en silence. Il leur faudrait du temps pour panser leurs blessures. Ce lourd deuil était une épreuve, qu'il fallait porter, accepter, aimer même, si l'on était croyant. Lentement, la vie recommencerait à reprendre ses droits puisque, dans très peu de temps, Marie-Louise mettrait au monde l'enfant qu'elle attendait. Un partait, l'autre arrivait. Comme cela semblait simple. Mais pourquoi fallait-il tant souffrir, et tant pleurer sur cette Terre ? Avoir des enfants et en perdre, en ce début du XXe siècle, étaient la banalité même. Cela n'empêchait pas d'avoir le cœur brisé. Et Marie-Louise ne se remettrait jamais tout à fait du départ de son premier-né.

Le 21 mars, un mois à peine après les obsèques, la petite Jehane Patenaude vint au monde. Cette date était de bon augure. Premier jour du printemps, premier jour du renouveau, fin de l'hiver. Le père y vit un présage important et cette naissance l'aida considérablement à faire son deuil du garçon qu'il venait de perdre.

Dès que sa fille fut en âge de comprendre, son père lui raconta qu'elle avait reçu à son baptême le prénom de Jehane en l'honneur de son frère disparu, mais aussi parce que Marie-Louise, sa mère, avait une dévotion pour Jehane d'Arc. Il insista pour que sa fille écrive correctement son prénom : Jehane, et non pas Jeanne, plus commun et moins chargé de sens. Hélas, sur l'acte de baptême, le prêtre n'inscrivit pas correctement le prénom. Marie-Jeanne-Cécile Patenaude fut donc baptisée en la paroisse de Saint-Louis-de-France, le lendemain même de sa naissance. Plus tard, lorsque Jehane deviendrait connue, sous le nom de Jehane P. Benoit, il arriverait encore, et bien souvent, que l'on confonde les deux graphies, mais Jehane, très fière de ce prénom, tint à conserver cette singularité, respectant ainsi le goût et surtout le vœu de son père. Alfred-Wilfrid Patenaude n'eut de cesse, à l'instar de sa femme, d'implorer la protection de sainte Jehane d'Arc pour que sa fille ait une bonne santé et connaisse un véritable destin.

Il ne fut pas déçu.

4

Robert relut le premier chapitre de la biographie qu'il avait commencée dix ans plus tôt et retrouva enfin le goût d'écrire.

Il s'était passé tant de choses depuis la visite annonciatrice à Noirmouton, le fameux samedi où une partie des biens de Jehane Benoit avaient été vendus. Lorsque sa proposition d'article sur cette grande dame de la cuisine avait été refusée au *Temps*, où il travaillait alors, Robert avait rongé son frein, furieux contre Roxanne Provencher, la rédactrice en chef toujours à l'affût d'une nouvelle qui pourrait surtout détruire une réputation. Mais en cette année 1990, la guerre du Golfe l'avait vite absorbé et, peu à peu, l'histoire mystérieuse de Jehane Benoit était allée se lover dans un coin de son esprit. Une sorte d'hibernation. Longue hibernation, ou gestation, cela dépendait du point de vue.

Les années s'étaient écoulées. La veille du passage à l'an 2000, tout le monde avait craint un *crash* informatique. Robert, lui, avait perdu sa mère. Berthe Drouin s'était éteinte dans son sommeil, sans souffrir, à quatre-vingt-cinq ans, emportant une vie de souvenirs, et ceux qu'elle aurait pu encore lui confier sur le célèbre Salad Bar. Cette disparition avait plongé Robert dans un deuil profond. Il avait alors repensé à son escapade avec sa mère, dans les Cantons-de-l'Est, et à leur conversation, sur le chemin du retour, vers la résidence Saint-Dominique.

— Je comprends ta frustration, avait dit Berthe, évoquant la réaction négative de la rédactrice en chef du journal, à l'idée d'un article sur Jehane Benoit.

— C'est elle la frustrée, avait rétorqué Robert. Roxanne Provencher n'aura jamais son nom dans le dictionnaire, ça c'est certain, et on ne se souviendra pas de son passage au journal, compte tenu du peu qu'elle y a fait, à part nous mettre des bâtons dans les roues et tout niveler par le bas…

Berthe avait eu son magnifique sourire, apaisant.

— J'ai connu Jehane, mon fils… Cette femme n'aurait jamais plié l'échine devant un refus. C'était une battante, très posée, à la fois enjouée et sérieuse. Quand elle avait une idée en tête, elle l'exécutait, lentement et sûrement. As-tu idée de ce que pouvait représenter, pour une femme, dans les années 1930 et 1940, la gestion d'un restaurant et d'une école culinaire ?

Robert avait grommelé.

— Quand tu auras le temps, car pour l'instant ton travail de journaliste ne te le permet pas, quand tu auras le temps, donc, si ce sujet t'intéresse, tu commenceras à l'étudier et tu iras à la découverte d'une femme qui, elle, a vraiment su apporter à sa société, avec son œuvre. Chacun la sienne…

À la mort de sa mère, Robert avait vidé sa chambre, et gardé quelques effets personnels, dont *L'Encyclopédie de la cuisine canadienne*, signée Jehane Benoit. C'était comme un signe, un appel. Une femme qui en soutient une autre. En mettant la main sur le gros ouvrage, il avait eu l'impression que Berthe lui parlait, lui demandait peut-être de rappeler son souvenir en écrivant l'histoire d'une autre.

Pendant des semaines, surmontant sa peine, Robert avait fait des recherches, à droite à gauche, sur Internet et dans les bibliothèques, extrêmement surpris de trouver si peu de renseignements sur cette femme qui, pourtant, avait tant d'accomplissements à son actif – une femme d'avant-garde, une pionnière. Quelques articles, de rares documentaires, des extraits d'émissions de radio et de télévision, des renseignements sur des sites de généalogie et dans les archives du gouvernement canadien. C'était bien peu. D'autant plus que bon nombre d'informations étaient contradictoires. Les sites généalogiques, par exemple, indiquaient le 21 mars à la date de naissance de Jehane, mais non son passeport. Il faudrait trancher. Cependant, malgré la confusion des données, Robert était inspiré et surtout motivé à raconter tout ce qu'il avait appris sur cette femme. Il avait ainsi rédigé le chapitre de la mort de Jean-Marie, le premier-né des Patenaude, découvrant, avec ce premier texte, que la biographie n'était pas une mince affaire. C'était une enquête, une reconstitution, un vrai casse-tête.

Puis, de nouveau, il avait été happé par sa vie professionnelle. Grâce à son travail au journal et aux réflexions politiques auxquelles il se livrait sans répit, la douleur causée par le départ de sa mère s'était apaisée. La vie étant ce qu'elle est, souvent une course ridicule, il fut le premier surpris de se réveiller un jour et de constater qu'il venait d'avoir soixante-dix ans. Dix ans étaient passés depuis le fameux an 2000 ! Ce fut un coup. À l'âge normal de la retraite, il avait demandé de continuer de travailler au *Temps* et on l'y avait gardé. Il faut dire que, depuis, Roxanne Provencher avait enfin été remplacée par une charmante intellectuelle éclairée.

Mais désormais, Robert en avait assez. Ce chapitre sur la naissance de Jehane, qu'il venait de retrouver, lui tendait la main, et lui montrait son chemin. Il ne s'ennuierait pas une seconde sans le journal, car enfin, libre de son temps, il partirait à l'aventure.

À la découverte de Jehane Benoit.

5

Joyeuse, sinon espiègle, Jehane devint vite le centre d'attention de la famille. Âgée, la première fille du couple Patenaude se décrirait en ces termes : elle était exubérante et affectueuse. Yeux gris, cheveux brun roux, bonne mine, c'était en effet une enfant expressive, saine et solide. Même si ses traits étaient agréables, ce n'était pas sa beauté qui faisait son charme, mais sa vivacité et son caractère. La fille Patenaude était intelligente et volontaire. Elle attirait les regards et parlait sans gêne. Plusieurs, membres de la famille et amis, affirmaient qu'elle irait loin.

Alfred-Wilfrid Patenaude, originaire de Saint-Isidore de Laprairie, né le 18 avril 1877, avait quitté sa campagne natale pour s'établir à Montréal, au flanc du mont Royal, dans le beau quartier de Westmount. Il tenait à vivre dans un milieu anglophone. Les Anglais réussissaient. Ils faisaient de l'argent. C'était eux qu'il fallait fréquenter, pour connaître le succès. Il n'était pas le seul dans ce cas de figure, puisque son frère, Ésioff-Léon, avait également très bien réussi. Chef de l'organisation du Parti conservateur du district de Montréal, il deviendrait, en 1908, député à l'Assemblée législative dans Laprairie et, bien plus tard, lieutenant-gouverneur. Les Patenaude étaient donc une famille en vue. Sans être très riches, les parents de Jehane n'avaient aucun souci d'argent. Ils devaient cette aisance au talent que, très jeune, Alfred-Wilfrid avait montré dans les affaires. Il avait en effet hérité de son propre père, Hilaire Patenaude, un sens aigu des finances. Cultivateur prospère, homme sévère et exigeant, Hilaire était devenu, au fil du temps, un habile commerçant. Dans la famille, on racontait qu'il savait faire grimper les enchères quand il était question de vendre ses bêtes. En matière d'argent, il était toujours gagnant. Son but ? Faire en sorte que ses enfants soient instruits. Il y était donc parvenu avec Alfred-Wilfrid, diplômé du Mont Saint-Louis. Ce fils ne déçut pas son père, pas plus qu'Ésioff Patenaude qui, après des études de droit à l'Université Laval de Montréal, devint avocat en 1899 et connut une brillante carrière politique.

Après ses études en sciences et commerce, Alfred-Wilfrid, fort bel homme, trouva vite un emploi de commis à la Banque d'Épargne. À tous ceux qui le félicitaient, Alfred-Wilfrid affirmait avoir notamment obtenu ce poste parce qu'il parlait couramment l'anglais. Il avait raison. En ces années 1900, Montréal était profondément anglo-saxonne. La signalisation, les panneaux publicitaires, les enseignes des commerces, tout était en anglais. Ce qu'on appellerait bien plus tard le visage français de Montréal était loin d'être une réalité. Il faudrait du temps pour arriver à imposer le français comme langue officielle.

Cependant, Alfred-Wilfrid Patenaude était de son époque, et il avait du caractère. Positif et constructif, il acceptait la réalité et composait de son mieux avec ses cartes à lui. Il était hors de question de ne pas réussir dans l'existence parce qu'il était canadien-français. Ingénieux et créatif, sinon rusé, il s'adonna dans ses temps libres à inventer une méthode d'apprentissage de l'incontournable langue des affaires. Car la clé, à n'en pas douter, était le bilinguisme.

En 1918, il devint célèbre grâce à cette série de leçons. Il établit en effet la Compagnie des cours par correspondance, pour l'apprentissage de l'anglais et du français à partir d'un gramophone. Bientôt, ces cours furent obligatoires dans toutes les institutions catholiques d'enseignement de Montréal. À n'en pas douter, Alfred-Wilfrid Patenaude était également fin pédagogue.

— Mon père, devait raconter Jehane Benoit, non sans fierté, était un inlassable travailleur. Il m'a légué cette curiosité et cette ténacité qui m'ont permis de poursuivre mes idéaux.

Pendant des semaines, voire des mois, la petite Jehane servit de cobaye à cette fameuse méthode d'apprentissage mise au point par Alfred-Wilfrid. Lorsqu'il lui arrivait de rechigner, quand, une fois de plus, son père lui faisait reprendre la leçon, celui-ci déclarait, tendrement mais fermement :

— Plus tard, tu me remercieras. Allons, reprenons.

Ce n'était pas un père, mais un maître, un mentor. Sans s'en rendre compte, ou peut-être bien, Alfred-Wilfrid formait sa fille comme si elle avait été un fils, en lui donnant les outils pour qu'elle puisse se démarquer et se défendre dans une société qui ne faisait de cadeau à personne, et il fit de même avec Gérard, son petit frère né en 1905. Des années plus tard, en conséquence, Jehane Benoit travaillerait dans les deux langues dans tout le Canada, faisant connaître son savoir-faire, tant chez les anglophones que chez les francophones, et traduisant elle-même ses nombreux livres.

Ce père brillant était son héros. Toute sa vie, elle évoqua son souvenir avec admiration et respect. Les deux avaient établi une complicité unique, en marge des autres. Plus tard, se remémorant ces heures passées auprès de lui, Jehane ne serait pas sans se demander ce qu'aurait été sa vie si Jean-Marie avait vécu. Peut-être qu'Alfred-Wilfrid aurait investi l'orgueil de son nom dans ce premier fils? Jehane aurait alors pris moins de place, une place de fille, sans doute, davantage dans l'ombre, d'autant plus que Gérard la suivait de très près. Elle aurait dû se forger elle-même cette personnalité qu'à présent son père l'aidait à développer et à peaufiner. Car, très vite, il avait décelé chez sa fille la persévérance qui allait la mener sur le chemin du succès. Jehane ne rechignait jamais à apprendre, même s'il fallait qu'elle reprenne deux ou trois fois ces leçons d'anglais qu'il lui prodiguait, car instinctivement, elle avait compris que cela lui serait utile.

Il arrivait toutefois qu'on plaigne cette fille élevée un peu à la dure. Pourquoi tant de discipline? Et surtout de discipline anglaise?

— Monsieur Patenaude, pourquoi tenez-vous tant à ce que votre fille sache parler anglais? Aura-t-elle besoin de cela, quand elle sera à la maison avec ses enfants? Concentrez donc vos efforts sur votre petit Gérard!

Mais Alfred-Wilfrid coupait court aux critiques avec humour.

— Qui sait si ma fille n'épousera pas un gentleman de Westmount? Et qu'elle n'aura pas à boire le thé au Ritz?

C'était une boutade car Alfred-Wilfrid, en donnant à sa fille l'éducation même qu'il offrait à son fils, n'envisageait pas le mariage comme la seule solution au destin d'une fille, et moins encore à la réussite sociale. Il voulait d'abord que Jehane apprenne l'importance d'être autonome, ce qui était inusité, sinon d'avant-garde chez un homme de son milieu. Mais les Anglais, souvent, pensaient de cette façon, reconnaissant à leurs filles autant d'intelligence qu'à leurs fils, et les invitant à poursuivre des études supérieures, ce qui était moins le cas dans la société canadienne-française, en grande partie parce qu'elle était plus pauvre. Un Anglais, cent ans plus tôt, en effet, avait fondé l'Université McGill et, depuis 1884, Lord Strathcona avait constitué un fonds réservé à l'éducation des femmes. L'autonomie, tributaire de l'instruction, serait donc un des plus beaux héritages de Jehane. Alfred-Wilfrid avait vu juste pour elle, car elle aurait à se défendre, plus tard, à l'âge adulte, seule contre les préjugés et les obstacles. Comme s'il avait senti que, pour se faire un nom, sa fille devrait se battre. Car le simple désir de vouloir s'en faire un, de nom, en ces années, était un combat en soi.

Alfred-Wilfrid observait sa fille avec tout l'amour du monde. Admiration aussi. De toute évidence, elle n'était pas tout à fait comme les autres. Quand elle jouait à la poupée, elle ne se contentait pas de la vêtir de belles nuisettes et de bonnets pour ensuite la bercer tendrement. Elle l'asseyait à une table et lui donnait des leçons, tout comme à son petit frère, d'ailleurs. Cette autorité naturelle, qu'Alfred-Wilfrid constatait chez sa fille, le faisait sourire et le persuadait qu'il était tout à fait dans la bonne voie avec elle, en la dirigeant vers l'étude, la réflexion et l'effort.

Du reste, cela agaçait parfois sa mère.

Marie-Louise Cardinal, élégante, voluptueuse, dont le physique évoquait celui des modèles d'Auguste Renoir, aurait en effet pu poser pour les impressionnistes tant elle dégageait de charme. Mais, sous la douceur des traits, se dissimulait un tempérament d'une rigueur intransigeante. Même petite, Jehane ne se sentait pas d'affinités, ou très peu, avec cette femme qu'elle trouvait flamboyante et coquette. Quand elle l'observait consulter les derniers magazines en vogue, elle ne s'intéressait pas à ce qu'elle lui montrait. Jehane n'aimerait jamais porter de vêtements dernier cri. Tout le contraire de sa mère qui prenait grand plaisir à déambuler rue Sainte-Catherine, s'arrêtant devant toutes les vitrines des grands magasins de Montréal. Chez Eaton's, elle montait vite au rayon des robes et pouvait y passer des après-midis entiers à en essayer. Quand, à Paris, Paul Poiret créa des robes au-dessus des chevilles, Marie-Louise fut l'une des premières à en acheter. Jehane, qui l'écoutait s'émerveiller devant les colifichets et les foulards de soie qu'elle agençait avec goût, n'était jamais impressionnée. Excellente couturière, Marie-Louise pouvait aussi recréer à la maison les vêtements trop chers. Dans une pièce consacrée à son passe-temps, les tissus foisonnaient.

— Maman aimait coudre, moi, je préférais cuisiner, dirait Jehane, plus tard.

Les rôles étaient bien déterminés. Chacune son talent. Ainsi, Jehane ne serait jamais le portrait de sa mère. Et ce ne serait pas auprès d'elle qu'elle développerait ce talent pour la gastronomie qui ferait sa fortune et sa gloire.

6

Tout en écrivant, chaque jour à sa table de travail, Robert se posait mille questions. Avant de se lancer dans cette aventure, car c'en était bien une, il s'était renseigné sur le genre particulier de la biographie, notamment en lisant un essai à ce sujet, signé André Maurois. Écrire sur la vie des autres était délicat. Surtout quand la documentation dite de première main manquait. Ainsi, qu'était-il arrivé de la correspondance de Jehane Benoit ? Dans les lettres, on pouvait apprendre énormément sur un personnage. Mais Monique, la fille unique de la gastronome, était décédée, les deux maris de Jehane étaient morts et ses petits-enfants, ainsi qu'on le lui avait laissé entendre quand il s'était renseigné, peu enclins à confier les souvenirs qu'ils avaient de leur grand-mère. Que faire dans de telles circonstances ? Inventer ? Bien sûr que non. Il fallait agir en moine, à savoir scruter toutes les archives à disposition (articles, émissions radiophoniques et télévisées, préfaces des ouvrages de l'auteur, chapitres d'encyclopédies), recueillir le moindre témoignage et, comme dans une bonne recette de Jehane, doser pour tirer le meilleur goût de cet amalgame.

Cinquante ans de journalisme ne nuisaient pas à l'accomplissement d'une telle tâche. Robert Drouin avait signé des chroniques politiques à *La Patrie* et au *Temps* pendant un demi-siècle. Extrêmement rigoureux, il n'avait jamais négligé d'interviewer un politicien, de se rendre au parlement ou de fouiller le passé d'un député ou d'un ministre dont il traitait avant même de se lancer dans la rédaction de son article. Aussi, fervent lecteur de diverses parutions, comme *The Economist*, *Times* ou *Le Monde*, il veillait toujours à aborder son sujet dans une perspective internationale, ce qui avait l'avantage d'offrir au lecteur une vision plus élargie d'un problème local. Enfin, et cette qualité s'était grandement perdue au fil des ans chez ses collègues, il ne se permettait aucun jugement, ne rapportant que les faits avec une minutie chirurgicale.

Mais là ! Dans ce chantier sur Jehane Benoit, cette approche objective lui semblait inenvisageable, sinon erronée. Il ne pouvait pas analyser froidement cette femme qui avait été la patronne de sa propre mère, et dont il avait, sans doute comme des milliers de téléspectateurs, l'impression d'être l'ami pour l'avoir vue à l'écran quotidiennement. Car toute personne qui avait traversé la même époque pouvait se souvenir du timbre un peu haut perché de sa voix, de ses lunettes obliques des années 1960, et de sa fameuse annonce de Pam…

Mais la question allait bien plus loin que ça. À cet égard, la lecture de l'ouvrage du célèbre biographe André Maurois, auteur d'un Balzac, d'un Hugo, d'une George Sand et de tant d'autres ouvrages, n'était pas sans conforter Robert dans son questionnement. Oui, on pouvait avoir une opinion de son sujet et aucun biographe ne pouvait échapper à sa propre subjectivité. Ainsi, ce chapitre sur la petite enfance de Jehane n'était que les grandes lignes d'un essai sur la fratrie, sur l'importance de la position des enfants dans la famille, la mère, le père, les circonstances de la naissance, le nom et le prénom.

Robert se leva. Il se ferait un thé avant de continuer, pour se réchauffer mais surtout pour changer le mal de place. Depuis des semaines déjà, il passait des heures à sa table de travail, couverte de notes, de livres de Jehane

Benoit, d'impressions de pages Internet, de coupures de journaux. Un fouillis à la fois rassurant et affolant. La synthèse était un défi. L'organisation de la matière et la construction du texte également. Se livrer à l'écriture biographique signifiait aussi se soumettre à sa propre analyse. Car il ne fallait pas se laisser distraire par ce que les journalistes penseraient peut-être du livre. Ne pas craindre d'avance quelque réaction négative d'un descendant de la famille. Ne pas sombrer dans le délire et imaginer que, à Montréal, au même moment, quelqu'un d'autre écrivait sur le même sujet. Bref, en trois mots : se faire confiance.

C'était le plus difficile. Dans sa cuisine, dont la fenêtre à carreaux donnait sur un petit jardin qu'il aimait bien contempler, Robert avait fixé au mur la petite râpe à fromage qu'il avait achetée lors de la vente-débarras, chez feu Jehane Benoit, à Sutton. Jamais, pourtant, il ne s'était résolu à s'en servir. Il conservait l'instrument comme une relique, un objet chargé de l'énergie même de sa propriétaire. Un vrai grigri. Parfois, il se surprenait à toucher l'ustensile et à s'imprégner du passé qui flottait peut-être encore autour. L'autre jour, quand Nicole était venue dîner, car depuis longtemps, malgré leur divorce, ils se fréquentaient en bons amis, elle s'était moquée de lui. Était-il donc la femme de la situation ? D'habitude, les hommes n'étaient pas très friands de ce genre de pratiques obscures. Peut-être… Mais Robert avait été élevé par une femme.

Et ça recommençait : la ronde des questions et des pensées sur la vie de celle dont il cherchait à percer la psyché. Jehane, de toute évidence, avait, elle, été élevée par son père. Robert n'en doutait pas : elle avait, étant donné ce contexte, développé des traits de caractère qui n'auraient pas pu s'épanouir de la même façon si sa mère s'était exclusivement occupée, comme c'était pourtant la coutume, de son éducation. Jehane, une Bélier du premier décan, tout premier signe du zodiaque, née le premier jour du printemps, première fille des Patenaude. Une telle conjoncture n'aurait-elle donc aucune signification ? Alors que Jehane était devenue la toute première dans son domaine ? C'était impossible ! Mais Robert ne pouvait oublier ce que lui avait dit Nicole, la semaine précédente. « Tu es comme Émile Zola, le savais-tu ? s'était-elle exclamée. Tu crois que l'être est déterminé par son contexte... » Cette phrase le déstabilisait dans ses convictions, tout comme Nicole l'avait déstabilisé en le laissant là pour un autre tout en restant son amie. Alors c'était sa mère qui, heureusement, de l'au-delà d'où elle le veillait sans doute, remettait ses pendules à l'heure : « On est tous, autant qu'on est, dépendants de nos circonstances. »

Dans son bureau, Robert retrouvait son entrain et son assurance, se rappelant que la biographie n'était pas une chronique politique mais bien une interprétation d'une vie particulière, le portrait d'un destin. Alors ce qu'il pensait, lui, de ce que Jehane avait pu vivre, éprouver, ressentir, craindre, appréhender, il avait parfaitement le droit de le dire si c'était cette conviction qui lui venait naturellement à l'esprit.

Ainsi, il lui paraissait incontournable de préciser que la disparition de Jean-Marie, quelques semaines avant la naissance de Jehane, avait été dans la vie de la petite fille à la fois un poids et un levier. Sa mère avait accouché alors qu'elle venait tout juste d'enterrer cet enfant. Jehane avait forcément vécu, du moins les premières années, dans le souvenir du petit être mort pour bientôt le sublimer, comme si elle avait hérité de toutes ses qualités masculines, pour accomplir, avec la santé qui était la sienne, un destin digne de celui d'un grand homme. Et cela était sans compter l'importance capitale du père dans le développement de sa personnalité, tout comme lui, Robert, avait été façonné par Berthe. L'absence d'un parent était triste, mais elle avait aussi du bon en ce sens que l'autre redoublait d'attentions envers sa progéniture. Alfred-Wilfrid Patenaude avait légué sa force à sa fille ; Berthe avait légué la sienne à Robert. Une force sensible, qui lui permettait d'oser s'approcher de Jehane et de l'interroger directement, de l'autre côté de la vie.

7

Lorsqu'elle se trouvait seule avec sa mère, Jehane aimait par-dessus tout qu'elle lui parle de sa famille. C'était l'occasion d'entendre des histoires bien meilleures que celles de tous les contes du monde. Les Cardinal appartenaient à une lignée de terriens, ce qui fascinait la petite fille car, grâce à cela, elle avait souvent la chance d'aller à la campagne et d'y découvrir tous les produits de l'agriculture, de l'élevage et de l'horticulture.

Les Cardinal, en plus d'être des cultivateurs, avaient le don de mettre en valeur les produits de leur vaste potager. Marie-Louise aimait se souvenir à haute voix de son père, Olivier, boulanger fort prisé à Saint-Rémi. Selon tout le monde dans la famille, il faisait l'un des meilleurs pains du pays. Mais celui qui intriguait la petite Jehane, c'était le fameux oncle Joseph, dont on disait qu'il avait été le premier au Canada à mettre sur le marché des croissants au beurre.

Un croissant. Quel mot singulier.

— Tu n'as pas oublié, Jehane, quand nous sommes allés chez grand-maman cet été ? demandait Marie-Louise.

La petite fermait les yeux et retrouvait alors le goût délicieux de cette pâte croustillante et dorée qu'elle avait dégustée, chaque matin. Elle y avait étalé de la confiture aux fraises faite par sa grand-maman, et savouré lentement les croissants chauds. Décidément, les Cardinal, ces gens joviaux et intelligents chez qui il faisait bon vivre, l'auraient les premiers initiée à l'art culinaire.

Marie-Louise était très fière de sa famille et, parfois, Alfred-Wilfrid l'enjoignait à plus de pondération. Mais Marie-Louise insistait : l'oncle Joseph avait fait fortune avec les croissants dont il avait vendu la recette, paraît-il, à une compagnie qui les avaient commercialisés.

— Légende, légende, rétorquait Alfred-Wilfrid. Ton oncle a du talent, mais pour les chiffres, personne ne bat les Patenaude !

Jehane observait ses parents se disputer amicalement. Leurs petites altercations ne l'inquiétaient pas. Elle comprenait qu'ils étaient très différents, mais qu'ils s'entendaient bien. Ce qu'elle gardait surtout en tête était que l'on pouvait inventer des pâtisseries comme on invente des machines ou des recettes. Le croissant au beurre lui paraissait tout aussi important que l'électricité, considérée comme la plus grande création née du génie humain. Seule dans sa chambre, devant un grand cahier, il lui arrivait de dessiner ces brioches en se disant qu'un jour, elle pourrait aussi en faire comme l'oncle Joseph, et y mettre sa touche à elle…

À l'arrivée de la belle saison, pendant les vacances, la famille quittait la ville pour se rendre à la campagne où demeuraient les grands-parents. Pour Jehane, c'était de grands moments de bonheur assurés, car elle y retrouvait la maison de ses rêves. À ses yeux, la grande maison de Westmount, régentée par sa mère, était froide et figée. Tout y était à sa place. Mais, dès qu'elle ouvrait la porte de la maison de campagne, elle était accueillie par l'arôme appétissant des plats qui fumaient sur le poêle. La table était mise. Sur la nappe brodée, la soupière attendait qu'on la remplisse d'une chaudrée de légumes ou d'un ragoût. Jehane avait alors l'impression d'être une petite princesse que l'on gâtait avec ces mets tous plus succulents les uns que les autres. Parfois, gourmande de nature, elle se retenait de demander une nouvelle assiettée. « C'est un péché capital que de trop manger », lui répétait sa mère avec sévérité. Jehane regardait son élégante mère d'un œil torve, mais c'était plus fort qu'elle : devant un plat alléchant, elle salivait, le dévorant des yeux avant de le goûter avec délices. À cela s'ajoutait le bonheur des conversations des grands, simples et animées. Elle retenait tout ce qu'elle entendait, les péripéties de la vie de chacun, le chagrin des uns et la joie des autres, et s'émerveillait d'entendre sa grand-mère redire d'une voix forte :

— Nous faisons les meilleures galettes du Canton !

Ce n'est pas Jehane qui aurait contredit sa grand-mère. Rose-Anna, née Beaudouin, avait une forte personnalité et surtout pas froid aux yeux. C'était une femme d'agriculteur, certes, mais également une intellectuelle. En dépit de l'interdiction formelle du clergé, elle lisait des livres à l'Index. Voltaire n'avait pas de secrets pour elle et elle avait certainement absorbé quelques principes de sa liberté de pensée que, sans qu'il n'y paraisse, elle transmettait à sa petite fille.

Dans cette belle région de Châteauguay, chaque matin était pour Jehane une vraie fête. Elle se levait précipitamment, après avoir eu hâte, en s'endormant, de se réveiller très vite, sachant qu'au petit-déjeuner, sa grand-mère servirait ces galettes légères et dorées, recouvertes de ses confitures aux petits fruits. Mais c'était encore mieux si, la veille, Jehane les avait préparées avec sa grand-mère. Passer ses vacances chez ses grands-parents, c'était cela aussi : l'autorisation, sinon l'invitation, de cuisiner avec sa grand-mère. Alfred-Wilfrid s'étonnait. « Mais ce ne sont que des galettes », s'écriait-il avec ironie. Puis, il en rajoutait, peut-être pour fouetter l'ambition de sa fille : « Si encore c'était un bœuf Wellington, ou même un ragoût de boulettes ! » Mais Jehane ne se laissait pas démonter. Consciencieusement, elle observait sa grand-mère et exécutait ses ordres tendres. Tamiser la farine, mesurer la levure, mélanger les ingrédients secs, laisser reposer la préparation une nuit entière dans de gros contenants de grès fermés.

Tout au long de ce processus, un véritable rituel, Jehane marmonnait la recette afin de la mémoriser. Comme une prière. À regarder sa grand-mère, elle comprenait qu'il fallait du sérieux et de la technique pour réussir ne serait-ce qu'une bonne galette. Son père ne pouvait pas comprendre cela ! Car Jehane ne regardait pas de haut ces gestes simples. « Toute nourriture est noble », disait sa grand-mère. Sans le savoir, cette femme était en train d'ouvrir le chemin à la vocation de sa petite fille en lui inculquant ces rudiments de la gastronomie. Jehane, devenue Jehane Benoit, se souviendrait de la sagesse innée de cette femme, un modèle pour elle. Et tandis qu'elle l'évoquait, d'autres souvenirs lui revenaient. Sa grand-mère brassait une soupe, la goûtait en fermant les yeux. « Il manque de sel », soufflait-elle. Jehane se précipitait sur la salière et la lui tendait. « Oh ! et puis donne-moi un peu de persil, là dans l'armoire. » À table, la famille se régalait.

— C'est grâce à toi, ma petite Jehane, s'exclamait son grand-père.

Tous écoutaient Jehane raconter avec sérieux qu'elle avait cueilli les légumes elle-même. C'était pour elle une découverte chaque fois renouvelée. Westmount avait beau être une oasis au sein de la ville, Jehane avait enfin la chance de pouvoir se salir les mains dans le vaste potager de ses grands-parents. Elle adorait enfoncer ses doigts dans la terre, sentir sa fraîcheur et sa douceur, la malaxer, la laisser filer le long de ses paumes. Déjà, Jehane lui vouait un culte, distinguait le sable de l'argile, l'humus, reconnaissait les insectes et même les petits crapauds qui bondissaient d'un sillon en la surprenant sans l'effrayer. Jehane respirait à pleins poumons. Quelle liberté que cette campagne, et quelle beauté ! Elle n'avait jamais rien vu de pareil nulle part ailleurs : les champs s'étendaient sur plusieurs kilomètres, riches de céréales et de légumes de toutes sortes. Tôt le matin, elle partait avec son grand-père, admirant les carottes, les radis, les tomates et les concombres qui allaient se retrouver sur la table. Elle découvrait avec émerveillement le quotidien des habitants de la campagne. Elle trouvait cela profond, sacré même. Puis, l'après-midi, elle partait cueillir des fleurs sauvages qui poussaient là en abondance, et les entassaient dans son tablier qui lui servait de panier.

Dans la bibliothèque de la maison de Westmount, Jehane avait souvent feuilleté de grands livres sur la flore, fascinée par les fruits, les légumes, les fleurs. À la campagne, tout cela devenait réel. Mais ce qui l'intéressait le plus, c'était le secret des herbes. À quoi servaient ces longues tiges vertes et fines ? À un mouton qui les brouterait ? À une vache couchée qui les ruminerait pendant des heures ?

— C'est de la ciboulette, expliquait son grand-père. Ici, du persil. Là, de la sauge. Remarque les nuances de vert, et la différence des formes. Tiens, voici de la sarriette. Grand-maman en met dans la soupe et aussi dans ses bouillis. Et laisse-moi te confier un secret : connais-tu les vertus de la sarriette ?

Jehane hochait la tête négativement, et demeurait très attentive à la réponse.

Mais son grand-père se penchait plutôt pour lui chuchoter à l'oreille :

— Parce que la sarriette empêche les gaz…

— Les gaz ? demandait Jehane, déroutée.

— Les pets…

La petite fille éclatait de rire et s'arrêtait aussitôt, car son grand-père prenait un air docte, mais affectueux.

— Toutes ces herbes sont magiques, ma belle. Puissantes ! Elles rehaussent le goût des aliments, qui seraient bien fades sinon, mais peuvent aussi guérir.

Jehane écoutait, les yeux grands ouverts. C'était la première fois qu'on lui parlait avec tant d'amour de ces herbes qu'elle aurait piétinées comme du gazon si elle n'avait reçu cette leçon. À présent, elle se penchait au-dessus des bouquets de ces merveilles et imitait son grand-père qui les reniflait, les caressait et les rapportait à sa femme.

Jehane aurait passé tout son temps à la campagne, auprès de ces êtres qu'elle aimait tant et qui le lui rendaient bien. Mais après les vacances, il fallait penser à la rentrée des classes, et le retour à Westmount était toujours bien sombre.

8

Depuis quelque temps, Robert constatait qu'un genre de rituel s'installait entre Nicole et lui. Elle l'avait quitté pour Patrick, un de ses amis, des années plus tôt. Pourtant, chaque semaine, l'ex-couple avait pris l'habitude de dîner ensemble. Le plus souvent, c'était chez Robert, parfois au restaurant. Ils réservaient au Paris, que Jehane Benoit devait certainement avoir connu et fréquenté, et surtout à La Mère Michel, depuis que Robert avait appris que les propriétaires, les Delbuguet, avaient très bien connu la grande dame de la gastronomie et que Jehane elle-même aimait tout particulièrement cet endroit.

Était-ce Jehane qui, d'où elle se trouvait, instaurait cette énergie, traçait ce chemin ? Car Robert était complètement habité par cette femme, devenue son personnage. Depuis qu'il avait commencé à travailler, son quotidien se conjuguait au rythme des chapitres et des recherches. Les pauses avec Nicole étaient de petits baumes. Il n'était pas question de revivre avec elle (de toute façon elle en aimait un autre), mais de profiter de cette relation agréable, de cette toute nouvelle amitié qui naissait entre eux, après qu'ils se furent tant déchirés. À bien y réfléchir, Jehane avait tout à voir dans ce changement positif. À la retraite, Robert avait enfin du temps, et il le consacrait à un seul projet. Ce n'était plus les années où Nicole réclamait en vain sa présence, tandis qu'il partait à Québec ou à Ottawa rencontrer un ministre ou un député, et qu'il revenait, complètement absent à autre chose qu'à l'article à rédiger. Combien de fois ce mode de vie avait-il engendré des disputes et des bouderies sans fin ! Aujourd'hui, c'était fabuleux, car ils en riaient.

— Où en es-tu ? demandait toujours Nicole, quand ils avaient commandé le repas et choisi le Chablis, ou mieux, le Sancerre qui l'arroserait.

Robert éprouvait toujours une petite excitation à cette question pourtant banale. Enfin, Nicole s'intéressait à son travail. Ce soir-là, dans sa cuisine à lui, il lui servit un navarin d'agneau. Il se surprenait à la regarder souvent, et pour cause. Elle avait un superbe sourire, des yeux magnifiques, une chevelure légèrement parsemée de fils blancs. À soixante-cinq ans, elle était époustouflante de grâce et d'une étrange jeunesse éternelle. Comment ne pas en retomber amoureux ? Il toussota, repoussant cette pensée incongrue au regard de leur nouvelle situation.

— Jehane avance, répondit-il. J'ai traité la petite enfance, à la campagne, avec les Cardinal.

— Et alors ?

— Alors quoi ?

— Tu en conclus quelque chose, de cette enfance ?

Elle lui adressa un autre sourire ensorcelant, malicieux tout compte fait. Il voyait bien qu'elle le poussait à dépasser les simples faits, à sonder la chronologie des événements d'une vie pour aller au cœur des choses.

— Eh bien, il est clair que ces séjours à la campagne ont fortement impressionné Jehane. Elle aimait la nature et s'est intéressée très tôt à la botanique. C'est, si tu veux, le terrain qui fait naître sa passion, c'est le cas de le dire. Elle sera de plus en plus fascinée par les aromates, leurs vertus, leur pouvoir sur les aliments et, bien entendu, par la cuisine en général.

— Tout à fait. Tu vois juste. Mais encore ?

Robert haussa les épaules.

— L'enfance est plus que déterminante. C'est comme la fondation d'un destin. Mieux : les circonstances particulières annoncent, en quelque sorte, ce que sera la vie. Ainsi, des années plus tard, alors que Jehane est déjà une femme mûre, elle s'installe à Noirmouton, dans les Cantons-de-l'Est.

— C'était en quelle année ?

— Selon ce que j'en sais, Bernard Benoit, son second mari, achète le domaine en 1956, mais il n'y résidera définitivement avec Jehane qu'en 1967. Elle avait donc ton âge ! Il a fallu bien des travaux pour mettre toute cette ferme d'élevage sur pied, et retaper la maison. Entretemps, ils y firent de fréquents séjours, campant, ou presque, pendant des années. Ils s'aimaient vraiment beaucoup ces deux-là…

— Des épreuves dans leur vie ?

Robert réfléchit, but un peu de l'excellent Sauvignon californien qu'il avait osé essayer ce soir, Nicole et lui n'aimant pas le rouge, même avec l'agneau.

— Sûrement, je n'en suis pas là… Du moins vaguement. On sait peu de choses à ce sujet. Mais tu sais, ce serait brûler les étapes. C'est la première biographie que j'écris, rien à voir avec la rédaction politique, je n'ai rien à t'apprendre. Alors, pour ne pas me perdre, je préfère travailler chronologiquement, un chapitre à la fois, une période de la vie après l'autre.

— Mmm, logique. De toute façon, il s'agit d'une première bio sur cette femme, tu ne peux tout de même pas écrire sur un seul aspect de son existence, tu dois donner une idée de l'ensemble, sans oublier d'enrichir le texte de ta réflexion.

— C'est discutable… Il y a tant de débats sur cette question de l'objectivité ! Et puis, ce n'est pas une biographie autorisée…

Nicole éclata de rire et regarda Robert comme s'il avait été un petit garçon pris en faute.

— Toi, grand lecteur, tu dis ça… Mais tu sais très bien que les biographies autorisées, la plupart du temps, ne donnent qu'un angle, celui de ceux qui sont, justement, « autorisés » à parler, donc, peut-être, à ne pas dire ci ou ça…

— Comme quoi, par exemple ? s'enquit Robert.

Nicole se leva, interrompant son repas pour allumer une cigarette. Ainsi, jamais elle ne renoncerait à cette mauvaise habitude ! Elle ouvrit la fenêtre au-dessus de l'évier, prit une bouffée et rejeta la fumée en se penchant vers les carreaux. Puis, elle dit :

— Ce n'est pas dans une biographie autorisée, par exemple, que l'on a appris que François Mauriac était homosexuel. La famille n'aurait sans doute jamais voulu que cela se sache… mais alors les lecteurs de cet écrivain remarquable n'auraient jamais eu une des explications fondamentales de la très grande sensibilité de cet auteur…

Les romanciers français sont souvent très cérébraux, pas lui.

Depuis la table, continuant de manger, Robert approuva.

— C'est vrai, ronchonna-t-il. Tu devrais peut-être te lancer toi-même dans la biographie !

— C'est un reproche ? s'écria Nicole en écrasant sa cigarette dans l'évier, ce que Robert ne supportait pas.

D'un coup, ils retrouvaient cette ambiance qu'ils connaissaient bien, celle de toujours s'opposer pour à peu près rien. Robert prit les devants pour arrêter l'hémorragie.

— Nicole… pas du tout. Mais je constate que cette entreprise me rend nerveux.

— Alors je vais t'aider.

Il sursauta.

— M'aider ? Et tes contrats de décoration ?

— J'ai soixante-cinq ans, Robert… J'ai décoré des centaines de maisons et d'appartements à Montréal. Une à l'occasion me suffit amplement. Je pourrais, moi aussi, m'attacher à un projet pour me changer un peu. Pourquoi pas le tien ?

Cette fois, Robert tomba des nues. Voilà que Nicole souhaitait devenir sa collaboratrice. Il eut soudainement l'idée d'un livre signé de leurs deux noms et cela le plongea dans la perplexité.

— Alors ? insista-t-elle.

— Alors laisse-moi y penser… Et toi, de ton côté, pense, puisque tu me le proposes, à ce que tu pourrais faire pour mettre la main à la pâte.

9

Au début du XXe siècle, les enfants entraient à l'école à six ans, soit un an avant l'âge dit de raison, notamment pour pouvoir y faire leur première communion. En 1910, madame Patenaude prit rendez-vous dans un couvent de grande renommée, non loin de leur maison, une institution de la congrégation des sœurs de Jésus-Marie. Les Patenaude étaient de fervents croyants, sans pour autant être bigots. Après avoir pris place dans le hall d'entrée dont le mur principal était dominé par un crucifix imposant, madame Patenaude, accompagnée de sa petite fille, fut accueillie dans le bureau de la mère supérieure, une religieuse à l'allure autoritaire.

— Madame, déclara d'emblée la sœur, nous avons bien reçu le dossier de mademoiselle Jehane Patenaude. Cependant, j'ai encore quelques questions pour le mettre à jour. Voudriez-vous bien me confirmer sa date de naissance ?

— Jehane est née le 21 mars 1904 ; elle a donc eu ses six ans au printemps.

— Je vois ici que monsieur Alfred-Wilfrid Patenaude, votre époux, a tout récemment établi une importante succursale de la Banque d'Épargne à l'angle des rues Beaubien et Saint-Denis… Et je constate que vous habitez avenue Wood. Ce n'est pas très loin d'ici. J'imagine que cela est un motif pour inscrire votre fille chez nous.

Marie-Louise était depuis longtemps rompue aux mondanités de toutes sortes, à ces dialogues un peu ambigus, presque hypocrites. Que voulait-elle donc, cette sœur ? Qu'on fasse l'apologie de l'institution qu'elle dirigeait d'une main de fer ? Qu'à cela ne tienne, Marie-Louise, devant Jehane, un peu pétrifiée par cette froideur et cet uniforme austère, y alla de son dithyrambe.

— Mon époux et moi-même, ma mère, souhaitons que notre fille reçoive la meilleure éducation qui soit. Comme la religion catholique est au centre de notre vie, il est naturel que notre enfant suive nos traces. Jehane est une enfant très pieuse. Elle est docile et connaît déjà ses prières par cœur. Elle aime aller à la messe.

La directrice toisa Jehane. L'enfant lui sourit.

— Mais laissez-moi, madame Patenaude, si vous le permettez, vous poser une dernière question. Êtes-vous bien parente avec Ésioff-Léon Patenaude, député conservateur de Laprairie et, surtout, avocat de la paroisse Saint-Jean-Baptiste de Montréal ?

Marie-Louise sourit pour elle-même, et redressa légèrement le menton.

— En effet, ma sœur, non seulement Ésioff-Léon Patenaude est-il le frère de mon mari, mais il est le parrain de Jehane.

La sœur baissa la tête et dit assez bas, mais en martelant les mots :

— Les Patenaude me semblent s'illustrer tout à fait remarquablement dans notre société. Croyez bien qu'ici, au couvent, nous sommes sensibles à la réussite des nôtres, surtout quand ils sont pratiquants.

— Cela ne fait pas de doute, répliqua Marie-Louise. Nous faisons de notre mieux.

La révérende mère sourit encore et déclara d'une voix forte :

— Ayant évalué ce dossier et la lettre qui l'accompagne, nous sommes heureuses de vous annoncer que nous acceptons Jehane Patenaude dans notre institution.

Marie-Louise baissa la tête en approuvant.

— Cela dit, poursuivit la religieuse, si vous avez bien lu notre documentation, vous aurez constaté que nous préférons que nos élèves soient pensionnaires chez nous.

Sur son fauteuil, la petite Jehane se mit à s'agiter. Marie-Louise déplorait que sa fille soit contrainte à une telle mesure, mais déjà, la révérende mère renchérissait :

— Je sais, madame Patenaude. Vous voulez sans doute me dire que vous demeurez tout près, et que votre enfant pourrait rester en famille. Néanmoins, nous tenons à ce que nos élèves créent une communauté. Quand ils sont ensemble après les cours, les enfants nouent des liens qui fortifient notre institution. Vous verrez, c'est un mode de vie très sain, très édifiant. Jehane apprendra tôt à être autonome tout en ayant la chance de se faire des amies.

Même à six ans, la petite Jehane n'avait certainement pas besoin de cette formule pour apprendre à être indépendante. À longueur de journée, à la maison, elle se livrait à ses activités sans rarement réclamer l'attention. Elle jouait avec Gérard, et aussi seule. Marie-Louise était un peu triste à l'idée de se séparer de sa fille, mais elle finit par accepter, sachant qu'elle devait s'occuper de son fils, et que son époux aurait approuvé d'emblée cette mesure. Lui-même avait été élevé à la dure, et chaque jour il goûtait les résultats de cette discipline en menant une carrière exemplaire.

Il fallait que Jehane ait les atouts nécessaires pour œuvrer dans la société.

De retour à la maison, Jehane sauta dans les bras de son père, revenu plus tôt du travail.

— Eh bien, ma fille, comment fut ta journée ? C'est sérieux l'école, n'est-ce pas ? Ce n'est pas comme ici, où tu peux jouer à tout instant. Il faudra apprendre à être sage, lui dit-il sur un aimable ton de gronderie. Avant de voir un film au Ouimetoscope, il faudra désormais attendre les vacances !

— Papa ! Je vous promets d'avoir de bonnes notes. Vous serez fier de moi.

Mais aussitôt, elle se renfrogna et son visage prit un air chagrin.

— Je vais m'ennuyer de vous, murmura-t-elle en réprimant un sanglot. Et aussi de Gérard…

Interrompant sa fille, Marie-Louise raconta à son mari que Jehane devrait être pensionnaire, ce qui, bien entendu, expliquait sa peine.

— Ce sera très bon pour toi, répondit Alfred-Wilfrid. Moi aussi j'ai dû quitter mes parents, et surtout mon coin de pays pour étudier à Montréal. Dis-toi que tu n'es pas loin de nous. Voyons, Jehane, ne prends pas cet air morose. Tu es une grande fille maintenant. Pas d'enfantillages !

Jehane savait bien qu'elle devrait se plier à cette discipline. Au fond d'elle-même, elle n'était pas fâchée. C'était, en quelque sorte, une aventure. Le début d'une nouvelle vie.

10

« Bonjour Robert,

Je te poste cette lettre en vitesse. Je suis à l'aéroport. Nous partons deux semaines nous reposer en Guadeloupe. Je sais bien que tu détestes que je te parle de Patrick, mais depuis qu'il a ouvert sa nouvelle clinique d'ophtalmologie, comme tu le sais, il est épuisé. Nous avons décidé de ce séjour à la dernière minute. Bref. Je ne voulais pas partir sans te raconter ce qui m'est arrivé cette semaine. Et cela concerne ta biographie de Jehane Benoit, comme si tout se mettait en place pour que des renseignements te soient donnés... J'ai croisé, cette semaine donc, une amie que je n'avais pas vue depuis longtemps. La sœur de l'ex-sénateur Hébert. Je devrais plutôt dire l'éditeur. Jacques Hébert, fondateur et directeur des Éditions du Jour. Je racontais à mon amie où tu en étais dans ta vie et tes projets – Jehane, bien entendu – quand elle m'a dit : "Mon frère Jacques a bien connu cette femme !" Du coup, l'idée m'est venue, fulgurante : pour t'aider, comme je te l'ai proposé, je pourrais mener une enquête auprès de plein de gens et voir quelle a été l'importance de Jehane dans leur vie... Si cette femme a vendu plus d'un million et demi d'exemplaires de son encyclopédie, ça fait de très nombreuses lectrices... et lecteurs. Je vais réfléchir à tout cela. En tout cas, la sœur de Jacques m'a raconté qu'un soir de souper de famille dans sa maison de Beloeil, où il a habité jusqu'à la fin des années 1970, son frère était dans une forme resplendissante. Il y avait de quoi puisque, l'après-midi même, il avait signé avec Jehane Benoit la publication d'un livre intitulé

La cuisine au cidre. Il était très excité de cela. Il a levé son verre et déclaré aux siens "qu'ils étaient sauvés". Sa sœur m'a expliqué que c'était en effet le pactole que de publier Jehane Benoit. Car l'auteur de la célèbre *Encyclopédie de la cuisine canadienne* était un auteur de *best-sellers.* Tous les éditeurs en rêvent, bien entendu. J'ai trouvé cette anecdote intéressante. Tu trouveras un moyen de la glisser dans ton texte, comme tout ce que je pourrai te raconter quand je commencerai mes recherches, à mon retour de Guadeloupe. D'ici là, travaille bien! Je t'embrasse, Nicole.»

Robert replia la lettre et la posa sur sa table de travail. Il songea que, pendant ces deux semaines, Nicole lui manquerait, tout en se sentant heureux qu'elle le seconde ainsi dans sa tâche. Elle avait beau vivre avec Patrick depuis toutes ces années, elle ne l'avait jamais tout à fait abandonné. Ils vivaient un peu côte à côte, surtout depuis cette entreprise sur Jehane. Robert trouvait que son idée d'enquêter était bonne. La conclusion à tirer de tous les récits que Nicole glanerait ici et là permettrait de comprendre à quel point Jehane Benoit avait influencé non seulement la cuisine au Québec et au Canada, mais bien la façon de faire les choses, le savoir-vivre, la bienséance, l'art de la table en général. Cela était sans compter son importance dans la psyché collective. Son visage, en effet, était connu de tout le pays.

Pendant des années, cette véritable impératrice de l'art culinaire avait envahi les écrans de diverses chaînes de télévision. Une foule de spectateurs, c'était le cas de le dire, n'oublieraient jamais sa présence à *Living*, avec Elaine Grand, à *Open House* avec Ann Cameron, ou encore à *Take 30*, avec Adrienne Clarkson, autant d'émissions, pour ne nommer que celles-là, qui l'avaient obligée à se rendre à

Toronto pendant des années, en train ou en avion. Sa voix si particulière, aux accents légèrement nasillards, resterait également dans l'esprit de bien des Canadiens d'un bout à l'autre du pays. Étrange héroïne. Unique en son genre, même si, bien souvent, on la comparait à Julia Child, son équivalent américain. Tout au long de sa vie, Jehane n'aurait eu de cesse de se dépasser, s'arrêtant dans chaque province, dans chaque territoire, s'intéressant aux particularités culinaires de chacun d'eux, et suivant en cela le conseil de sa grand-mère Cardinal qui insistait sur l'importance du folklore en cette matière. De cet enseignement familial, elle tirerait un jour un livre intitulé *Secrets et recettes du cahier de ma grand-mère*.

Une grande partie du travail de Robert consistait aussi à réfléchir, et à faire des liens entre toutes ces données sur une existence particulière. Depuis le tout début de ses recherches, et bien avant, alors qu'il parlait de Jehane Benoit avec sa mère, la question de la fameuse encyclopédie de la cuisine canadienne revenait sans cesse. En effet, vendue à un si grand nombre d'exemplaires, il fallait bien en parler ! Mais cela ne jetait-il pas une ombre sur tout le reste du travail d'une vie ? Jehane Benoit n'était-elle pas un peu vue comme l'auteur d'un seul ouvrage ? Robert pensa à Balzac, dont on citait sans arrêt *Le Père Goriot* devant tous les autres titres du romancier, à Claude-Henri Grignon, qui ne serait jamais que l'auteur d'*Un homme et son péché*, ou encore à Anne Hébert, et à son célèbre *Kamouraska*, sans cesse évoqué, comme si elle n'avait écrit que ce livre. Jehane Benoit était sans conteste au faîte de cette encyclopédie, la portant comme un trophée mais également comme une étiquette.

Et pourtant, que de travail ! Quelque 24 livres en deux ou trois décennies d'écriture. Tous, sauf un, traduits par elle-même en anglais et publiés chez différents éditeurs.

Jehane Benoit avait traité de nombreux sujets en profondeur. La cuisine de l'agneau, la cuisine du riz, la cuisine au micro-ondes, au four à convection, la cuisine traditionnelle, la cuisine au cidre, la cuisine du patrimoine, etc. Depuis des mois, Robert feuilletait avec nostalgie tous les ouvrages que, patiemment, il avait trouvés dans des librairies d'occasion de Montréal ou dans diverses régions du Québec et d'Ontario. La plupart de ces livres, il s'en était vite rendu compte, étaient rares, la plupart étant épuisés. Seule la célèbre encyclopédie était rééditée, la dernière parution datant de 1991. Mais les autres ! Découragé, Robert avait alors pensé, tandis que c'était une évidence, à se tourner vers des sites comme Amazon, et avait aisément complété sa collection. À présent que tous les ouvrages étaient bien alignés à portée de main sur sa table de travail, il reconnaissait d'un coup d'œil que Jehane Benoit était bel et bien l'auteur d'une œuvre magistrale, une véritable écrivaine. Au fur et à mesure des années, créant une mode à elle seule, elle avait été suivie dans cette thématique par sœur Berthe, sœur Angèle, Germaine Gloutnez, Janette Bertrand et une foule d'autres femmes jusqu'à disparaître des librairies, tout en restant la plus populaire, ou du moins la plus connue.

Robert posa les yeux sur la lettre de Nicole. Il sourit et se mit au travail.

11

Les années d'école se déroulaient sans difficulté. Pas très forte en mathématiques, Jehane se reprenait avec l'histoire et la poésie, matières qui la passionnaient, tout comme l'économie familiale. Lors des fêtes de famille, il n'était pas rare qu'on lui demande de réciter des poèmes. *Les Fables* de La Fontaine étaient les plus souvent à l'honneur. Au couvent, on les privilégiait car elles inculquaient aux enfants un sens moral aigu. Jehane se souviendrait longtemps de la plus connue d'entre elles : *La cigale et la fourmi.* Son tempérament de Bélier faisait d'elle une fourmi. Digne fille d'Alfred-Wilfrid, très Patenaude à cet égard, elle était assidue à l'étude et ne rechignait pas à l'effort. Elle savait qu'on n'obtient rien sans rien. *Vous chantiez ? Eh bien dansez maintenant !...* Elle penserait souvent, tout au long de sa vie, à ces vers, parmi ses préférés. Rien ne se perd. Plus tard, il ne lui serait pas pénible d'apprendre à épargner. De ces années d'apprentissage, Jehane retiendrait qu'il faut savoir économiser pour faire fonctionner une maison et quoi que ce soit d'autre, d'ailleurs.

Les religieuses reconnaissaient les qualités de la petite Patenaude. Intelligente, vive, bien élevée, volontaire et toujours curieuse d'apprendre. On n'hésitait pas à lui dire qu'elle avait du talent, sans pour autant la pousser dans la voie des arts. Cependant, quand venait le temps des représentations scéniques de fin d'année, il arrivait souvent qu'on la choisisse pour réciter quelques poèmes suaves d'Octave Crémazie et de Louis Fréchette, des auteurs canadiens-français.

Dans la famille, on était nettement plus loquace. Il était clair que Jehane avait un don de comédienne. Lorsqu'elle récitait, elle n'ânonnait pas, elle se tenait bien droite et accompagnait ses déclamations de gestes illustrant les thèmes du poème. Elle simulait la fourmi active, la cigale désespérée, Pierrette portant son pot de lait et, enfin, le renard observant le corbeau. On disait que la petite Jehane pourrait devenir actrice, mais cela, bien entendu, ne plaisait pas à ses parents.

— Non, coupait Alfred-Wilfrid, ce que vous prenez pour une aptitude aux arts de la scène est en vérité un don de pédagogie. Jehane souhaite devenir institutrice.

À l'image de la plupart des gens de son milieu, Alfred-Wilfrid Patenaude, comme sa femme d'ailleurs, avait peu de considération pour les artistes, qui n'étaient rien d'autre à ses yeux que des bohèmes, des marginaux. Cependant, Marie-Louise, plus mondaine et élevée par les Cardinal dans un esprit de tolérance, faisait preuve de plus de compréhension. Elle se désolait que Jehane ne semble pas partager ses goûts pour les réceptions, la mode et même la conversation, mais elle reconnut très tôt ses talents innés pour l'expression, ce qui faisait d'elle la petite vedette des fêtes en famille. En son for intérieur, elle espérait toutefois que Jehane ne développe pas ce goût de saltimbanque pour devenir plutôt une hôtesse parfaite, une impeccable maîtresse de maison.

En ces années d'avant-guerre, l'existence d'un enfant était modelée sur les principes parentaux. On n'aurait pas pensé à le laisser s'exprimer, et moins encore à lui permettre de donner son opinion sur tel ou tel sujet. Le fameux livre du docteur Benjamin Spock ne paraîtrait qu'en 1946, et la psychanalyste Françoise Dolto, contemporaine de

Jehane, ne commencerait à publier qu'en 1971. Ainsi, Jehane se levait chaque matin sans rechigner, assistait à la messe, faisait consciencieusement ses devoirs. De septembre à juin, son emploi du temps suivait le rythme de l'école et des fêtes religieuses. Chacune d'entre elles étaient, au couvent, un événement au cours duquel on redoublait de prières, et il y en avait beaucoup, à part Noël et Pâques. Jehane connaissait toutes les autres, de la Pentecôte au mercredi des Cendres, en passant par l'Assomption, les Rameaux et la Chandeleur. Plus tard, devenue cuisinière et spécialiste de la gastronomie, elle aurait pour toutes ces dates des recettes particulières.

L'épisode le plus mémorable des années d'études primaires fut sans nul doute sa première communion. Ce fut l'occasion d'une somptueuse célébration en famille, dont la dévotion était sincère. Marie-Louise se rendit avec Jehane chez Dupuis frères, le grand magasin fréquenté par une clientèle majoritairement canadienne-française. Elle aurait pu choisir Morgan, rue Sainte-Catherine Ouest, ou encore Ogilvy, mais elle savait que le choix de robes était plus vaste dans cet établissement de l'Est. De plus, Dupuis frères était renommé pour vendre des objets religieux. Marie-Louise y achèterait des chapelets, des croix et des statuettes de la Vierge pour la cérémonie. Il fallait que celle-ci fût inoubliable.

— Maman, s'exclama Jehane ce jour-là, j'espère trouver la belle robe que j'ai vue dans le catalogue !

Jamais l'enfant ne s'était montrée aussi soucieuse de son apparence. Marie-Louise était ravie.

— Au risque de te décevoir, Jehane, aujourd'hui nous cherchons plutôt la robe que tu porteras après la célébration.

Je préfère que madame Deslauriers, une couturière aux doigts de fée, fasse ta robe de communiante.

Marie-Louise aurait très bien pu effectuer cette tâche, elle dont les talents de petite main n'étaient pas à dédaigner, mais elle était pressée par le temps et elle voulait se consacrer entièrement à la réception qu'elle donnerait pour l'occasion, réunissant famille, amis et quelques notables, et surtout décider avec soin de sa propre toilette.

— Il nous faudra choisir une robe pratique, pas trop claire, pour ne pas la salir.

Lorsque Jehane pénétra chez Dupuis frères, elle fut littéralement émerveillée par tant d'abondance. Ce grand magasin était une véritable caverne d'Ali Baba. Cosmétiques, flacons, parfums, boîtiers, odeurs de lavande, de rose, bijoux, écharpes, chapeaux et gants. Un temple de la mode, pensa-t-elle. Le rayon des vêtements pour enfants était à l'étage. En haut de l'escalier, une vendeuse accueillit les clientes avec un sourire. Les robes étaient si belles, comment se résoudre à faire un choix ? Marie-Louise contemplait toutes les propositions, visiblement très heureuse. Elle n'était jamais aussi rayonnante que lorsqu'elle faisait des achats. S'engouffrant dans la salle d'essayage avec Jehane, elle ajusta le col châle d'une robe azur, un peu trop pâle, mais après tout pourquoi pas, la teinte allait si bien à sa fille. Devant le miroir, Jehane prenait la pose et se tournait de tous côtés. Décidément, constatait Marie-Louise, cette petite Patenaude, même sous des allures un peu garçon manqué, avait de l'allure et du charme.

Devenue adulte, Jehane se souviendrait de ces moments privilégiés. « Maman aurait voulu que je sois comme elle », racontait-elle. Mais Marie-Louise était si parfaite !

Quand elle recevait, elle était toujours ravissante, car sans cesse elle était à l'affût des créations dernier cri… Cette aura était parfois écrasante. À l'occasion des fêtes de fin d'année, encore, elle avait suscité l'admiration des convives avec une tenue d'un chic absolu. Tous l'avaient complimentée. Ce tailleur taupe cintré sculptait sa silhouette à merveille. C'était sublime. La petite Jehane s'était bien amusée de voir tous ces gens en pâmoison devant un vêtement! Souvent, les amies de sa mère lui disaient qu'elle serait un jour comme elle. Jehane approuvait mais, en son for intérieur, elle savait qu'elle ne deviendrait pas cette mondaine. Pourtant, ce jour-là, alors que sa mère décida d'acheter la robe bleue, la petite fille était vraiment contente.

À la caisse, Marie-Louise régla la facture. L'achat s'élevait à trois dollars et demi. Une aubaine. De toute évidence, dans l'ouest de la ville, elle aurait dû débourser davantage pour une telle tenue. Sur le chemin du retour, Jehane serra très fort le paquet bien enveloppé dans ses bras, heureuse d'avoir fait plaisir à Marie-Louise en se montrant si enthousiaste. Et c'était vrai. Jehane était ravie à l'idée de porter bientôt cette jolie tenue.

Tout passa très vite pour Jehane après la première communion. Sa vie bien organisée ne lui laissait aucune possibilité de s'ennuyer et de ne rien faire. Et cela allait certainement continuer, sinon s'intensifier, puisque bientôt on l'enverrait au couvent. Quand elle eut dix ans, en effet, ses parents se dirent qu'il lui fallait une éducation estimable. Après avoir demandé conseil à des amies, Marie-Louise pencha pour les Dames du Sacré-Cœur, religieuses françaises, dont le pensionnat était situé dans le quartier Sault-au-Récollet. Que Jehane puisse poursuivre ses études dans cette institution prestigieuse flattait Alfred-Wilfrid et

Marie-Louise. Après avoir feuilleté la documentation qu'elle avait demandée, madame Patenaude se déclara tout à fait satisfaite de ce qu'elle avait découvert. Son époux partagea son enthousiasme.

— On y donne même des cours de mathématiques en anglais tous les mercredis. Quelle chance pour Jehane, qui va apprendre à compter dans la langue des affaires.

C'était beaucoup demander à Jehane, pas très forte en calcul. Mais les Patenaude ne changeaient pas d'idée sur ce point : rien n'égalait l'apprentissage de la langue des affaires, justement. Leurs enfants devaient être bilingues. En ces années, pour réussir, c'était un minimum. Pas question de rêver à un bel avenir si on ne s'intégrait pas parfaitement à ceux qui projetaient l'idéal de la réussite. L'équation était plus que simple. Pour être riches, il fallait parler couramment l'anglais. Et pour couronner le tout, cet apprentissage se ferait dans une institution française, de quoi parfaire l'éducation de Jehane.

— En France, l'instruction est supérieure, déclara Marie-Louise. Et c'est aussi le pays des bonnes manières, ce qui ne saurait nuire à une jeune fille en herbe.

Alfred-Wilfrid était tout à fait d'accord avec les idées de sa femme. Gérard, puis Marcel, qui naîtrait en 1914, fréquenteraient de grands collèges classiques, dont ceux des frères de Saint-Sulpice, parmi les plus réputés. Jehane bénéficiait des mêmes avantages.

— Si nous habitions à Québec, disait-il, j'inscrirais Jehane chez les Ursulines. Mais à Montréal, le choix est plus restreint. Peu de couvents sortent de l'ordinaire.

Cependant, la question était réglée. En septembre, Jehane irait chez les sœurs du Sacré-Coeur. Il était entendu qu'elle devrait y être pensionnaire. Tout s'était bien passé à cet égard. Jehane vivrait loin de la maison et des siens, sans en souffrir.

Cette dernière ne discutait pas tous ces choix. L'obéissance était la première des vertus d'un enfant. De toute façon, elle passerait le temps des fêtes chez elle. Au printemps, elle célébrerait Pâques au sein de sa famille. Puis, enfin, ce serait l'été, cette période merveilleuse de liberté. Alors, elle séjournerait sans doute pendant de longues semaines à la campagne. Enfin, elle s'adonnerait à ce qui lui manquait le plus dans son quotidien : faire la cuisine.

12

Parfois, dès que Robert s'asseyait à sa table, les idées venaient à toute vitesse. Ses doigts martelaient le clavier, sans répit, pendant de longues minutes. D'autres fois, il stagnait, incapable de se concentrer, et il écrivait quelques petits paragraphes chenus ne semblant mener à rien. Au fil des jours, au demeurant, le journaliste cédait la place au biographe. Ce n'était plus des articles de huit feuillets qu'il fallait pondre au plus vite, mais tout un livre de quelques centaines de pages, qu'il voulait avoir terminé au moins avant son 75e anniversaire. Ce faisant, il développait sa méthode. Arrêter quand l'inspiration ne venait vraiment pas. Prendre en note la moindre idée qui surgissait dans son esprit. Marcher dans le quartier. Depuis qu'il avait quitté l'appartement de sa mère, rue de Brébeuf, il s'était installé avenue du Parc-La Fontaine, devant cet immense espace de verdure qu'il ne cessait de trouver magnifique. Pendant des années, il y avait vécu avec Nicole. C'était tout près du quartier de son enfance, pas très loin de chez sa mère et, à présent qu'il aurait pu, sans femme et sans mère, être n'importe tout, et pourquoi pas en Guadeloupe, il goûtait presque chaque jour le bonheur de s'assoir sur un banc, dans cet immense parc, et contempler les canards du joli lac qui s'y trouvait.

Les activités physiques, il le savait depuis longtemps, avaient l'avantage d'oxygéner le cerveau et de remonter le moral. Un esprit sain, dans un corps sain. Rien de plus juste. Robert aimait marcher, il jouait également au tennis régulièrement avec Marc, un ami depuis l'époque où tous deux allaient à l'école Louis-Marquette, non loin de la rue de Brébeuf. De retour chez lui, Robert se disait qu'il ne saurait attaquer un autre chapitre sur Jehane Benoit. Doutant souvent de lui, car l'entreprise lui paraissait colossale, il s'asseyait néanmoins et, tout à coup, cela venait, comme si Jehane lui avait montré le chemin. Chaque fois, il en restait surpris. Du reste, il se rendait compte que parler de son projet à droite à gauche, même dans les grandes lignes, suscitait toujours une réaction de la part de ses interlocuteurs. Ainsi, Nicole avait bien raison. Il fallait aller au-devant des choses et récolter des témoignages.

Car chacun, comme elle l'avait prévu, avait, étonnamment, son mot à dire sur madame Benoit. Robert avait été très surpris, ce jour-là, déjeunant au Petit Extra avec un collègue du *Temps*, retraité lui aussi. Thomas Lapierre, chroniqueur littéraire, la plupart du temps assez taciturne, s'était aussitôt animé lorsque Robert lui avait confié qu'il s'était lancé dans cette histoire de biographie.

— Eh ben, mon vieux, ça parle au diable, s'était-il écrié.

Instantanément, Robert avait été tout ouïe, fasciné d'avance par ce que lui confierait son ami. Cependant, ce n'était pas facile d'écouter sans se mettre à écrire en même temps en pensée.

— Une de mes tantes nous a rebattu les oreilles toute notre vie avec Jehane Benoit.

— Mais pourquoi ?

— Cette tante-là a étudié dans les années 1930, peut-être 1940, à l'école de cuisine de madame Benoit.

— Le Fumet de la Vieille France ! s'était exclamé Robert.

— Je vois que tu fais bien ton travail... Tu en es où exactement ?

Mais Robert, sans répondre, avait plutôt incité son ami à lui décrire tout ce dont il se souvenait du récit de sa tante. Il apprit, même s'il connaissait déjà les grandes lignes de cette période de la vie de Jehane Benoit par sa mère, qu'en fait le 1324 rue Sherbrooke était le domicile de Jehane Patenaude-Zimmerman à cette époque. Elle y louait même des chambres, notamment à un aviateur du nom de Tony Fiolet. Son collègue lui avait également rafraîchi la mémoire en lui parlant d'Annette, l'assistante de Jehane au Salad Bar, que sa mère, bien entendu, avait connue.

— Ma tante nous racontait qu'avec Annette, Jehane mélangeait les ingrédients des salades dans de grands bols en bois. Aujourd'hui, on ne verrait jamais ça, à cause de tous les règlements à n'en plus finir sur les précautions d'hygiène à prendre...

Puis, Thomas avait ricané en discourant sur cette société supposément moderne dans laquelle on ne faisait plus un pas sans craindre quelque chose et sans, par conséquent, devoir se protéger à grands frais, de façon à bien enrichir les portefeuilles de tous les intervenants. Retrouver cet esprit cinglant de son collègue fit du bien à Robert. Il comprit qu'il lui fallait sortir davantage, se distraire, car, depuis des mois désormais, il vivait ni plus ni moins avec une sorte de fantôme.

Lorsqu'il rentra chez lui, il renonça à écrire. Il s'installa tranquillement dans son salon, devant un épisode de *Mad Men*. Cette excellente reconstitution des années 1960 aux États-Unis dans le monde de la publicité lui rappelait par bien des aspects sa propre carrière au journal et, surtout, sa jeunesse. Rien ne valait une heure de cette série pour se détendre et se replonger dans ce monde révolu et envoûtant.

Mais Robert se rendit vite à l'évidence. Tandis que sous ses yeux se déployaient des décors de grands bureaux new-yorkais, de bars élégants, d'hôtels de luxe et de restaurants d'un autre temps, il pensait à Jehane, à ses années au Sacré-Cœur et à son obligation de rester enfermée dans cette enceinte jusqu'à Pâques et à Noël. Comme la vie – le monde – avait changé. Plus rien de cela n'existait aujourd'hui. Et Robert déplorait ne pas en savoir davantage sur cette période si importante d'une vie. Bien peu de contemporaines de Jehane devaient vivre encore en 2010, pour lui faire le récit de ce qui, à ses yeux, était une forme d'emprisonnement.

L'idée le tarauda longtemps. Lui-même n'aurait pas supporté d'être pensionnaire, pas plus chez les frères maristes de l'Académie Champagnat où il avait fait son cours classique. Être loin de sa mère l'aurait inquiété. Elle lui aurait trop manqué. Mais Jehane ? C'était étonnant, troublant même, car, par une réflexion intense, presque méditative, il en arrivait à percevoir son personnage, même sans jamais l'avoir connu.

Pour Jehane, les années de pensionnat s'étaient bien passées. Elle avait un caractère fort, une bonne nature, du cœur au ventre, le goût du travail, tout ce qu'il fallait pour être heureuse dans ce contexte.

Et soudain, Robert se surprit à se dire qu'il en était tout simplement convaincu. Alors, renonçant à l'idée d'écouter un autre épisode de sa série, il se dirigea vers son bureau.

13

Au sortir de l'hiver, les Patenaude faisaient comme bon nombre de familles et profitaient de leur ville. Depuis quelques années, les parcs d'attractions, très populaires aux États-Unis, l'étaient désormais tout autant à Montréal. Le parc Sohmer devint vite l'un des plus fréquentés. Ouvert le 1er juin 1889, et fondé par Ernest Lavigne, qui s'était inspiré des Jardins Viger fondés cinq ans plus tôt, ce grand espace vert était situé près des rues Notre-Dame et Panet. Il devint le lieu de rendez-vous préféré de nombreux citadins. On y entendait des concerts de musique classique et populaire, on y admirait des marches militaires, on y jouait dans des manèges et on allait de kiosque en kiosque découvrir les nouveautés de l'heure. Ce fut au parc Sohmer que l'on présenta d'abord les petites « vues » d'un certain Louis-Ernest Ouimet, qui deviendrait célèbre peu de temps après en ouvrant sa propre salle de cinéma, le Ouimetoscope.

Le dimanche, après la messe, les familles se retrouvaient la plupart du temps dans ces parcs, et s'y amusaient tout l'après-midi. Comme bien des mères, Marie-Louise y allait, quand sa petite Jehane avait un rare congé. Depuis Westmount, le trajet en tramway durait une bonne trentaine de minutes. Jehane et Gérard étaient toujours heureux d'y aller, non pas tant pour les attractions, ou même pour les animaux bizarres que l'on pouvait y observer, mais surtout parce que ce parc était une petite campagne. Cela était sans compter le grand pavillon, les concerts de musique militaire qu'Alfred-Wilfrid aimait et, pour Marie-Louise, des opérettes, dont *La Périchole* d'Offenbach, qui faisait fureur et dont on louangeait les interprètes.

Dans ce parc Sohmer, lieu presque magique, les gens se promenaient, se rencontraient et passaient un moment à bavarder à des points de vente de rafraîchissements. Jehane n'oublierait jamais, alors petite fille, l'émotion qu'elle ressentit en pénétrant sous une grande tente. Sur une immense toile blanche, des personnes bougeaient et simulaient tous les gestes de la vie. Le cinéma ! Quelle invention ! Cela faisait courir les foules depuis qu'en 1895, en France, les frères Lumière avaient présenté un petit film intitulé *L'Arrivée d'un train en gare de La Ciotat*. Les images semblaient si réelles que les spectateurs s'étaient précipités vers la sortie, croyant que la locomotive fonçait sur eux.

Jehane devait garder, comme de nombreux Montréalais, un souvenir ému de ces promenades au parc Sohmer, souvenir d'autant plus prégnant que cet endroit féérique fut détruit par un incendie quand elle eut quinze ans. Un peu comme si, d'un seul coup, ses souvenirs d'enfance s'étaient dissipés avec les cendres de ce merveilleux parc où elle se rendait avec sa mère qui venait de donner naissance à une autre fille, Jacqueline, qui serait bientôt suivie de Marcel, dernier-né des Patenaude. Ce fut la fin d'une époque et, sans y voir un présage, Jehane sentit que, comme tout ce qui avait constitué ce lieu, ses liens déjà fragiles avec Marie-Louise, occupée à materner ses deux poupons, s'effriteraient aussi. Devenue connue, Jehane Benoit, pourtant d'un abord assez réservé, n'hésiterait à parler en termes clairs de sa relation avec cette femme, affirmant qu'elle ne s'était vraiment senti d'affinités avec elle. « Nous étions trop différentes », précisait-elle fréquemment et sans regrets, en guise d'explication. Tôt dans sa vie, Jehane compris qu'elle serait indépendante et autonome. Son existence n'aurait rien d'une réussite sociale traditionnelle à laquelle avait aspiré sa mère. En dépit de son contexte social et familial, la jeune fille ne deviendrait pas une autre grande bourgeoise tenant un digne rôle dans une petite société. Elle serait unique. Et, en 1995, bien après sa mort, la Ville de Montréal donnerait à un parc situé à l'angle de la rue de Berri et des Malines, non loin de l'Institut de tourisme et d'hôtellerie, le nom de parc Jehane-Benoit.

Cependant, le quotidien de Jehane en était surtout un de rigueur et de discipline. Les congés étaient rares et les visites au parc également. Néanmoins, les cinq années d'études au collège des sœurs du Sacré-Coeur lui furent agréables. Jehane, sans être une élève couronnée de succès, était considérée comme étant un modèle de courtoisie et de gentillesse. Distraite en français, elle aimait surtout l'histoire, la politique et la poésie. Ses notes en économie familiale étaient excellentes. Tout ce qui concernait la table, la cuisine, les ingrédients et les préparations étaient presque une partie de plaisir pour la jeune fille. À la remise des diplômes, elle comprit clairement qu'elle appartenait à cette classe de jeunes filles dont l'avenir était assuré. Cette cérémonie, empreinte de solennité et de grandeur, réunit les parents, tous plus fiers les uns que les autres.

Les Patenaude prirent place dans la grande salle. Au premier rang, se trouvaient les invités d'honneur. Émue, Marie-Louise salua les religieuses qui avaient enseigné à sa fille. À seize ans, Jehane en paraissait davantage à cause de sa maturité et de son sérieux. En ce tout début des années 1920, les jeunes filles de bonne famille avaient des manières pour le moins guindées. Même si certaines d'entre elles idolâtraient les actrices d'Hollywood, il n'était aucunement question de leur ressembler. Cela aurait fait vulgaire car ces femmes, émancipées, que l'on nommait les Flappers, remettaient en question l'ordre et les bonnes mœurs. Cependant, il fallait se rendre à l'évidence. La société, surtout après la Grande Guerre qui avait plongé l'Occident dans l'horreur, se transformait. La mode était à la garçonne. Un style interdit aux couventines. Jehane, comme toutes ses compagnes, était vêtue d'une tunique noire sur un chemisier blanc immaculé, et portait les cheveux longs attachés en chignon ou tressés.

À présent qu'elle avait terminé son cours classique, il serait temps pour elle de s'établir. C'était du moins la réflexion que ses parents se faisaient tandis qu'ils la regardaient parmi toutes ces autres que le même sort attendait. Ces études coûteuses pourraient la mener plus loin car elles lui offraient les meilleures chances de réussite dans nombre de domaines. Du reste, les Patenaude espéraient que leur fille trouve l'homme idéal. Certes, ils avaient insisté pour qu'elle obtienne un solide diplôme. Ce n'était qu'une clé pour ouvrir une porte parmi d'autres.

De retour à la maison, entre membres de la famille et amis, on célébra la jeune diplômée. La question ne tarda pas à surgir. Le mariage, y songeait-elle ?

— Maman, s'exclama la jeune fille, laissez-moi y penser encore. Je n'ai que seize ans. Je ne suis pas pressée.

Marie-Louise hocha la tête, mais cet entêtement de sa fille l'inquiétait. Comment cette enfant ne pouvait-elle pas songer à quelque chose d'aussi naturel que de trouver un compagnon pour fonder une famille ? Que ne suivait-elle donc l'exemple qu'elle s'acharnait à lui donner et qu'elle ait à son tour des enfants ? Devait-on en déduire qu'elle voulait entrer en communauté ?

— Jehane, dis-nous, ma chérie, souhaiterais-tu te faire religieuse ?

— Non, répondit-elle sans aucune hésitation. Je n'ai pas la vocation. Et surtout, je tiens à ma liberté.

Liberté ! Prononcé aussi catégoriquement par une si jeune fille, ce mot faisait frissonner. Heureusement que Jacqueline, trop jeune, ne pouvait le comprendre. Mais Gérard, quinze ans, subissait l'influence de cette sœur presque rebelle. Jehane avait des opinions bien arrêtées et n'avait rien d'une soumise. Les parents n'osaient même pas imaginer qu'elle puisse être féministe. Ces femmes, revanchardes, se mariaient rarement et passaient pour des hommasses la plupart du temps.

— Elle finira bien par comprendre, murmurait Alfred-Wilfrid à Marie-Louise, tentant de l'encourager.

Le père était moins inquiet que la mère. Tôt ou tard, sa Jehane trouverait assurément un époux, un compagnon, mais avant tout un pourvoyeur. Les femmes ne pouvaient se passer d'un pilier, d'un roc auquel elles s'attachaient, à la vie, à la mort. Et Jehane aurait des enfants. C'était dans l'ordre des choses. Il n'y avait pas de marginaux chez les Cardinal, et encore moins chez les Patenaude.

Récemment entrée dans le monde, comme on disait alors, Jehane avait des amis, mais pas encore de prétendants. Elle tenait à son point de vue et avait bien l'intention de ne pas se faire dicter son chemin. Depuis toujours, elle avait affirmé son esprit d'indépendance et agi en conséquence, tout en se montrant obéissante et pleine de bonne volonté. Cependant, elle mieux que personne savait où elle voulait aller. Et ce fut une grande surprise, sinon un choc, lorsqu'elle déclara à son père, sans crier gare, qu'elle voulait s'inscrire à l'université.

Cette idée fit le tour de la famille. Les filles, depuis quelque temps, pouvaient en effet poursuivre des études supérieures, mais c'était très rare qu'elles choisissent cette voie ardue. Ce souhait de la jeune fille en renversa plus d'un. Dès lors, les Patenaude désirèrent ardemment qu'un garçon vienne ravir au plus vite le cœur de leur fille.

— Où comptes-tu aller ? s'enquit son père, tout en se demandant s'il ne s'agissait pas là d'une simple lubie qui, avec le temps, passerait.

Alfred-Wilfrid s'interrogeait. Toute cette éducation qu'il avait imposée à sa fille, ses sempiternels cours qu'il lui avait donnés, donnaient à présent leurs fruits. Jehane voulait s'instruire encore. Tout son être le réclamait.

— Je veux aller à l'Université McGill.

Cela allait de soi : à Montréal, la grande université de la rue Sherbrooke Ouest accueillait bon nombre de femmes dans des domaines diversifiés. Une université d'avant-garde et déjà renommée internationalement. Hélas, en 1920, les Canadiennes françaises avaient peu de chance d'être acceptées dans l'illustre institution, n'étant pas choisies les premières sur une liste qui s'allongeait de plus en plus. C'était les jeunes filles des familles anglophones qui avaient la priorité et ce privilège. Jehane Patenaude tenta néanmoins sa chance, mais fit partie des délaissées. La déception, cuisante, l'ébranla. Alors qu'elle avait passé sa vie à apprendre correctement l'anglais, qu'elle parlait désormais avec une grande aisance, et tout cela pour réussir dans ce monde, voilà qu'on l'en excluait, sans même l'avoir convoquée pour connaître au moins ses motivations. C'était une vraie humiliation. Une injustice.

Mais allait-elle s'avouer vaincue, baisser les bras et trouver un emploi qui ne lui conviendrait pas ? Animée par son désir d'aller plus loin et de ne pas se laisser abattre, elle se dit qu'elle trouverait bien une autre solution qui lui conviendrait. Ce n'était pas facile d'avoir confiance en soi et, surtout, de persévérer alors que ses parents n'étaient pas d'accord avec ses intentions et que l'université ne voulait pas d'elle. Mais Jehane était une acharnée, et elle était bien servie par un immense appétit de vivre.

Impatiente de réussir, et de trouver sa voie, elle se mit à lire tout ce qui concernait le monde de l'éducation. Elle se rendait souvent à la bibliothèque municipale. Une bonne façon d'avoir la paix et de fuir la maison de Westmount, transformée en nursery. Elle avait neuf ans de plus que sa sœur Jacqueline, et dix de différence avec Marcel. Pour une jeune fille fraîchement sortie du couvent, c'était bien lourd de supporter ces pleurs et ces cris. Heureusement, dans l'imposant et silencieux bâtiment à colonnes de la rue Sherbrooke, Jehane s'enfermait des heures durant, se livrant à la recherche de pistes qui la guideraient vers un bon choix de carrière. Parmi les bibliothécaires de l'institution dans laquelle Jehane Benoit se rendait quotidiennement, une femme se distinguait. Journaliste, progressiste, Éva Circé-Côté était un modèle. Une femme pouvait donc en effet mener une carrière. Car c'était bien le mot le plus important, un mot qui lui plaisait. Jehane avait la ferme intention de travailler toute sa vie. Accomplir, voilà ce qui l'intéressait. Cela ne cessait de troubler ses amis et sa famille. Comment, quand on avait l'immense chance d'être née dans un milieu privilégié, pouvait-on souhaiter travailler ? Mais l'esprit d'indépendance de Jehane était plus fort que toutes les conventions sociales. Pour éviter d'être ébranlée dans ses convictions, et surtout pour n'avoir pas à répondre sans arrêt aux commentaires négatifs, Jehane se confia de moins en moins.

Elle poursuivit son rêve en paix.

Elle réussirait.

14

Ce matin-là, Robert ne parvenait pas à retrouver sa bonne humeur. Même après son deuxième expresso, il se sentait encore enragé. C'était insupportable de se sentir frustré comme ça. La veille, invité chez Thomas Lapierre et sa femme, la belle Sophie, une violoniste, il s'était montré morose toute la soirée. Ils avaient pourtant parlé de Jehane Benoit, de tout ce dont ils pouvaient se souvenir à son sujet et, en particulier, du Salad Bar. Thomas Lapierre lui avait confirmé que c'était bien là que Jehane avait rencontré Bernard Benoit, qu'elle épouserait bien plus tard. Elle était alors la femme de Carl Otto Zimmerman, dont le père était chef d'orchestre. Robert ne parvenait pas à imaginer cet homme. Il n'avait en sa possession aucune photographie, rien. Il savait néanmoins, pour l'avoir lu dans la préface que Bernard Benoit avait signée dans l'ouvrage *Madame Jehane Benoit : 14 ans de cuisine au micro-ondes*, préface intitulée *Jehane Benoit un essai de biographie intime*, que la gastronome avait détruit toute trace de l'époque de son union avec Carl : photos, lettres, notes. Tout. Ces zones d'ombre l'agaçaient au plus haut point. Comment les contourner ? C'était avec cette idée qu'il s'était réveillé. La biographie était donc un puzzle, une narration morcelée, établie selon ce qu'on savait. Pour lier le tout, quelle béchamel fallait-il donc concocter ?

Lorsque Thomas, passionné de littérature, étant donné le métier qu'il avait exercé toute sa vie, lui avait recommandé de lire de grands biographes pour s'inspirer, Robert avait éclaté :

— Je t'y verrais bien, toi, à te débrouiller dans cette masse de renseignements contradictoires ! Il existe une grande différence entre critiquer un roman comme tu l'as fait pendant des années et créer !

— Ne t'énerve pas, Robert ! Tu as justement prononcé le mot : créer ! La vraie critique littéraire, permets-moi de te le dire, est aussi un travail de création. Jean Éthier-Blais, par exemple, mon collègue et rival du *Devoir*, était un véritable écrivain… Mais la question n'est pas de parler de moi, mais de toi ! Voilà pourquoi je te recommande la lecture de bons biographes. Lis, par exemple, le Chateaubriand de Ghislain de Diesbach, reviens au Victor Hugo d'André Maurois, procure-toi le Gerry Boulet de notre confrère Mario Roy ou encore le remarquable Gottschalk de Réginald Hamel et tu verras que la biographie ne peut être une œuvre sèche. Tu dois forcément, tôt ou tard, mettre en scène ce que tu sais sur ton personnage pour que le lecteur comprenne ce que tu lui racontes d'une façon vivante. Henri Troyat avait cet art, et Dieu sait qu'il en a écrit, des biographies, même si ces dernières étaient fort critiquées…

Ces propos perturbaient Robert. C'était bien difficile d'être seul à décider de ce que Jehane Benoit deviendrait, sur papier, selon son point de vue, fût-il le plus proche possible des faits.

— Et pourquoi donc les critiquait-on, ces bios de Troyat ? demanda-t-il.

— Faciles à lire, romancées…

Thomas s'interrompit, et rit avant de continuer :

— Mais à coup sûr inoubliables, et bien davantage que d'autres biographies supposément plus rigoureuses mais ennuyeuses comme un jour de pluie… Ce n'est pas ce que tu veux faire, n'est-ce pas ?

Robert n'avait pas répondu, et ils étaient passés à un autre sujet. Il reconnaissait toutefois que toutes ces considérations lui permettaient de pousser la réflexion sur ce genre qu'il pratiquait. Mais il y avait bien plus que cela. C'était l'espèce de fusion qui s'opérait entre le biographe et son personnage. Il répugnait à penser au terme d'introspection, et pis encore à celui de remise en question. Or, c'était un peu ce qui se produisait. Tout ce qui arrivait à Jehane le convoquait à lui-même. Il comparait leurs deux existences, avec leurs chances, leurs occasions et leurs obstacles. Il plongeait dans ses propres émotions, ses souvenirs.

Au contraire de Jehane, il n'avait jamais été poussé par sa mère. Berthe l'avait envoyé à l'école, il était naturellement doué et, à vingt ans, grâce à l'intervention bienveillante des Beaulieu, les patrons de sa mère, il s'était lancé dans le journalisme sans avoir eu besoin d'étudier à l'université ni d'envoyer des centaines de curriculum vitae restés sans réponse. Un parcours simple, bien tracé. Les difficultés se situaient ailleurs. Il venait d'un autre milieu, plus modeste. Lui, avait dû gagner sa vie, préoccupé par l'idée qu'un jour sa mère aurait besoin de lui. Jehane aurait pu mener une vie facile, de réceptions en thés l'après-midi, pratiquer un sport, l'équitation par exemple, peindre à ses heures, profiter d'une douce existence. Qu'elle ait voulu autre chose que cette aisance, et à tout prix, forçait son admiration. Au demeurant, la jeune Patenaude avait-elle un mérite dans tout cela ? C'était sa nature exigeante qui ne voulait pas de cette vie oisive et superficielle, en dépit de toutes les bonnes œuvres auxquelles elle aurait pu se livrer. C'était son caractère fort, presque viril, osait-il penser, qui avait fait qu'elle voulait autre chose. Le plus difficile dans sa jeunesse aurait été sans doute de s'orienter, car Jehane voulait faire de grandes choses, mais lesquelles ?

Lui-même avait toujours aimé lire et écrire. Une carrière de journaliste lui avait semblé aller de soi. Il avait bien réussi, cherchant toujours à se perfectionner. Et puis voilà qu'en fin de carrière, il bifurquait. Au lieu d'écrire un ouvrage sur un homme politique, ou sur un scandale d'intérêt public, comme beaucoup le faisaient, il se penchait sur l'histoire d'un être, d'une femme en plus ! Décidément, Robert perdait le nord avec lui-même, tandis qu'il précisait la vision de son sujet. Était-ce normal ? Il aurait voulu en parler à Nicole et, en même temps, cela l'intimidait. Livrer les doutes de sa psyché n'avait jamais été son fort. Mais il devait le reconnaître, il avait besoin de se confier à quelqu'un, et que ce quelqu'un démêle l'écheveau de son esprit.

En rentrant chez lui, il saisit machinalement son téléphone. Deux messages non écoutés. Il fut agréablement surpris et un peu troublé du premier. Hélène, longtemps comptable au *Temps*, avait été sa seule maîtresse. Quand Nicole l'avait quitté, Hélène s'était montrée très compréhensive et l'avait accueillie chez elle à plusieurs reprises, dans son adorable maison de Notre-Dame-de-Grâce. Leur liaison, très sporadique, avait pourtant duré des années. Hélène lui disait souvent qu'il ressemblait à Yves Montand. C'était un peu vrai. Robert, disait-elle, avait tout à fait le charme de ce comédien et quelque chose de sa belle voix. Cela faisait au moins un an qu'il n'avait vu cette femme, une amie, une amante. Elle lui proposait de dîner la semaine suivante. Il dirait oui. Le second message était de

Marc. Il avait enfin pensé à raconter à sa femme que Robert écrivait sur Jehane. Sa femme se souvenait être allée avec des amis à la Maison des Encans de Montréal, quelque temps après la mort du célèbre auteur de l'encyclopédie culinaire, pour une vente de succession. Le rouleau à pâte de Jehane était parti à 200 dollars. Elle se souvenait d'un chapeau de paille, de photographies et d'une lettre signée de la main de Paul Simon, le chanteur de Simon and Garfunkel, qui aurait donc visité la ferme de Noirmouton. C'était peu de renseignements, concluait Marc, mais au moins ça !

Robert reposa le combiné. Parfois, il suffisait de peu de choses pour dissiper un malaise. Il s'était levé contrarié, il se coucherait soulagé. Ainsi, pour bien vivre, la formule n'était peut-être pas si difficile : y aller pas à pas, avec confiance. Les choses finissaient toujours par s'arranger.

15

Marie-Louise se désolait de voir que sa fille marche d'un pas sûr vers un triste sort: le célibat. Ce mot, à lui seul, faisait peur. C'était une condamnation, pour une jeune fille, d'être laissée pour compte, surtout quand cette jeune fille ne souhaitait pas entrer en religion. Les millions de sœurs un peu partout sur la planète n'avaient certainement pas toutes le feu sacré pour servir en communauté, mais au moins, elles ne déparaient pas en société, à traîner, sans personne à leurs côtés. Que Jehane fût un jour réduite à ce rôle de paria était inconcevable. Et même si elle décidait d'exercer un métier à peu près acceptable pour une jeune fille de son rang, garde-malade ou institutrice, cela n'y changeait rien. Il lui fallait se marier. Cependant, Marie-Louise n'osait pas insister auprès de sa fille. La détermination et le calme de cette dernière devant sa situation en imposaient même à sa mère.

De son côté, Jehane réfléchissait à la meilleure solution pour son avenir, et lorsqu'elle la trouva enfin, ce fut à son père qu'elle préféra s'en ouvrir. Il l'accueillit avec chaleur et elle se sentit aussitôt en confiance.

— Vous savez, papa, affirma-t-elle d'entrée de jeu, je n'ai pas l'intention de rester à la maison et de ne rien faire. J'ai consulté de nombreux documents à la bibliothèque, et j'ai même rencontré des personnes qui m'ont conseillée. Les religieuses du couvent estiment que je devrais poursuivre mes études. Mon idée est faite: je veux aller étudier à Paris.

Alfred-Wilfrid ne put s'empêcher de déglutir un peu bruyamment, plus que surpris par cette annonce. Avait-il bien compris ce que sa fille venait de lui dire ? Comment répondre ? Il lui fallait réfléchir.

— Pardon ? souffla-t-il.

Jehane ne sourcilla pas et répondit d'un ton serein :

— J'ai même entendu parler d'une école fondée par Marthe Distel, une grande journaliste. Je pourrais étudier avec le chef Henri-Paul Pellaprat, l'auteur de l'ouvrage intitulé *L'art culinaire moderne.*

— Paris ? s'exclama son père. Mais la guerre vient à peine de se terminer… Toute l'Europe et la France en particulier ont été frappées par des désastres. Ce n'est pas le temps d'aller là-bas. Tu n'y penses pas !

Jehane était bien entendu au fait de cet événement majeur qui avait marqué les quatre dernières années. Au couvent, les religieuses en avaient parlé tous les jours en obligeant les élèves à prier au début de chaque cours afin que l'Empire britannique puisse vaincre les forces ennemies. Le *Kaiser* et ses troupes allemandes incarnaient le mal absolu. Il fallait sauver la France. On avait beaucoup pleuré pour la Mère patrie, et Jehane avait toujours éprouvé une sorte de grand amour pour ce pays.

— Mais, papa, le conflit est terminé, répondit-elle, tout simplement.

Alfred-Wilfrid allait-il briser le rêve de sa fille ? Cela aurait été mal le juger. Or, Jehane connaissait son cher père. Sous des dehors un peu sévères, qu'il avait hérités de sa famille terrienne, c'était un homme chaleureux et, surtout, ouvert d'esprit. Elle avait été directe et franche avec lui, comme il le lui avait appris, et elle s'attendait à ce qu'il lui rende la pareille.

— Ma fille...

Son cœur se mit à battre très fort. Un seul mot et tout pouvait s'écrouler ou se mettre en place. Jehane multipliait les arguments en pensée. Pendant ce temps, elle fixait droit devant elle, sans arrogance, bien droite et les épaules en arrière, comme le lui avaient enseigné les Dames du Sacré-Cœur.

Et alors, elle entendit la merveilleuse phrase :

— Je suis fier de toi, ma fille...

Elle respira de nouveau en fermant les yeux, pour mieux savourer la joie qui serrait son cœur.

— Jehane, enchaîna son père, ton idée est bonne et je salue ta détermination. Ainsi, tu as surmonté ta déception d'avoir été refusée à McGill. Une décision injuste pour toi qui insistes, et cela est rare, pour faire des études supérieures. Tu as du cran, tu es une vraie Patenaude. Je vais t'aider. Cela dit, tout cela sera fort coûteux. Et n'oublie pas que je suis père de quatre enfants. Mais, puisque j'ai remarquablement gagné ma vie avec mon poste de gérant général de la Société nationale de fiducie, au point de pouvoir maintenant me consacrer à ma compagnie des Cours par correspondance, je ferai en sorte que ton désir devienne réalité.

Jehane prenait conscience que son père avait eu un grand rêve, lui aussi, avec la création de cette méthode d'enseignement. En 1917, il avait d'ailleurs été nommé commissaire d'écoles pour le district nord de Montréal, et travaillerait jusqu'en 1927 au Bureau central des écoles catholiques. Quelle carrière ! Il ne s'arrêtait jamais, infatigable, sauf pour voyager. Elle comprit tout particulièrement qu'Alfred-Wilfrid lui donnerait des ailes, et pour cela, elle lui vouerait un culte sa vie durant.

Au dîner, ce soir-là, la bombe éclata. À l'annonce de ce qu'Alfred-Wilfrid présenta comme une bonne nouvelle, Marie-Louise perdit contenance.

— Quoi ? Paris ! s'exclama-t-elle. Comment une fille de seize ans peut-elle même penser à aller vivre à Paris ?

Jehane et son père se turent, attendant que la tempête passe. Il y eut un long silence. Assez pour que Marie-Louise se rende compte qu'elle n'aurait pas gain de cause.

— Tu n'iras pas seule, ma fille, rugit-elle. Ça, tu peux en être assurée. Il faudra te trouver un chaperon, car je refuse de t'envoyer là-bas sans que tu sois accompagnée.

Elle était mécontente, presque en colère, et surtout seule dans son camp.

— Pour une fois qu'une célibataire serait utile, ça tombe mal. Notre famille ne compte malheureusement aucune vieille fille pour tenir ce triste rôle auprès de toi.

Jehane sourit à cette pique. Vieille fille… Le mot était lâché. N'était-ce pas le statut qui l'attendait ? Cependant, elle sentait bien que sa mère n'avait pas dit son dernier mot.

— Alfred-Wilfrid, renchérit sa mère, dis quelque chose ! Nous avons quatre enfants, et celle-ci se comporte comme si elle était seule au monde !

— C'est peut-être vrai, rétorqua le père. Mais celle-ci a du talent, et de l'ambition. Devons-nous étouffer tout cela ? Quant aux quatre enfants, certes, nous les avons, mais nous bénéficions tout de même de l'aide d'une gouvernante, d'une bonne, d'une cuisinière…

— Cela suffit ! dit Marie-Louise d'une voix nette, tout en gardant son air mécontent. Puisque tu sembles m'y pousser, Alfred-Wilfrid, je partirai avec elle !

« Elle est rusée », songea Jehane. Quelle habileté ! N'était-ce pas une excellente façon de tirer avantage d'une situation qui, au départ, semblait lui avoir déplu ? Une femme comme elle, si coquette et cultivée, ne pouvait qu'être comblée de séjourner quelques mois dans une des plus belles villes du monde. Tout compte fait, ce caprice de Jehane était une occasion en or pour enfin découvrir ce pays.

— Que penses-tu donc de cela, Alfred-Wilfrid ? demanda Marie-Louise. Il est fort rare qu'une femme quitte son foyer, et j'espère que nos amis ne m'en tiendront pas rigueur, ni que ma réputation puisse en être salie, mais j'ai une bonne raison. Jehane, têtue comme elle l'est, finira par faire ce qu'elle veut, comme elle l'a finalement toujours fait, surtout avec ton accord, cher ami, conviens-en. Je partirai donc pour la surveiller. Je suis déchirée à l'idée de quitter Jacqueline et Marcel, qui sont encore si petits, mais je ne puis supporter l'idée que Jehane vive seule dans quelque pension de famille, ou encore avec une personne qui n'aurait pas toute ma confiance.

— Certes, Marie-Louise, répliqua Alfred-Wilfrid. Mais dis-toi bien que ces études dureront au moins une année, voire deux. Il faudra régler notre budget en conséquence. Paris est une ville chère. Cela dit, je crois pouvoir trouver des amis qui y ont des parents, ils pourront vous soutenir.

— La révérende mère du couvent des sœurs du Sacré-Cœur a tout prévu, interrompit Jehane. Nous irons là-bas sous leur protection. Nous y prendrons pension. Et j'obtiendrai mon baccalauréat chez les sœurs du Sacré-Cœur, là-bas.

— Eh bien, siffla Marie-Louise, je constate que tu as réglé la moindre des questions. Tu complotes cela depuis longtemps, c'est clair.

Jehane était tout à sa joie. Elle se mit à parler de son projet avec fébrilité, détruisant un à un les arguments dissuasifs de ses parents. Elle se moquait, en effet, des gens qui disaient que Paris était la ville de tous les péchés. On y rencontrait, affirmait-on, des filles de mauvaise vie. Il y avait des cabarets partout. C'était un endroit de perdition où des personnes vivaient même ensemble sans être mariées ! Dotée d'une vive intelligence et d'une connaissance psychologique étonnante pour une fille de son âge, Jehane savait tout cela. Paris était à l'avant-garde, et c'était justement pour cela qu'elle voulait s'y rendre au plus tôt. Elle comprenait la méfiance de sa mère qui ne sautait pas de joie à l'idée de quitter sa belle maison pour aller vivre dans quelque chambre exiguë. Elle comprenait que c'était tout un sacrifice de se couper de ses autres enfants. Néanmoins, et c'est ce qu'elle osa dire à sa mère, elle pourrait compenser en se promenant sur les Champs-Élysées, et surtout dans le quartier de l'Opéra et de la Madeleine, où se trouvaient les plus beaux grands magasins.

— Je vois qu'en plus tu connais déjà la ville, dit Marie-Louise. Mais sache que ton idée, tout extraordinaire qu'elle soit, ne me permettra pas de passer mon temps à acheter. N'as-tu pas entendu ton père ? Ton projet coûtera beaucoup d'argent, et il sera hors de question que je le dépense en folies.

Se reprenant aussitôt, afin que Marie-Louise ne change pas d'idée, Jehane fit remarquer que les arts et la culture étaient partout dans la capitale française. Seulement s'y promener était comme déambuler dans un musée, et cela ne coûtait rien !

— Nous tenterons quand même d'aller au spectacle, n'est-ce pas, maman ?

— Ne te mets pas trop d'idées en tête, ma fille. N'oublie pas ta priorité : étudier.

Jehane ne répondit pas. Elle aurait pourtant bien voulu avoir la chance de s'exprimer en toute liberté. Mais elle était reconnaissante. Ses parents avaient accepté ! Alors, pour l'instant, elle garda pour elle son secret, sachant qu'il lui faudrait bien dire un jour ce qui, vraiment, lui tenait à cœur.

16

La soirée avec Hélène avait été fort agréable. Robert avait retrouvé son amie et sa maison de la rue Old Orchard avec beaucoup de plaisir. Ils n'avaient pas fait allusion à leur longue relation passée. Hélène lui avait seulement dit que, depuis un an, elle était allée deux fois à Lausanne après y avoir rencontré un libraire très séduisant. Elle espérait y retourner bientôt. À la retraite, les chiffres derrière elle, elle pouvait en profiter pour enfin voyager.

Après le dîner, exquis, elle avait insisté pour que Robert lui envoie par courrier électronique les premiers chapitres de sa biographie de Jehane Benoit, une femme tout à fait remarquable à ses yeux, qui méritait qu'enfin on lui consacre un ouvrage. Robert ne pouvait qu'être d'accord avec cette remarque.

— Lorsque j'étais enfant, j'habitais L'Acadia, un appartement devant le Ritz, rue Sherbrooke Ouest. C'était à deux pas du Salad Bar dont tu me parles. Bien sûr, je n'ai jamais connu l'endroit, puisqu'il avait brûlé avant ma naissance. Mais cette maison existait toujours et ma mère, figure-toi, me racontait que Jehane Benoit, qui se présentait alors sous le nom de Patenaude, y avait habité. Et puis, avec ma mère, nous allions très souvent, à midi, chez Murray's, rue Sainte-Catherine. Chaque fois, elle me disait que c'était un des endroits préférés de Jehane, à l'époque de sa rencontre avec Bernard Benoit. C'est te dire l'importance de cette figure de notre société. Personne, crois-moi, ne l'a oubliée.

— J'espère que tu as raison, avait rétorqué Robert.

— Déjeunons dans quelques jours, si tu veux bien, avait dit Hélène, et je te donnerai mon avis sur tes chapitres.

Robert avait hésité. Jusque-là, il n'avait montré que quelques paragraphes épars à Nicole, se contentant surtout de discuter du sujet avec elle. Puis, il s'était dit que, tôt ou tard, beaucoup de gens seraient susceptibles de lire son travail, alors pourquoi ne pas se lancer tout de suite, et accepter les commentaires, quels qu'ils soient.

Et, en effet, trois jours plus tard, Robert avait revu Hélène, radieuse car elle venait de recevoir une carte postale de Julien, son libraire suisse. Ils choisirent la table la plus tranquille de L'Orchidée de Chine, un restaurant à peu près à mi-chemin de leurs domiciles respectifs, et surtout à deux pas du métro.

— Tu es ravissante, déclara Robert en le pensant vraiment.

Hélène sourit.

— Merci, c'est vrai que cette carte m'a bien fait plaisir. Julien est un homme merveilleux, et si cultivé ! Mais ne t'en fais pas, je ne te bassinerai pas avec ça. Parlons tout de suite de ton travail.

Robert ne put réprimer un frisson. Il appréhendait le jugement.

— Rassure-toi, s'écria Hélène, très empathique. Je suis fan de biographies, comme la plupart des gens d'ailleurs, depuis que ce genre connaît cette immense vague de popularité. Je suis déjà intriguée par ta Jehane et je m'attache à elle.

Sa Jehane… C'était gentil, et vrai. Il estimait qu'elle lui appartenait un peu, à force de la scruter et de la faire renaître par les mots.

— Il faut dire, ajouta-t-elle, que cela me replonge dans toute une partie de ma vie à laquelle je n'avais pas pensé depuis longtemps. C'est ma mère qui aurait bien aimé lire ça !

— Avait-elle son encyclopédie ? demanda Robert.

— Bien sûr ! Quelle femme n'avait pas ce livre dans sa cuisine, même s'il pesait une tonne ! Son idée de fascicules mensuels était meilleure, mais un ouvrage de cette envergure était incontournable. Mais dis-moi, ses parents… Comment la voyaient-ils, selon toi ? Elle est très ambitieuse, jeune. Elle n'a pas froid aux yeux.

— Tu as raison, dit Robert. Tandis que j'avance dans la période de sa jeunesse, mes idées se précisent à son sujet. Elle était rebelle sans être agressive ou revendicatrice. Juste elle-même. Mais je pense que ses parents, sans trop le dire, déploraient son côté garçon manqué. Cela devait leur faire un peu peur, et ils voulaient compenser. Mais pouvaient-ils le lui reprocher ? Jehane était un peu un enfant de remplacement, comme on dit de nos jours. Elle est arrivée bien vite après le petit Jean-Marie. Son père, surtout, l'a élevée sans trop lui rappeler qu'elle était une fille. Alors, quand elle annonce sa décision, car c'en est une, d'aller à Paris, ils se doutent bien qu'ils ne pourront jamais lui faire changer d'idée. Marie-Louise pensait même que sa fille serait partie sans son consentement tant elle semblait résolue.

— Ç'aurait été une fugue, rétorqua Hélène, surtout à l'époque où une fille n'était majeure qu'à 21 ans, une majorité qui voulait dire peu de choses… Pas le droit de vote, ni celui d'ouvrir un compte en banque, pour ne citer que cela.

— En effet. Et à ce propos, on a laissé entendre que Jehane fuyait peut-être un amoureux, ou plutôt qu'elle voulait oublier une peine d'amour. Je ne peux confirmer cela. Et c'est ça qui est frustrant... Je travaille dans la brume, les éclaircies sont rares. De toute façon, dans la famille, la discrétion était de mise. On ne parlait pas d'intimité.

— Mais ta conviction, à toi, Robert, tu en as bien une ?

— C'est une conviction sans l'être. Quelques reportages ont été consacrés à Jehane Benoit. Il suffit de les écouter et de les réécouter pour comprendre que Jehane aurait bien évidemment préféré partir seule, mais elle n'avait que seize ans. On la sent très indépendante, et à la fois respectueuse de sa mère. Même quand elle en parle, et que, finalement, on se rend compte que les deux femmes n'avaient guère en commun.

— Jehane était la fille de son père.

— Oui, c'est certain.

— Comme tu as été le fils de ta mère...

Robert se tut, aussitôt emporté dans ses pensées. Ce commentaire le dérangeait. Dans son cas à lui, il n'avait pas connu son père. Mais combien de fois Nicole lui avait reproché d'être trop près de sa mère. Il n'y pouvait rien ! Elle était veuve, seule, elle n'avait que lui. Il fallait bien qu'il s'en occupe. Mais il devait bien l'admettre, ce grand amour parallèle, dans sa vie, n'avait pas aidé son mariage.

— Je crois que Jehane était un mélange assez égal des Cardinal, surtout de ses grands-parents, et des Patenaude dans leur aspect conquérant, répliqua-t-il en ne relevant pas la remarque d'Hélène et en feignant ne pas voir son petit air inquisiteur. Jehane aurait-elle pu se révolter ? Contre quoi ? Sa mère l'accompagne en France, même si elle doit laisser ses autres enfants à Montréal, c'est donc qu'elle approuve. Les parents vont dans le sens des aspirations de leur fille. Mais Jehane le confie elle-même : si son père n'avait pas été là, ses chances d'être libre de faire à son goût auraient été bien réduites…

— Je suis certaine qu'elle devait compter les jours jusqu'à sa majorité, pour être enfin affranchie. Ce n'était pas une époque facile pour les femmes.

— La nôtre ne semble guère mieux, rétorqua Robert. Vois-tu tant de femmes heureuses ?

— C'est juste. Mais au temps de Jehane, cela prenait une volonté de fer pour s'opposer à sa mère et assumer son désir. Prends le cas de Camille Claudel, qui m'évoque un peu Jehane tout d'un coup, la tragédie en moins… Sans l'accord et l'appui de son père, cette femme n'aurait jamais pu sculpter. Que se révolter. Jehane a dû se battre, mais, en même temps, elle a eu la chance de ne pas être marginalisée, et qui pis est, stigmatisée, comme dans le cas d'une artiste comme l'était Camille.

— Tu conclus qu'elle a donc eu une famille équilibrée et ouverte qui a contribué au déploiement de ses talents ?

Hélène hocha la tête affirmativement.

— Oui, je crois que oui. Cela dit, ajouta-t-elle en riant, n'écris pas cela dans ta biographie ! Car, après son séjour en France, elle se marie, n'est-ce pas ?

— Bien après, car figure-toi qu'elle va y retourner ! Mais ce que tu dis est exact. Au retour du second voyage, le 21 avril 1926, dans la paroisse de Sainte-Catherine-d'Alexandrie, elle épouse Carl Otto Zimmerman, né un 2 novembre. Elle avait donc vingt-deux ans.

— Trois ans avant d'être considérée vieille fille.

— Tu me fais rire !

— C'était pourtant comme ça, Robert, dans le temps.

— J'ai bien peu de données sur cette époque de sa vie, murmura-t-il.

— Continue, ce n'est pas grave. Fais comme la plupart des biographes. Ils écrivent tout ce qu'ils savent sur leur sujet. Tu feras pareil !

17

Depuis qu'elle avait obtenu l'aval de ses parents, Jehane ne tenait plus en place. Elle avait soif d'aventures. Ne plus vivre à Montréal, était-ce possible ? La ville lui semblait désormais paralysante. Quitter son pays ouvrait forcément les horizons. Cela mettait en danger. Elle en frissonnait de bonheur sans trop le montrer. Car Jehane, sous ses allures de fille de bonne famille, cachait une âme ardente et passionnée. Après des mois à préparer le grand voyage, puis les valises, enfin, le jour du départ arriva.

Rassemblés sur le quai, au port de Montréal, les voyageurs montaient en groupes serrés sur la passerelle du paquebot. Alfred-Wilfrid aida sa femme et sa fille à transporter leurs bagages à main, les autres ayant été confiés à un porteur. Le père était nerveux, subitement inquiet à l'idée de ne pas revoir sa fille et sa femme pendant des mois. Il ne pouvait pas les empêcher de partir. C'étai trop tard. Et il voulait tellement que sa Jehane soit heureuse. Le sacrifice était que le rêve de sa fille ne puisse se réaliser que de l'autre côté de l'Atlantique… C'était difficile à accepter.

Il la prit à part, les yeux embués de larmes. Il ne voulait pas avoir l'air affligé, et encore moins donner l'image d'un homme faible. Cependant, devant les faits, il vacillait. Il lui faudrait passer tous ces longs mois à ne compter que sur lui-même, même s'il avait des domestiques, pour redoubler d'affection auprès de Gérard, Jacqueline et Marcel, afin qu'ils ne souffrent pas trop du départ de leur mère et de l'absence de leur sœur.

— N'oublie pas de m'écrire, Jehane.

Il mit un temps avant d'ajouter :

— Souvent.

— Papa, vous n'avez pas à me le rappeler. Je vais m'ennuyer de vous, vous savez. Vous serez toujours dans mon cœur, tout comme mes frères et ma sœur, malgré l'océan qui nous sépare. Et puis je reviendrai !

— Ce sera long ! soupira-t-il. Mais j'ai confiance… Tu reviendras riche de toutes les expériences que tu auras vécues. Tu es différente, Jehane. Ta mère et moi, nous l'avons compris dès que tu étais petite.

Soudain, cela paraissait une éternité à Alfred-Wilfrid. Il comptait bien aller rejoindre sa femme et sa fille après quelques mois, voire un an, mais le pourrait-il étant donné ses obligations professionnelles ?

De son côté, Marie-Louise était également fébrile. En esprit, elle revoyait sans cesse les effets qu'elle avait soigneusement pliés dans les malles. Avait-elle pensé à tout ? Dans ce pays, ce vieux pays, comme on disait, trouverait-elle tout ce que, en Amérique, ils se procuraient si facilement ? Savon, shampoing, mouchoirs, serviettes hygiéniques, ces choses banales qui, là-bas, lui avait-on assuré, n'étaient pas à la portée de toutes les bourses. La traversée durerait environ une semaine. L'océan Atlantique lui semblait tout à coup un immense gouffre, et elle ne put réprimer son anxiété. Alfred-Wilfrid le remarqua et la prit discrètement dans ses bras.

— À quoi penses-tu ? lui souffla-t-il à l'oreille.

Elle releva les yeux vers son mari, se retenant d'éclater en sanglots.

— À mes enfants, bien sûr… Mais aussi… Je ne dirai rien à Jehane, bien entendu, mais je ne peux m'empêcher d'avoir peur. Je ne cesse de penser à ce paquebot qu'on disait insubmersible…

Comment ne pas évoquer la tragédie ? C'était il y avait sept ans à peine. Le 15 avril 1912, le *Titanic* avait coulé au large de Terre-Neuve. Plus de mille passagers s'étaient noyés. Un cimetière avait été érigé à la hâte à Halifax, rappelant l'horreur. Les quelques survivants avaient raconté en long et en large le voyage à l'issue affreuse qu'ils avaient fait à bord de cet hôtel cinq étoiles dont on s'était vanté qu'il voguait plus vite que tous les autres navires.

— Allons, Marie-Louise, reprends-toi. C'était un terrible accident. Et surtout, ne sois pas prophète de malheur, conclut presque sèchement son époux.

Jehane les avait rejoints. Elle était si heureuse de partir ! C'était pour elle le début d'une vie nouvelle, et rien ne pouvait assombrir son rêve. Cependant, elle avait aussi pensé au *Titanic*. Le contraire aurait été impensable. Mais Jehane était positive. Depuis la nuit des temps, les navires traversaient les océans. Sa mère et elle ne feraient certainement pas naufrage à la veille d'un séjour aussi attendu.

— Maman, déclara-t-elle, les voyages en mer sont plus sécuritaires que jamais. Si la tragédie d'il y a sept ans a pu servir à quelque chose, c'est bien à cela.

Alfred-Wilfrid abonda dans le sens de sa fille. Il se souvenait en effet lui avoir raconté que les autorités gouvernementales du Canada avaient redoublé d'efforts pour que les voyageurs se sentent plus que jamais en sécurité sur les océans.

— Il paraît même, ajouta Jehane, qu'on pourra bientôt prendre l'avion pour aller en France, vous vous rendez compte ? J'aimerais tellement voir l'Atlantique du haut des airs !

La Première Guerre mondiale avait permis à l'aviation de se développer, et il était de plus en plus certain qu'un jour, une véritable industrie des airs permettrait aux gens de voyager en aéroplane.

Marie-Louise se sentit défaillir. Embarquer sur un gros bateau était une chose, mais dans un cigare volant ? Jamais !

Déjà, la sirène appelait les derniers passagers. Dans la cohue, les retardataires se bousculaient. Il fallait se presser. Alfred serra fort sa femme dans ses bras. Elle lui manquerait même si tout avait été prévu pour que la maison de Westmount soit bien tenue durant son absence. Devant l'évidence, Jehane éclata en sanglots.

— Ne pleure pas, dit son père doucement. Je suis heureux pour toi. Si j'avais eu cette chance à ton âge, j'aurais eu encore plus de succès dans la vie. Il faut faire les efforts nécessaires pour réussir. J'aurais tellement voulu étudier la finance en Grande-Bretagne, mais toi, tu vivras à Paris. Te rends-tu compte de ce privilège, Jehane ? J'admire ta détermination. Ne perds jamais ce feu sacré, c'est une grâce.

Jehane sentit son cœur se serrer jusqu'à la douleur. Cette fois, c'était vrai : elle partait. Elle avait tout mis en œuvre depuis des mois pour arriver à ce moment. Cela faisait si longtemps qu'elle avait exprimé ce vœu, qu'alors elle croyait irréalisable. Étrangement, elle n'aurait jamais cru que cela aurait été aussi simple.

— Papa, vous allez tellement me manquer. Merci pour votre confiance et votre aide. Je ferai tout pour vous faire honneur.

Elle se tourna et prit la main de sa mère. Sur le pont du paquebot, qui s'éloigna lentement du quai, les deux femmes adressèrent en agitant leurs mouchoirs des adieux touchants à l'homme qu'elles laissaient derrière elles. Marie-Louise prit sa fille par les épaules. Que n'aurait-elle fait pour elle ? Désormais, elles vivraient toutes les deux et ne pourraient compter que sur elles-mêmes.

18

Le séjour en Guadeloupe avait fait un bien fou à Nicole. Elle était toujours habillée avec élégance et belle, mais là ! Son léger hâle faisait ressortir ses yeux et la rajeunissait. Comment cette femme de soixante-cinq ans pouvait-elle en paraître quinze de moins ? Cela avait toujours impressionné Robert. Mais il se rendait compte que ce n'était vraiment que depuis leur séparation qu'il s'était vraiment mis à la regarder. Comme aujourd'hui. Ses yeux étaient verts comme des émeraudes. Il ne se lassait pas de les contempler. Ce Patrick avait bien de la chance de vivre aux côtés de cette femme, mince et musclée, pleine de vie et charmante.

— Tu fais toujours du yoga ? demanda-t-il.

Elle le regarda d'un air surpris.

— Mais oui, tous les jours, depuis des années. Mais pourquoi me parles-tu de ça, tu ne m'écoutes pas ?

Chez lui, ils avaient repris leurs bonnes habitudes et bu tranquillement une bouteille de Meursault. Parfois, ils se permettaient un vin vraiment supérieur. Il fallait bien profiter de la vie, et pourquoi pas quand ils se voyaient. Robert était un peu amorti par l'alcool, de même que par toutes les heures qu'il avait consacrées à Jehane. Parfois, il demeurait assis des après-midi entiers à son ordinateur sans même bouger, car il ne voulait surtout pas troubler son inspiration. Mais il devait bien l'admettre : ce soir, il était surtout envoûté par Nicole, très séduisante.

— Mais bien sûr que je t'écoute, mentit-il en souriant.

Elle soupira.

— Ces Patenaude étaient vraiment d'avant-garde, tu ne trouves pas ? reprit-elle. Franchement, en 1920, il n'y avait pas tant de familles qui partaient vivre deux ans en Europe…

— Beaucoup d'Anglais le faisaient, enchaîna Robert, pour rendre visite à des parents en Grande-Bretagne. Mais c'est vrai, tu as raison, c'était plus rare chez les Canadiens français.

— À ce propos, l'autre jour, la sœur de Jacques Hébert m'a raconté que leur grand-père maternel, le docteur Saint-Onge, est parti pendant des mois en Europe parfaire ses connaissances en médecine. Figure-toi qu'il avait acheté son billet sur le *Titanic*, mais que, à la réception d'une lettre de sa femme lui demandant de rentrer plus tôt, il l'a revendu !

— Mon Dieu, quelle histoire.

— Oui… Tout cela pour dire que ce Canadien français a séjourné là-bas avant la Première Guerre. Ça se faisait…

— C'était surtout les hommes qui partaient. Tu as raison de dire que deux femmes, surtout Marie-Louise qui avait d'autres enfants, c'était audacieux et peu fréquent.

— Paris à cette époque, dit Nicole en soupirant encore, ça devait être fabuleux. Les années folles, la Première Guerre derrière eux, tu imagines l'ambiance ? Palpitante, je suppose. Très, très élégante.

Robert approuva, fit rapidement un aller-retour dans son bureau et lui tendit un livre sur le Paris de cette époque.

— Les photos sont superbes, dit-il. Ça m'aide à me mettre dans l'ambiance. C'est certainement cela que Jehane et sa mère ont vu. Je suppose que Montréal a dû leur sembler bien morne en comparaison. Car Paris grouillait de monde, de touristes, de voitures, ce n'était pas le calme de Westmount, loin de là !

— Elles ont débarqué où, finalement ?

— Au Havre, bien sûr, en Normandie, en pleine Manche. Là aussi, quel choc, en voyant la côte se dessiner… En effet, on peut imaginer qu'elles étaient au paroxysme de l'excitation, et aussi de l'appréhension car alors, pour elles, chaque minute était une aventure.

— Et après ? demanda Nicole.

— Elles sont descendues dans une petite auberge. Après sept jours en mer, elles avaient envie de se poser un peu avant d'affronter la ville. Le voyage, même oisif, les avait sans doute fatiguées. L'inconnu aussi, ça fatigue. Elles ont dû marquer leurs premiers repères, rencontrer des gens, etc. Et fort certainement envoyer une lettre rassurante à Alfred-Wilfrid, ça tombe sous le sens.

Nicole écoutait, transportée là-bas.

— C'est étonnant à quel point on finit par se mettre dans la peau d'un personnage, souffla-t-elle.

— À qui le dis-tu !

— Mais les lettres… Il reste des lettres ?

Robert hocha la tête négativement. De nombreuses photographies de la vie de Jehane étaient parties le jour de la vente de ses biens à la Maison des Encans de Montréal. Peut-être même de la correspondance. Ces archives dormaient sans doute quelque part. Mais où ? Robert ne saurait jamais si Jehane, par exemple, avait pu tenir un journal intime, ou pris des notes dans des cahiers. Tous ces témoignages manquaient et il lui fallait redoubler de logique.

— Comme tu sais, Nicole, il reste bien peu de choses de Jehane. Mais il est bien évident que les lettres que ces deux femmes ont adressées à Alfred-Wilfrid ont existé. C'était le seul moyen de communication de l'époque, avec les télégrammes. Je doute fort qu'au tout début du téléphone, elles aient appelé à Westmount depuis Paris… En 1912, il y avait quatre millions d'appareils téléphoniques en Europe. L'Allemagne et l'Angleterre en avaient bien davantage que la France. De toute façon, te souviens-tu de nos propres tentatives de téléphoner quand nous étions à Paris en 1970 ?

Ils rirent. Comme les temps avaient changé. L'époque des téléphones gris à deux écouteurs, ou encore celle des appareils à jetons, qu'il fallait alimenter sans arrêt pour pouvoir dire deux mots à la suite, paraissait jurassique. Ce souvenir cocasse les rendit très complices et, pendant un instant, ils se regardèrent avec amour, comme lors de ce voyage qu'ils avaient fait juste avant de se marier.

— Alors comment Jehane et Marie-Louise se sont-elles rendues à Paris ? s'enquit Nicole.

Robert rit.

— Elles n'ont certainement pas loué de voiture… Elles ont pris le train. Ce qui permet de dire qu'elles ont d'abord découvert et admiré la Normandie, la verte Normandie, pendant quelques heures, avant d'entrer en gare à Paris. Bref, en arrivant dans la capitale, elles devaient se sentir déjà un peu familières avec la société française, et avec l'accent, que Jehane imitait à merveille.

— Ah ! Comment sais-tu cela ?

— N'oublie pas que Jehane avait étudié avec les sœurs du Sacré-Cœur et que, contrairement à aujourd'hui, les gens instruits ne s'exprimaient pas de la même façon. Les accents étaient légèrement différents entre un Français et un Canadien français, oui, mais pas la prononciation. Et Jehane, qui récitait des poèmes depuis l'enfance, était très bonne en diction. On le constate quand on l'écoute, d'ailleurs. Ce fut une de ses qualités à la télévision. Elle prononçait bien, s'exprimait lentement et clairement. Mais aussi parce qu'elle avait un goût très prononcé pour la déclamation. As-tu oublié sa voix, toi ?

— Pas du tout !

— À seize ans, Jehane comptait déjà beaucoup sur cette voix pour son avenir…

Nicole fronça les sourcils.

— Comment pouvait-elle savoir à seize ans qu'elle ferait de la télévision ? La chose n'existait même pas !

— Non, autre chose que la télévision.

— Mais quoi ?

Robert se leva et consulta sa montre.

— Il est tard, ma belle Nicole. Patrick doit t'attendre… Alors, suite dans un prochain chapitre…

19

Paris. Ville de rêve. Marie-Louise n'avait jamais pensé qu'elle serait si fébrile en y posant le pied. Elle eut l'impression d'avoir toujours fait partie de cet univers de beauté. De son côté, Jehane se montrait plus pressée de poser ses bagages. Enfin, son rêve se concrétisait : quitter son milieu, qu'elle trouvait étriqué, pour enfin s'instruire. Il n'était pas question que sa mère lui fasse perdre du temps. Elle la sentait déjà ralentir à chaque devanture. C'était une chapellerie, une librairie, un oiselier, un apothicaire – bref, une tentation à chaque pas. Jehane ne voulait pas flâner une seconde de plus dans les rues encombrées d'omnibus, même si elle était touchée par l'excitation de Marie-Louise. Sa mère ne lui avait jamais paru aussi légère, même si elle sentait qu'elle était intimidée par toute cette agitation urbaine. Madame Patenaude, libre de mari, libre d'enfants, avançait parmi la foule comme une jeune fille.

Ce fut comme ça tous les jours. Elles sortaient et découvraient la ville, le plus souvent à pied. C'était la meilleure façon d'apprendre à s'y diriger. À Paris, les deux femmes eurent l'impression d'être comme deux enfants libres dans un magasin de bonbons. Elles n'avaient pas assez de leurs yeux pour admirer toute la beauté de l'architecture, les parcs et les rues serpentant dans toutes sortes de quartiers tous plus fascinants les uns que les autres. La mère et la fille, éblouies par ce qui leur était donné à voir, ou plus exactement à admirer, ne connaissaient les monuments que par les livres, mais lorsqu'elles les apercevaient enfin, elles ne pouvaient s'empêcher de s'exclamer.

— L'Opéra, la Madeleine, la Tour Eiffel !

Près de laquelle elles déambulèrent pendant des heures. Cette curiosité de 324 mètres de hauteur avait été le clou de l'Exposition universelle de 1889. Les deux femmes se donnaient des torticolis à force de l'observer, sans oser y monter.

Puis, un jour, Jehane déclara avec fermeté :

— Maman, vous savez que notre séjour en est un de travail et non de plaisir.

Marie-Louise la regarda dans les yeux avant de rétorquer.

— Parle pour toi, ma fille. Je ne resterai pas des heures à t'attendre enfermée dans une chambre…

Au couvent du Sacré-Cœur, la jeune fille, toute nouvelle Parisienne, suivait ses cours avec sérieux et, le soir, retrouvait sa mère. Ces longues journées lui convenaient. Chaque jour de congé, Jehane troquait l'uniforme blanc de l'institution pour une tunique sombre et un chemisier blanc à col Claudine. Avec ses bas noirs opaques et ses cheveux en nattes, elle ressemblait tout à fait à l'héroïne de la célèbre série romanesque de Colette qui, depuis sa parution, dès 1900, connaissait un succès fou. Jehane avait enfin l'allure d'une jeune fille distinguée, ce dont sa mère se félicitait. Car Marie-Louise n'avait pas fait le deuil de voir Jehane trouver un époux bien nanti. Elle dénicherait peut-être même en France ce prétendant digne de ses aspirations. Toutefois, quand elle devinait les pensées de Marie-Louise, Jehane se montrait indifférente : on ne réussirait pas, même ici, à des milliers de kilomètres de chez elle, à lui faire changer d'idée.

Les journées de l'étudiante se déroulaient selon un horaire serré. Jehane adorait les cours, variés, et s'ouvrait à de nouveaux horizons. Mais ce que la jeune Patenaude préférait était sans conteste l'heure des repas. Sans être gourmande, elle aimait se retrouver dans le grand réfectoire : la salle embaumait d'arômes succulents lui rappelant la riche cuisine de sa grand-mère. Les religieuses avaient le secret des repas faits à la maison. Le bon pain frais, les soupes fumantes, les viandes souvent en sauces délicieuses, les desserts : sur la table, il ne manquait rien. Les recettes que l'on apprenait en classe étaient préparées et servies. Ce n'était pas toujours de la gastronomie, mais chaque plat était alléchant. De retour dans sa chambre, Jehane se remettait à l'ouvrage, zélée, tentant de se souvenir de chaque ingrédient qui avait titillé ses papilles. Sans le savoir, elle était un véritable palais. Dans un cahier, recréant ces repas de mémoire, elle notait les goûts qu'elle avait reconnus, et décrivait les herbes et les épices qu'elle découvrait au fur et à mesure des repas et des cours d'art culinaire : laurier, sauge, estragon, basilic, muscade, romarin…

Chaque semaine, les deux femmes profitaient d'être réunies pour aller se promener sur les Champs-Élysées, les Grands Boulevards, parfois même jusqu'à Montmartre, mais jamais le soir, car le quartier était surtout fréquenté par des artistes et des femmes dites de mauvaise vie. Tous les dimanches, elles assistaient à la messe, et changeaient d'église. Elles allaient parfois à Notre-Dame, sur l'île de la Cité, parfois à Saint-Gervais, près de l'hôtel de ville, aux Invalides, ou encore à Saint-Roch. Ces plaisirs étaient précieux pour la mère et la fille. Jehane se rapprochait de Marie-Louise et finissait par lui trouver des qualités qui lui avaient échappé quand elle était à Montréal. Elles n'étaient pas des touristes ordinaires, connaissant déjà de nombreux secrets de la ville. Elles s'arrêtaient avec respect devant tous les monuments, chaque fois épatées par le riche passé de ce pays.

— Ici, au moins, s'écriait Jehane, on respecte l'Histoire ! Ce n'est pas comme chez nous !

Elle avait l'impression de s'ouvrir au monde, de naître même. Jehane aurait voulu passer toute sa vie dans cette boîte à merveilles. Mais elle était jeune et s'illusionnait d'un avenir tracé en France et en Europe. Souvent, pour réfréner son enthousiasme, Marie-Louise rappelait qu'elles n'étaient à Paris que pour quelques mois encore. Le jour viendrait où elles s'ennuieraient de Montréal et où elles ne voudraient plus se passer de leur confortable mode de vie nord-américain.

Mais il n'y avait pas que l'Arc de Triomphe, le Panthéon, Notre-Dame ou les expositions du Grand Palais et du Louvre à admirer. Il y avait aussi les tentations des grands magasins.

À La Samaritaine, Pont-Neuf, Au Bon Marché, rue de Sèvres, aux Galeries Lafayette, rue de la Chaussée-d'Antin, Marie-Louise était comme un poisson dans l'eau. Toujours aussi coquette, elle restreignait néanmoins ses dépenses. De toute façon, ces magasins étaient si beaux, avec leurs somptueux lustres et leurs escaliers princiers, que leur seule visite contentait les deux Canadiennes. Dans cette ville magnifique, de la rive droite à la rive gauche, de la rue Mouffetard à l'Avenue Royale, les Patenaude se promenaient, ressemblant de plus en plus aux chic Parisiennes qui portaient de petits chapeaux épousant bien la tête et des robes à mi-jambes. Marie-Louise ne cachait pas à sa fille qu'elle aussi aurait bien souhaité s'établir à Paris, mais elle était une femme raisonnable. Jamais elle n'aurait quitté sa famille pour cette capitale frivole et démesurée. Au fond, tout ce luxe la rendait mélancolique : ne pouvant se l'offrir, elle devait souvent se résoudre à s'enfermer dans sa chambre et attendre que sa fille ne vienne la rejoindre pour se promener et rêver.

Cette époque était celle de tous les possibles. L'écrivain Dos Passos en avait d'ailleurs fait, à la suite de son séjour marquant dans la Ville lumière, le sujet d'un chef-d'œuvre avec sa trilogie *Nineteen, Nineteen.* La Première Guerre mondiale était définitivement terminée ; finies les tragédies, les peines, les horreurs. On se mettait à croire que la vie pouvait être synonyme de bonheur. Ce n'était qu'en Europe qu'on avait ce sentiment, et Jehane et Marie-Louise avaient cette chance unique d'être aux premières loges de ce bouleversement social et humain. Pourtant, régulièrement, la réalité assombrissait leur insouciance quand elles croisaient dans la rue un jeune homme démobilisé depuis quelques mois : cet éclopé se traînait sur des béquilles, ses jambes n'étant que des moignons. Là, un autre portait un voile qui cachait son visage. C'était ce qu'on appelait une gueule cassée. Certains étaient si méconnaissables qu'on les cachait dans des sections spéciales des hôpitaux. Deux ans après l'allégresse de la signature de l'armistice, les soldats hantaient les villes, plaies vivantes.

Jehane était très sensible à cette misère. Ces jeunes hommes avaient à peu près son âge, l'un d'eux aurait pu être son fiancé. Revenue au couvent, tentant d'oublier ces images lugubres, elle se remettait au travail avec tout le sérieux dont elle était capable. Le soir, elle prenait le temps d'écrire à son père. Ces instants lui étaient des plus agréables. Elle racontait alors ce qu'elle avait vécu et partageait avec lui ses angoisses et ses joies.

La veille, relatait-elle, sa mère et elle avaient passé un délicieux moment au jardin du Luxembourg. Cet immense parc de verdure rempli de fontaines et de statues était une véritable oasis en plein Paris, cette ville qui fourmillait de vie. Il fallait y habiter pour véritablement le constater. Ce n'était pas comme à Montréal, où seules quelques rues étaient très fréquentées. Les deux femmes pensaient à Alfred-Wilfrid avec beaucoup de nostalgie. L'imaginaient dans son bureau, rue Notre-Dame. Et à la maison, comment s'en sortait-il avec les enfants ? Les lettres étaient positives, mais tout de même… Du reste, Jehane ne s'épanchait pas longtemps. S'il était une qualité que l'on cultivait dans la famille, c'était de savoir garder pour soi ses sentiments les plus intimes. On était discrets, sinon pudiques, sans pour autant être coincés. Jehane adopterait cette allure de femme un peu sévère, bien que souriante, toujours en possession d'elle-même, ce qu'elle n'était pas tout à fait, au fond. Les Patenaude étaient stoïques et n'aimaient pas les effusions. Cependant, dans ses lettres à son père, Jehane laissait libre cours à sa verve.

Elle décrivait surtout ces jeunes garçons revenus des champs de bataille. Les Poilus. Parfois, les deux femmes devisaient furtivement avec des gens, à la terrasse d'un café. La vie reprenait, leur confiait-on, mais les souvenirs ne disparaissaient pas pour autant, surtout les plus terribles. Il y avait eu tant de blessés, et de morts. À la messe, chaque dimanche, on priait pour ces malheureux et aussi pour les défunts. Le souvenir de la guerre était partout, chaque famille ayant été touchée par ce carnage. Tandis qu'à Montréal, la guerre semblait si lointaine. Rédigeant sa lettre, Jehane se souvenait que son père avait été furieux lorsqu'il avait appris que le premier ministre Borden avait fait voter la loi de la conscription. Il avait raison. À constater les ravages du conflit mondial, on ne pouvait qu'approuver cette colère. Parfois, des gens remerciaient Jehane et Marie-Louise Patenaude. Elles étaient canadiennes, et de nombreux soldats de ce pays s'étaient sacrifiés pour l'Europe. Jehane apprenait la souffrance. Elle n'était pas seule, dans sa petite société montréalaise, dans son grand pays si peu peuplé. Il y avait l'Europe, le passé. Et, chaque jour, elle priait pour que la paix y règne à jamais.

20

Ces derniers temps, Robert ne savait plus trop où donner de la tête. À soixante-dix ans, il se découvrait encore très jeune et surtout très sollicité. Nicole le retrouvait chaque semaine pour leur petit dîner en tête à tête, et souvent aux chandelles, sans que cela prête à confusion et, à ce rituel, depuis quelque temps s'ajoutaient les rencontres avec Hélène. Son ex-amante suivait quotidiennement les épisodes de la vie de Jehane, tout comme son ex-femme. Elles lui réclamaient, chacune de leur côté, des détails et des explications. Robert s'y prêtait, flatté d'être l'objet d'une telle attention qui était également, il le voyait bien, du soutien et de la solidarité. À laquelle avait-il raconté que, assurément, ce long voyage de Jehane en France avait changé son statut dans la fratrie et peut-être suscité des jalousies ? À qui avait-il affirmé que Jehane n'avait jamais certainement été très proche de ses frères et de sa sœur ? Entre lunchs et dîners, parfois avec son ami Marc, et souvent avec Thomas Lapierre, Robert avait tout loisir de préciser sa pensée sur la grande dame de la gastronomie et, surtout, d'avoir en direct les réactions de ses futurs lecteurs.

— Je suppose que Jehane était très déprimée en revenant à Montréal au terme d'un tel séjour, disait Nicole.

Cela faisait réfléchir Robert. En effet, avec un baccalauréat français, et quelques cours au Cordon Bleu, que pouvait-on faire, à Montréal, en 1922, quand on était une femme non mariée ? S'engager comme cuisinière dans une famille ?

— Une chose est certaine, déclarait Hélène, c'est que sa mère, Marie-Louise, devait être bien contente de revenir au pays avec sa fille et avoir encore l'espoir que celle-ci rencontre un bon parti à Montréal.

— En effet, répondait Robert, à l'une ou à l'autre, comprenant surtout que la jeune Patenaude avait dû faire face à une réalité somme toute assez dure, voire ingrate.

Il en avait longuement parlé, un soir, avec Sophie et Thomas Lapierre. À trois, ils avaient tenté de percer ce que Jehane avait dû éprouver, devant son destin, devant cet avenir qu'elle avait décidé de se bâtir, encore confusément, mais avec ses propres moyens.

— Elle ne pouvait plus reculer, avait dit Sophie. Sinon quoi ? Elle aurait étudié à Paris dans cette école prestigieuse pour rien ? Elle aurait fait dépenser cette fortune à ses parents pour se retrouver au même point et chercher un mari, autant dire un pourvoyeur ?

— D'autant plus, avait tranché Robert, que cela n'était pas du tout dans son caractère, très indépendant. Jehane n'a jamais joué la carte de la séduction, de la féminité, des mondanités. Elle voulait être dans un lieu bien à elle. Travailler fort. Gagner sa vie. Être autonome !

— Tu veux dire affranchie… avait coupé Sophie.

— Si tu veux dire délivrée des attentes de sa mère, sinon de son joug, même gentil, je suis d'accord, avait approuvé Robert. Je crois que là, il y a véritablement un désir de coupure avec Marie-Louise. En 1922, Jehane a dix-huit ans. Elle est plus mûre que les filles de son âge. Deux ans en Europe font plus que former la jeunesse. Ça met du plomb dans la tête. Les deux femmes avaient des personnalités si opposées ! Il fallait, pour que Jehane survive psychiquement, qu'elle se démarque clairement de Marie-Louise, ce qu'elle n'avait pas à faire avec Alfred-Wilfrid qui, cela me paraît évident, allait beaucoup plus dans le sens de sa fille.

— Dirais-tu que Jehane était féministe ? avait-il demandé à Sophie.

— D'une certaine façon oui, puisqu'elle va à l'encontre des idées reçues de son époque, et cela, pour elle-même, pour son bonheur à elle. Bien sûr, la Première Guerre mondiale a mis de nombreuses femmes sur le marché du travail, cela a ouvert la voie à cette nouvelle façon de voir les choses. Mais Jehane, elle, venant de cette famille aisée, n'avait pas le couteau sous la gorge. Elle n'était pas obligée de travailler. Alors, si elle voulait travailler, c'était vraiment parce que c'était son désir profond.

— Bien d'accord, avait conclu Robert. Jehane devait se dire qu'elle avait de la chance d'être née à cette époque de grande ébullition. Elle observait sa mère et n'enviait pas sa vie, car celle-ci acceptait et aimait sa condition de femme au foyer. Elle s'enorgueillissait de son statut de femme bien mariée et à l'aise. Elle était une épouse, une mère, c'était son rôle dans la société. Même si Jehane avait rencontré, jeune, un homme qui aurait pu lui plaire, elle aurait certainement voulu faire autre chose que le servir et élever une famille. Cette affaire-là n'était pas dans sa nature. Cela dit, il ne faut pas oublier son engouement pour la vie à la campagne, ses affinités avec les Cardinal et même, à cet égard, avec les Patenaude, qui demeuraient toujours à Saint-Isidore. Si elle avait grandi au vert, sa vie aurait été tout autre, mais Jehane aurait tout de même obéi à ses exigences. Elle se serait peut-être mariée, mais alors, elle aurait cultivé un potager, élevé des animaux, tanné des peaux, qu'en sais-je ? La preuve en est qu'elle passera en effet des décennies à Sutton dans un contexte semblable.

— Là encore, avait dit Thomas, on remarque qu'on finit toujours, tôt ou tard, par faire dans la vie ce qu'on souhaitait faire…

Le commentaire avait frappé Robert qui, en revenant à pied chez lui ce soir-là, avait voyagé dans ses souvenirs. Des images anciennes, de ses débuts de journaliste à *La Patrie*, lui étaient revenues. Il avait oublié tout cela, et voilà que Jehane le conduisait dans les méandres de ses secrets à lui. Il avait été un très grand liseur de biographies politiques et d'ouvrages historiques. Le week-end, c'était, outre le tennis, sa principale activité. Aux côtés de sa mère, pendant des années, puis de Nicole, il avait été un homme présent mais très silencieux, la tête dans un livre, puis dans un autre, jamais rassasié. Quel homme ennuyeux avait-il donc été ? Il revoyait des regards de Nicole, ténébreux, las. « Veux-tu aller te promener ? Allons donc du côté d'Oka aujourd'hui ! » Ce à quoi il répondait d'attendre encore un peu, après son chapitre… mais cela n'avait pas de fin. Quand il refermait les livres, c'était toujours avec un petit pincement au cœur, une sorte d'oppression qui gênait sa respiration. Il revenait à son travail, à son article en cours, au journal. Lui aussi souhaitait écrire, aller à la recherche d'un personnage, approfondir l'étude d'un être particulier, comprendre par cette personne tout un pan d'une société ou d'une époque.

Alors oui, Thomas avait raison. On finissait toujours par atteindre son but, même sans le chercher parfois.

Et aujourd'hui, Robert avait l'impression de commencer une nouvelle vie bien à lui, grâce à ce livre, grâce à Jehane, exactement comme elle-même s'était sentie quand elle avait enfin annoncé à ses parents la grande décision qui scellerait le cours de sa vie.

21

Le retour au Canada se fit dans des conditions très agréables. La perspective de rentrer au pays avait quelque chose d'excitant. Comme si tout allait changer. Quand le paquebot entra enfin dans le port de Montréal, et qu'après une longue attente, les passagers en débarquèrent enfin, Alfred-Wilfrid, ému, alla à la rencontre de sa femme et sa fille. Il les trouva rayonnantes de bonheur. Ils avaient tant de choses à se dire ! Par quoi commencer ? Cependant, les deux femmes étaient un peu déboussolées. Après les retrouvailles avec Gérard, Jacqueline et Marcel, impatients de les revoir enfin, il leur faudrait se reposer un peu et défaire leurs bagages, pour mieux se retrouver au dîner.

Seule dans sa chambre, qui lui parut un palais en comparaison du logis exigu de Paris, Jehane se débattait entre deux sentiments : la joie profonde de se retrouver dans sa maison, et surtout de revoir son père, et le regret lancinant et angoissant d'avoir laissé en France une partie d'elle-même.

Qu'allait-elle faire de sa vie ? À dix-huit ans, toujours mineure, elle devait répondre de ses faits et gestes à ses parents. Du reste, bachelière, et forte de quelques cours suivis à l'école Le Cordon Bleu, elle était désormais plus instruite que la plupart des filles et des garçons qu'elle allait côtoyer à Montréal. À quoi servirait cette éducation raffinée, sinon à se sentir encore plus isolée ? À Paris, Jehane avait rencontré tant de gens. Personne n'avait été surpris que, si jeune, elle étudie à l'autre bout de son pays. Elle avait l'impression qu'en France, l'ouverture d'esprit était bien plus grande et les mœurs plus libres. Ici... Il lui faudrait vite trouver une solution ! La seule consolation était que sa mère semblait avoir abandonné l'idée de lui trouver un époux. Du moins ne lui en parlait-elle plus. Mais Jehane n'était pas dupe : Marie-Louise reviendrait à la charge, surtout si elle ne trouvait pas sa voie.

Montréal n'avait pas beaucoup changé, hormis le fait que l'industrialisation semblait irréversible. L'exode de nombreux habitants vers la grande ville, croyant y trouver fortune, sinon espérant y gagner mieux leur vie, se maintenait à un rythme régulier. On disait que cette inévitable urbanisation allait changer le mode de vie de la majorité des Canadiens français. De plus en plus d'écrivains faisaient en effet de la fuite rurale le sujet de leurs romans. Mais Montréal avait beau se targuer d'être la métropole du Canada, la ville ne pourrait jamais être comparée à l'immense et mirobolante Paris. Jehane eut tout de suite l'impression que tout y était petit, surtout les mentalités. L'autorité qu'exerçaient les institutions religieuses sur les esprits la révoltait. Le cinéma, la danse et le théâtre, déclaraient les prêtres en chaire, étaient synonymes de perdition pour les catholiques... Jehane conclut que son pays était arriéré. En France, on se faisait, bien au contraire, un point d'honneur de protéger la culture et de la propager. Là-bas, les nombreuses salles de spectacles ouvraient leurs portes à des milliers de gens avides de voir tout ce que proposaient les artistes d'avant-garde les plus extravagants. On ne craignait pas le scandale, car celui-ci faisait avancer les idées. Jehane était choquée, et surtout accablée, de voir ses amies se soumettre à de tels diktats réactionnaires et elle se languissait de s'émanciper enfin. Comment pouvait-on croire que le théâtre pouvait perdre les âmes ? Jehane ne croyait pas à ces sornettes. Déjà, elle était ailleurs. Elle n'arrivait pas à se réadapter. Son retour lui pesait. Heureusement, le soir, elle parlait pendant des heures à son père, quand il revenait de son bureau de la rue Notre-Dame. Alfred-Wilfrid ne tarda pas à comprendre que Jehane ne se plaisait plus à Montréal.

— Tu pourrais séjourner quelque temps à l'extérieur, proposait-il sans trop y croire. Pourquoi pas à Québec ? Je connais des gens qui y tiennent une pension très bien.

Québec, quel endroit superbe et magique. Mais ce n'était bien entendu pas du tout ce que Jehane souhaitait entendre. Son père était si bienveillant à son égard… et elle rechignait à toutes ses propositions. La vérité était si difficile à dire : elle voulait être seule, vivre seule selon ses propres idées. Fallait-il donc attendre sa majorité ? Trois ans encore ! À cette idée, elle chancelait. Elle suffoquait.

— Je pourrais m'établir seule quelque part, suggéraitelle à son père sans rien de concret à proposer.

— Jehane ! s'écriait-il, tu as dix-huit ans, il est hors de question que tu vives comme une bohème. Tu nous dois obéissance, souviens-t'en.

Mais Alfred-Wilfrid parlait en vain. Il faisait l'autruche en énonçant toutes ses idées à sa fille. Car, de toute évidence, la sienne était faite.

— Il n'y a pas d'avenir ici pour moi, déclarait-elle, découragée.

Elle avait raison. Les emplois qui auraient pu s'offrir à elle ne correspondaient pas à ses études. Et il n'était pas question qu'elle reste à la maison. Elle ne démordrait pas de cette idée.

— Tu as étudié, lui rappelait Alfred-Wilfrid, tu as plus de diplômes que toutes les jeunes filles de ton âge. Pourquoi ne pas simplement profiter un peu de la vie ?

Mais Jehane n'irait pas de bals en thés, pas plus qu'elle ne traînerait des après-midi entiers au musée ou dans les parcs le dimanche, oisive et sans vision d'avenir autre que celle d'attirer le regard d'un homme. Alors, enfin, elle se décida à parler :

— Je veux aller à l'université, papa. À la Sorbonne. J'ai lu dans une revue très sérieuse qu'on y donnait des cours en chimie alimentaire.

— Que dis-tu ? s'exclama-t-il.

— Vous avez bien entendu : la chimie alimentaire. Ici, ce cours n'existe pas. Or, il faut savoir que les aliments sont composés de molécules chimiques, il faut donc apprendre à bien les agencer. Le goût vient de cet amalgame. Cela peut paraître incroyable, mais au fond, c'est tout simplement naturel.

À Paris, il était normal que la gastronomie fasse l'objet d'études scientifiques.

— À Montréal, reprit Jehane, nous n'en sommes pas encore là.

Bien entendu, Alfred-Wilfrid voyait déjà le tableau. Sa fille repartirait et, cette fois, ce serait peut-être pour de bon. Elle avait la piqûre européenne. Pour éviter cela, il aurait fallu l'empêcher de partir la première fois. Mais le mal était fait. Il faudrait aller de l'avant. L'idée d'annoncer cela à Marie-Louise l'agaçait au plus haut point. Contrarier Jehane n'était guère mieux. La pauvre enfant avait bien le droit de vivre ! Or, choisissait-on sa nature ? Pourtant, il tenta encore d'argumenter :

— Tu parles de cuisine comme d'une science, ma fille. J'espère que tu te rends compte que peu de gens vont te comprendre. Si je n'étais pas ton père, je croirais que tu inventes ce cours juste pour le plaisir de retourner en France.

Alfred-Wilfrid comptait bien mettre sa fille à l'épreuve pour, également, mesurer sa détermination. Mais il ne doutait pas de sa volonté. De son côté, Jehane savait que la partie était loin d'être gagnée. Pourtant, c'était vrai, la chimie alimentaire était bel et bien une science qu'on étudiait.

— Papa, expliqua-t-elle, plus résolue que confiante, croyez-moi : pour bien cuisiner, il faut savoir ce que contient chaque ingrédient d'une recette. C'est beaucoup plus compliqué qu'il n'y paraît à première vue. Vous me connaissez, si j'ai l'ambition d'aller à Paris, c'est pour me rendre encore plus loin. Ici, je croupis.

— Le mot est fort, ma fille. Et je ne te cacherai pas que ta mère souhaite que tu te maries au plus vite. Si cela arrivait, je suis sûr que tu connaîtrais enfin le bonheur et la sérénité. Jehane, on ne vit pas seul comme un chien dans la vie !

— Papa, implora Jehane, sans pour autant gémir. Épargnez-moi, je vous prie, ce discours accablant…

Il soupira, sachant qu'il n'aurait pas le dernier mot et que la logique, sinon la générosité, exigeait qu'il écoute le véritable désir de sa fille.

— Jehane, dit-il pourtant. Je ne voudrais pas que tu me reproches de briser tes rêves. Cependant, nous ne prendrons pas une décision tout de suite. Il faut réfléchir. Et toi aussi, ma fille. Penses-y à deux fois. Tu t'enthousiasmes facilement pour des idées nouvelles. Tu es intense. Dans tous les cas, il faudra en parler à ta mère. N'oublie pas qu'elle vient tout juste de retrouver ses enfants. Cela a été pour elle un immense sacrifice.

Jehane baissa les yeux, presque honteuse, mais pas les bras. S'il lui fallait redoubler d'arguments, elle le ferait.

Alors son père, avec une seule parole, lui redonna espoir.

— Je veux grand pour toi. Surtout que, depuis ton retour, je vois bien que ton âme est restée là-bas...

Jehane leva les yeux et esquissa un sourire.

— Je tenterai de convaincre ta mère.

C'était de l'altruisme de la part d'Alfred-Wilfrid que de s'engager de la sorte. Au demeurant, il n'était pas aveugle : Marie-Louise aussi était nostalgique de son séjour en France. Elle était revenue enchantée de cette longue excursion dans la ville de la mode, des parfums et des plaisirs. Quand ses amies lui demandaient comment elle avait fait pour quitter sa famille pendant deux ans et vivre outre-Atlantique, elle répondait simplement qu'elle n'avait aucun regret. Qu'elle avait eu à choisir entre assurer l'avenir de sa fille et se séparer momentanément de ses enfants, pour leur bien à tous. Depuis des mois, elle ne cessait de parler de ce qu'elle avait vu dans la Ville lumière. Alfred-Wilfrid se disait que ses deux femmes ne se feraient pas prier pour y retourner.

22

Nicole avait tenu parole. Presque chaque jour, Robert recevait le résultat de ses petites enquêtes – des documents parfaitement rédigés. Elle avait rencontré une amie, un parent, une connaissance. Chaque fois, invariablement, la personne interrogée avait quelque chose à raconter sur Jehane Benoit. L'une se souvenait des succulents burgers à l'agneau que Jehane servait dans sa boutique de Noirmouton. Ce délicieux sandwich original se dégustait en admirant les centaines de bêtes qui broutaient dans la vallée. Parfois, Bernard Benoit déplorait avoir perdu une brebis, une agnelle, souvent les plus belles. Un loup avait été plus rusé que le berger et en avait fait son repas. Jehane disait : « Il faut bien que les loups mangent aussi ! » Un autre témoin s'était rendu en autobus à Sutton pour visiter cette bergerie renommée. Des voyages organisés, en effet, étaient offerts à destination de ce coin des Cantons-de-l'Est. Des autobus pleins d'admirateurs de madame Benoit, qu'on voyait si souvent à la télévision, venaient chaque semaine à Noirmouton. Les passagers, sitôt descendus, achetaient toutes sortes de choses dans la boutique de Jehane : côtelettes d'agneau congelées, pâtés divers, peaux de mouton, pantoufles, bonnets. L'attraction consistait aussi, et surtout, à apercevoir l'auteur de la fameuse encyclopédie, et même à la rencontrer en personne. Les plus chanceux échangeaient quelques mots avec elle. Nicole relatait les anecdotes en détail, s'avérant excellente documentaliste. Robert bénéficiait, par conséquent, comme de grands biographes avant lui, d'une aide inestimable. André Maurois avait compté sur la participation de sa femme,

Simone, pour mener à bien ses nombreux travaux historiques et, plus près de Robert, Réginald Hamel avait longuement travaillé en collaboration avec Pierrette Méthé, sa femme. Dans ses notes, Nicole précisait que de nombreuses femmes lui avaient affirmé avoir reçu l'encyclopédie de Jehane en cadeau de mariage. S'en étaient-elles servi ? Toute leur vie ! La couverture, même cartonnée, était rongée, des pages manquaient, des champignons avaient rogné la reliure mais les recettes étaient toujours là, efficaces comme au premier jour.

Nicole avait également rencontré René Delbuguet la semaine précédente et compilé tous ses précieux souvenirs dans un document étoffé. Propriétaire du restaurant La Mère Michel, avec son épouse, Delbuguet avait bien connu Jehane à l'époque de Noirmouton, au moment où il avait fait les photographies de certains de ses ouvrages. René et Jehane s'étaient peu à peu liés d'amitié. Jehane aimait la rapidité d'exécution du photographe, devenu bientôt un ami très cher. Longtemps, elle l'avait approvisionné en agneau, une viande rare au Québec, qu'elle avait contribué à populariser.

Beaucoup de gens se souvenaient bien entendu des passages de Jehane Benoit à la télévision, et certains avaient même fait sa connaissance, alors que, pour le compte de Panasonic, elle expliquait le fonctionnement des micro-ondes dans les grands magasins. La veille même de sa mort, elle devait se rendre à Winnipeg pour donner une conférence sur ces merveilleuses cuisinières modernes. Elle aurait ainsi travaillé jusqu'à son dernier jour, jusqu'à son dernier souffle. Quelle énergie, quelle volonté !

C'était donc ainsi depuis l'époque où, coûte que coûte, Jehane avait décidé de repartir en France. Robert découvrait une jeune femme décidée, fière, diligente, dévouée à sa cause. Ce n'était pas de l'entêtement, mais de la résolution.

Par ailleurs, Hélène téléphonait souvent à Robert. À tout coup, la conversation s'orientait vers Jehane. Robert était sensible au jugement de son amie, qui poussait toujours la réflexion un peu plus loin.

— Donc les Patenaude ont accepté que leur fille retourne en Europe ? lui demanda-t-elle ce matin-là.

— Oui, répondit Robert, et cela, à la grande joie de Jehane qui, bien entendu, se languissait d'y retourner.

— Pas d'histoire d'amour dans cette motivation ? s'enquit Hélène. On pourrait imaginer que Jehane, à cet âge, ait tout simplement rencontré un jeune homme là-bas et qu'elle ne souhaite y retourner que pour le revoir. Quelque secret de jeune fille qu'elle n'aurait pas confié à sa mère…

Ce n'était pas fou. Cependant, Robert commençait à bien connaître son personnage, et il pensait sincèrement que Jehane rêvait davantage de liberté, ce qu'elle avait trouvé à Paris, que d'aventure amoureuse. De toute façon, les témoins de cette époque ayant certainement tous disparu, il ne saurait jamais si, au Cordon Bleu par exemple, elle avait croisé un regard langoureux ou même vécu un flirt. Du reste, cela était fort possible. En revanche, ce qui était sûr, c'était que la jeune Patenaude avait goûté à la joie de l'émancipation intellectuelle, et que, depuis, elle en était affamée.

— Franchement, je doute que Jehane ait été amoureuse, Hélène, répondit-il. Je sais que, pendant des mois, elle a sérieusement préparé son entrée à la Sorbonne. Elle s'est rendue plusieurs fois au consulat de France à Montréal. Le fait d'avoir séjourné récemment en Europe a dû faire en sorte qu'elle remplisse plus facilement tous les formulaires que l'on exigeait pour son admission.

À l'autre bout du fil, Hélène grommela.

— Aucun secret dans cette jeunesse, laissa-t-elle tomber. Un parcours lisse malgré l'obligation d'affronter ses parents... Pas d'épreuves. Pas de souffrance. Ça manque de relief... On a peine à croire que cette personnalité bien campée ne voulait que devenir une Marie Curie de la cuisine !

Robert rit, et se dit en lui-même qu'Hélène avait non seulement de l'intuition mais aussi une juste connaissance de la psychologie féminine.

— Tu as mis le doigt dessus, déclara-t-il, tu m'impressionnes !

— Donc ? Quel était le pot aux roses ?

— Jehane ne le disait alors à personne, mais elle avait l'intention, de retour à Paris, de suivre des cours de théâtre.

— Aaahh, voilà, on y est ! s'écria Hélène. Comme on connaît le fin mot de l'histoire de cette vie, on sait que Jehane n'est jamais devenue comédienne... Il y a donc à venir un petit chapitre sur une grande déception.

Robert se sentit soudain mal à l'aise. C'était à Nicole, à qui il avait promis, en exclusivité, cette révélation, mais c'était Hélène qui lui tirait les vers du nez. Il se sentit coupable, comme s'il avait un peu trompé Nicole. La fréquentation de ces deux femmes et cette complicité qui, chaque jour, s'approfondissait entre elles et lui commençait à l'embrouiller. Mais, aussitôt, il se reprocha ce réflexe de sa pensée. Il était libre comme l'air, il pouvait bien faire ce qu'il voulait et fréquenter qui il voulait ! Il n'avait aucun compte à rendre à personne.

En raccrochant avec Hélène, il se promit néanmoins de discuter bientôt de ce point avec Nicole.

Puis, il retourna à Jehane, sa troisième compagne, et non la moindre, car elle lui prenait tout son temps. Et il n'éprouvait aucun remords à le lui consacrer.

23

Actrice… Depuis combien d'années Jehane chérissait-elle ce rêve en silence ? Bien longtemps. C'était presque inévitable en ce tout début de la vogue du cinéma. En France, Jehane avait beaucoup entendu parler de Sarah Bernhardt qui, en 1915, avait fait les manchettes au moment d'être amputée d'une jambe, un an après avoir reçu la Légion d'honneur. La comédienne avait même fait quelques tournées à Montréal et à Québec, ce qui n'avait pas plu au clergé. À Paris, une fois de plus, les idées étaient plus avancées. Il y avait longtemps que des femmes exerçaient ce métier. Juliette Drouet, célèbre maîtresse de Victor Hugo, avait justement rencontré le grand écrivain alors qu'elle interprétait un rôle dans son *Lucrèce Borgia.* Bien avant, sous l'Empire, mademoiselle Mars avait été applaudie dans de nombreux théâtres. Une fois de plus, Jehane s'entichait d'un métier controversé, mal vu. D'où lui venait cette ambition ? Si on lui avait posé la question, elle-même aurait cherché longtemps son origine. Bien sûr, Marie-Louise aurait pu avoir l'allure d'une actrice. Elle était si flamboyante, avec ses grands chapeaux couvrant à moitié son visage. Quelle *prima donna* ! Et puis, elle avait une gestuelle de comédienne. C'était dans sa façon de tendre la main, de se retourner sur elle-même, de s'adresser à un convive en avançant gracieusement vers lui. Il était clair que cette esthétique était familière à Jehane. Des images marquantes. Peut-être lui enviait-elle cette grâce ? Être comédienne lui aurait sans doute permis de l'égaler à cet égard. Mais quand exactement Jehane avait-elle eu un premier coup de cœur pour les arts de la scène ? Elle se souvenait avoir ressenti une profonde émotion lors d'une représentation d'une opérette au parc Sohmer. Puis, elle avait vu de nombreux films au Ouimetoscope. Depuis, les planches l'attiraient. Elle aurait voulu chanter, mais il aurait fallu suivre des cours de solfège, et montrer plus d'assiduité au piano. Quoi qu'il en soit, cette idée de devenir artiste, pour l'instant très secrète, était solidement ancrée dans son esprit. Après Paris, Hollywood ? C'était bien là des rêves de jeune fille.

À Montréal, à ce titre, il y avait peu d'espoir. Jehane devrait faire le deuil de ce rêve. On n'étudiait pas l'art dramatique, ou bien peu, dans cette ville. Certes, il y avait Bella Ouellette, qui s'illustrait au Monument national et qui joindrait la troupe de Fred Barry. Mais aussi Jeanne Demons et Mimi d'Estée. Du reste, ces dernières n'étaient pas canadiennes. Tandis qu'à Paris, le théâtre était bien plus qu'une tradition. Depuis Molière, Corneille et bien avant, on le défendait. Réjane, applaudie par le grand Marcel Proust, et décédée en 1920, avait été suivie lors de ses obsèques par une foule d'admirateurs en pleurs. À présent, on ne parlait plus que d'Yvonne Printemps. Jehane, feuilletant les revues qu'achetait sa mère, admirait ses photographies. Tout, chez cette étoile de l'heure – carrière, amours, succès –, ravissait la jeune fille. Comment ne pas souhaiter ressembler à cette vedette ? Tout cela, Jehane le portait en silence. Pas question d'avouer ce désir profond, que plusieurs auraient qualifié de lubie, de folie même. Elle imaginait sa mère, son désarroi :

— Jamais, ma fille ! Tu ne seras jamais actrice. Ton père et moi ne t'avons pas élevée comme ça.

Que de préjugés, et combien difficiles à détruire. Car, il fallait bien le reconnaître, ce n'était pas le fait de toutes les femmes que de vouloir le bien des femmes. Beaucoup, par leur vision étriquée, nuisaient même à leur avancement. Jehane entendait d'avance toutes les objections qui, pour elle, n'avaient pas de sens. Devenir actrice signifiait forcément mener une vie de débauche. Ces femmes étaient des séductrices, des demi-mondaines, comme on en appelait certaines en France et, souvent, des courtisanes. Mais Jehane pensait autrement. Il n'y avait pas que le physique. Il y avait le talent, l'intelligence ! Elle était un esprit en éveil qui ne se nourrissait pas de ces balivernes. Elle avait tellement le goût de réussir, c'était plus fort qu'elle, plus intense que tous les obstacles qui surgiraient forcément sur sa route. Ce qui comptait à présent, c'était d'avoir convaincu ses parents d'aller une fois encore en France. Elle avait affirmé à sa mère qu'elle gagnerait sa vie et qu'elle n'attendrait personne pour avoir son propre argent. Marie-Louise n'avait qu'à se faire à cette idée dont elle ne démordrait pas. Mais non, elle ne connaîtrait pas la misère. Suivant l'exemple de son père, elle travaillerait dur et ne compterait pas les heures pour se faire un nom. Quel que soit le domaine dans lequel elle se distinguerait.

À l'instar des filles de son époque, Jehane songeait à se marier et à avoir des enfants, le seul grand rêve offert aux filles, la seule avenue de la réussite sociale, mais ce n'était pas un désir profond, et elle n'en ferait jamais une idée fixe. Les chemins tout tracés ne lui convenaient pas. Si cela se produisait, ce serait tant mieux, car connaître l'amour était une grâce, sinon, ce ne serait pas un drame. Elle agissait pour être libre. Elle se voyait actrice, jouant dans des pièces célèbres. Elle rêvait d'incarner Roxane, faisant battre le cœur de Cyrano de Bergerac. Elle jouerait, elle aussi, dans *L'Aiglon*, comme Sarah Bernhardt. Quand elle laissait aller son imagination, sans aucune entrave, alors elle se voyait dans sa loge. Elle entendait, au loin, les applaudissements de la foule. On frappait à la porte. Elle ouvrait, encore haletante. Un valet lui tendait un immense bouquet de roses.

— Posez-les sur cette table, indiquait-elle, d'un geste nonchalant.

Jehane se rejouait cette scène à l'infini. Elle y croyait.

Si elle ne réussissait pas à s'imposer au théâtre à Paris (mais elle repoussait cette idée), elle n'aurait qu'à enseigner. Ses études déjà accomplies, dont bon nombre de filles se seraient contentées, lui serviraient quoi qu'il arrive.

Traverser l'Atlantique encore une fois, quelle expédition ! Mais, pour Marie-Louise et Jehane, déjà aguerries à cet égard, cela semblait aussi facile que de monter dans une voiture et de partir en excursion à la campagne. Autour d'elles, on vantait leur aplomb.

— Mesdames, vous avez le pied marin, leur disait-on.

Jehane répondait que bientôt elle voyagerait en avion, ce qui agaçait sa mère. Du reste, il était entendu que, tôt ou tard, des civils survoleraient la planète. Jehane avait là une vision réelle de son avenir, elle qui voyagerait des centaines de fois dans les airs, sillonnant le Canada pour prononcer des conférences, présenter des marques de divers instruments de cuisine, qui séjournerait à répétition en Europe et qui irait jusqu'au Japon.

Les premiers mois du second séjour à Paris furent des plus heureux. Les deux femmes reprirent gaiment leurs habitudes, retrouvèrent leurs salons de thé de prédilection, les allées qu'elles préféraient dans les parcs, et la chère Seine. Lorsqu'enfin Jehane pénétra dans l'enceinte d'un bâtiment de la Sorbonne, elle en fut bouleversée. Cette université, dont la réputation rayonnait dans le monde entier, était chargée d'histoire. Entre ces murs, les plus grands esprits avaient réfléchi, travaillé. C'était plus qu'un honneur d'avoir été admise dans ce temple du savoir.

Jehane suivait ses cours avec application et ferveur. Rendait des travaux impeccables. Poussait ses recherches. Mais, chaque fois qu'elle le pouvait, prétextant auprès de sa mère un examen à préparer sur place, ou un cours qui se terminerait tard, elle filait à l'anglaise pour aller au théâtre, souvent avec d'autres étudiants. Toutes les pièces l'intéressaient. De la tragédie au boulevard, elle trouvait toujours un plaisir immense à voir triompher sur la scène les actrices dont elle enviait la vie et le succès. C'était alors le règne de Madeleine Renaud, et on acclamait les textes de Sacha Guitry. Jehane allait également à l'Opéra, au Théâtre Français. Plus que jamais, elle souhaitait être comme ces comédiennes et son rêve n'avait jamais été si près de sa réalisation. À la Comédie-Française, elle applaudissait des pièces de Racine et de Corneille. Si elle avait encore un peu d'argent, elle allait voir un Labiche ou un Feydeau, des auteurs forts prisés. Ses goûts étaient variés et elle se souciait peu des œuvres. Ce qui la passionnait, c'était le jeu des comédiens. Quand elle revenait dans la pension qu'elle partageait avec Marie-Louise, elle se remémorait les gestes, les éclats de voix, tout ce qui l'avait charmée et qu'elle tentait de reproduire lorsqu'elle s'exerçait en secret.

Mais comment s'y prendre pour exaucer ce désir qui la tenaillait ? Ne révélant toujours rien à sa mère, elle s'acheminait chaque jour à l'université. Cependant, elle se sentait déchirée, car elle aimait ses cours, sans pour autant parvenir à renoncer au théâtre. Cette chimère pourrait la perdre. Ne jamais laisser la proie pour l'ombre… L'adage lui revenait à l'esprit, comme un avertissement. Sa petite voix, pour lors, la tenait à l'écart d'un possible mirage.

Ses journées étant fort exigeantes, elle n'avait pas besoin de multiplier les prétextes à sa mère pour s'échapper et mettre toutes les chances de son côté. Ce qu'elle finit par faire, et sans scrupule. Un jour, elle décida d'assister en auditrice libre à un cours de théâtre du célèbre Charles Dullin. Né en 1885, cet acteur doué venait de fonder l'Atelier, dans le 18e arrondissement. Il y formait des comédiens selon des méthodes basées sur l'improvisation et l'étude fouillée de textes. Dullin était un nom respecté dans le monde artistique : ses interprétations de Volpone et de *L'Avare*, notamment, lui avaient valu les éloges les plus mérités. Quand un comédien sortait des cours de Charles Dullin, il était assuré d'une carrière respectable. Jehane Patenaude le savait, car elle dévorait tout ce qu'elle trouvait dans les journaux à ce sujet, et rien ne lui échappait. Vouloir apprendre le métier de comédienne sous la férule de Charles Dullin était une ambition noble. Un défi. Ainsi, une fois par semaine, après ses cours à la Sorbonne, Jehane se mit à prendre le chemin de la salle où le maître donnait ses cours. Au début, elle se tenait au fond, à l'écart des élèves réguliers. Elle observait, hésitant à s'approcher de Dullin et à lui signifier son intention. Pourrait-elle vraiment s'inscrire au cours d'interprétation ? Voir ce comédien à l'œuvre était un bonheur de chaque instant tant il savait transmettre le goût de la scène. Quand elle eut enfin assez de courage, elle se rendit à son bureau. Mais Jehane Patenaude fit sursauter le maître.

— D'où venez-vous donc, mademoiselle ? lui demanda-t-il en la fixant de son regard sombre.

Croyant qu'elle était née dans quelque province, il réprima un sourire en imaginant cette jeune fille en train de réciter une tirade de *Bérénice* ou d'*Antigone*.

— Je suis née à Montréal, au Canada, déclara-t-elle en ne prenant pas garde d'éviter de rouler les *r*.

Jehane avait du cran, et ne se laissa pas démonter par le ton condescendant de Dullin.

— Si vous désirez faire du théâtre, mademoiselle, déclara-t-il, je n'ai rien contre, mais à une condition : corrigez cet horrible accent. Bien avant l'interprétation, il vous faudra suivre des cours de diction, puis nous verrons si vous avez du talent pour apprendre des textes.

Des remarques sur son accent, depuis qu'elle habitait Paris, Jehane en avait entendu plus d'une, et celle-ci glissa sur elle sans la blesser outre mesure. Elle savait que si elle voulait faire carrière dans ce métier, elle devrait s'exprimer comme ces femmes qu'elle admirait. Tout cela était dans l'ordre des choses : quand elle deviendrait Jehane Benoit, elle serait reconnaissable à cette articulation posée. Ayant étudié l'anglais tôt dans l'enfance, exilée des années à Paris, elle se façonnerait au fil des ans une diction qui, des années plus tard, la démarquerait de toutes les animatrices de la télévision et de la radio.

Jehane reconnaissait au moins sa chance que Charles Dullin ne l'ait pas tout simplement renvoyée à ses origines. Il acceptait éventuellement de lui donner des cours. C'était déjà beaucoup ! Tout était donc possible. Le rêve de Jehane n'était plus seulement une fantaisie. Pour cela, il lui faudrait redoubler de vigilance et se plier à une discipline de fer, car la chimie alimentaire, une passion autant qu'un alibi, demeurait prioritaire. Était-elle prête à tant de sacrifices ?

Jusqu'à quand pourrait-elle cacher à sa mère cette double vie ? Elle voulait le meilleur pour elle-même. À tout prix. Alors elle s'inscrivit officiellement à l'Atelier. Il serait bien temps d'avouer à sa mère. Pour l'heure, c'était elle, et elle seule, qui comptait.

24

— C'était donc de théâtre dont rêvait Jehane… dit tout bas Nicole, presque émue, après avoir attentivement écouté le récit de Robert.

Il y avait quelque chose de touchant dans ce déploiement de la volonté d'une si jeune fille, loin de chez elle, plus illusionnée que pétrie d'ambition.

— Jehane y tenait, précisa Robert, mais elle est vite retombée sur terre.

Nicole l'interrogea du regard.

— Jehane connaissait la réputation redoutable de Charles Dullin, poursuivit-il, un professeur très exigeant. Sans doute l'avait-elle choisi pour cela. Elle apprit à la dure à quel point ce métier pouvait être harassant, humiliant même. Ses premières expériences furent douloureuses. Mais elle se persuadait de continuer, croyant qu'avec le temps, elle réussirait. Ce fut peine perdue. Charles Dullin n'avait vraisemblablement pas l'intention, ni le cœur, d'aider davantage la jeune Canadienne, comme on la nommait à cette époque. Avec ses yeux perçants, son dos courbé, il avait lui-même pris la silhouette de ce Volpone dont il avait fait l'un des plus grands succès de sa carrière.

— Pourquoi ne voulait-il donc pas l'aider ? Elle n'avait pas de talent ? demanda Nicole.

— Je crois que c'était une question de contexte, répondit Robert. Le maître était sévère mais, surtout, il y avait le regard malveillant de certains élèves. Jehane prit conscience à ses dépens qu'elle serait toujours une petite étrangère à Paris, ambitieuse mais sans moyens.

— Comme les temps ont changé… Aujourd'hui, plusieurs acteurs du Québec font carrière en France.

— Oui, parce qu'ils se sont transformés en Français. Aucune trace d'accent dans leur diction.

— C'est vrai. Il aurait donc fallu que Jehane se fonde pour être véritablement acceptée. Quelle déception pour elle…

— Une leçon aussi pour l'avenir, précisa Robert. Le plus dur a été de garder ce secret pour elle pendant si longtemps. Elle se rendait en cachette à ses cours d'interprétation dramatique. Un jour, n'en pouvant plus, elle révéla à sa mère qu'elle était revenue en France pour aller à la Sorbonne, certes, mais aussi pour s'inscrire à des cours de théâtre. Elle eut l'impression de se dégager d'un lourd fardeau, même si Marie-Louise piqua une colère à faire frémir.

— La mère n'était tout de même pas une imbécile, rétorqua Nicole. Elle a bien dû se rendre compte qu'il se passait quelque chose d'irrégulier.

Robert approuva.

— Je pense qu'elle est tombée des nues, devant croire plus vraisemblablement que sa fille lui cachait un fiancé secret. Mais actrice ? Cela était inenvisageable. De très mauvais goût. Les gens de théâtre, et de cinéma, menaient des vies dissolues. Que Jehane puisse entrevoir une telle existence était consternant. Marie-Louise était furieuse, d'autant plus que les caprices de Jehane – quel joli titre –

l'avaient une fois de plus obligée à se séparer de ses enfants. C'était énorme.

— Je suppose que son père aurait mieux accueilli cette nouvelle… souffla Nicole.

— Surtout que Jehane y tenait, malgré tout. En dépit des remarques de Marie-Louise, elle a continué d'aller chez Dullin pendant un certain temps. Jusqu'à l'horreur…

— L'horreur ?

— J'exagère… Mais tout de même… Un jour, elle devait présenter une scène tirée de *Phèdre*, de Racine. Le fameux monologue où l'héroïne avoue l'amour défendu pour son beau-fils, Hippolyte. Jehane s'était bien préparée, elle connaissait bien sûr à la perfection les vers célèbres qui avaient fait la gloire des plus grandes actrices. Mais lorsqu'elle avança sur la scène, elle sentit le trac la saisir. Tout son corps tremblait. Dans la salle, les élèves assis autour du maître l'observaient. Jehane savait que Dullin ne lui ferait pas de cadeau. Il n'en faisait à personne. Mais elle, née à Montréal, partait avec un temps de retard. Dès la première strophe, elle réprima une légère hésitation, mais elle continua d'une voix ferme avec toute la fierté d'une Patenaude. Bientôt, elle entendit un cri. C'était maître Dullin : "Mademoiselle, glapit-il, mademoiselle ! Vous roulez vos *r* comme une Berrichonne. Vous me faites penser à une sotte paysanne qui se pâme d'amour. Cessez immédiatement !"

— En effet, quelle humiliation ! s'écria Nicole.

— D'autant plus que des rires fusèrent de partout, enchaîna Robert. Jehane ne s'était jamais sentie aussi vexée. Se reprenant, sans tenir compte de l'ordre de

Dullin, elle réussit à terminer le monologue jusqu'à la fin, la gorge serrée, des larmes perlant au coin de ses yeux. Il n'était pas question de se laisser démonter. Jamais personne ne lui avait parlé sur ce ton si méprisant.

— Dure école, c'est le cas de le dire. Comment a-t-elle réagi à cet échec ?

— On connaît un peu son caractère, maintenant, dit Robert. Elle avait en elle la force requise pour ravaler sa peine. Elle a dû se dire que sa grande ambition de devenir actrice était très compromise. Mais peut-être à Montréal ? Pourquoi pas. Elle ne désespérait pas tout à fait. En tout cas, elle a certainement caché cet épisode à sa mère afin de ne pas lui fournir un argument de plus pour la dissuader de continuer. Elle voulait être la seule, quoi qu'il advienne, à décider de la suite des choses.

Nicole et Robert parlèrent encore longtemps de cette époque et de la difficulté d'être artiste. Tout au long de sa carrière de décoratrice, Nicole elle-même avait essuyé des refus, subi des regards dénigrants, entendu des commentaires méchants. Pourtant, elle s'était taillée une place de choix dans le métier et avait eu des contrats très enviables dans les plus beaux quartiers de Montréal. De son côté, Robert avait connu un parcours moins chaotique. Pour un homme, se disait-il, c'était souvent moins ingrat. Le seul véritable obstacle qu'il avait rencontré sur son chemin professionnel avait été les trop longues années à devoir obéir à Roxanne Provencher, du *Temps*. Une vraie diva de la presse, se prenant pour une autre, hautaine au possible. Mais le copinage étant ce qu'il est, Roxanne, l'épouse du propriétaire du journal, resta soudée à son poste jusqu'à ce qu'elle parte de son plein gré.

— Ah cette Provencher ! siffla Robert. Quelle chipie.

Nicole rit de bon cœur, se souvenant des frustrations bien justifiées de son mari. Cette mégère avait été à l'origine de bon nombre de leurs disputes.

— Que veux-tu, Robert, les incompétents et surtout les prétentieux sont partout. Ce Dullin, par exemple, n'est reconnu que dans le monde du théâtre. Mais pas Jehane ! Je suis certaine que, dans un sens, il a fouetté sa volonté. Elle a dû redoubler d'efforts pour ne pas être écrasée par cela, non ?

— En fait, oui. La leçon était sans pitié, mais Jehane a compris que le théâtre ne serait pas sa voie.

— Tout comme la Roxanne aura exacerbé ton désir d'écrire quand elle a levé le nez sur ta proposition d'article sur Jehane Benoit, tu te souviens ?

— Et comment ! J'étais furieux. D'ailleurs, les mauvais choix de cette pimbêche ont beaucoup nui au *Temps*.

— Mais pas à toi ! Son mépris te soutient peut-être même aujourd'hui car, malgré les difficultés, tu écris enfin ce livre que tu voulais faire il y a vingt ans !

Robert reconnut que Nicole disait vrai. Ce soir-là, avant qu'elle parte, il la serra dans ses bras pendant un long moment. Cela faisait des années qu'il ne lui avait pas montré autant d'affection, et il en fut le premier étonné.

25

À Paris, Jehane et Marie-Louise se sentaient presque comme chez elles, bien que la vie y ait bien changé depuis leur premier séjour. Sans cesse, elles constataient à quel point la guerre avait marqué les gens. La plupart des personnes qu'elles rencontraient ne voulaient pas en parler ouvertement. Toutes avaient eu trop de peine, avaient trop pleuré. Les Patenaude reconnaissaient qu'elles-mêmes ignoraient tout d'un tel traumatisme. Elles demeuraient discrètes, touchées par toutes ces blessures morales à panser. Cependant, la ville était toujours aussi belle et un vent de bonheur y soufflait. La mère et la fille reconnaissaient leur chance et en remerciaient souvent Alfred-Wilfrid. Paris était si excitante que Jehane souhaitait continuer d'y vivre le plus longtemps possible, même après l'aventure ratée des cours de théâtre. Elle les avait pourtant assidument suivis. Et avec la meilleure foi du monde. Elle ne regrettait pas d'avoir tenté le coup, mais il lui restait tout de même un petit goût amer de cette expérience.

Dans la capitale française, elle resterait incontestablement la Canadienne, portant son accent désuet comme une tare. Combien de fois lui avait-on demandé si elle venait du Berry ou de Normandie. C'était risible ! Le mépris était palpable. Jehane Patenaude avait sa fierté, et ces commentaires désobligeants la mettaient de plus en plus souvent hors d'elle. On lui demandait sans arrêt de répéter, cela devenait agaçant au possible. Il y avait des jours où elle se demandait pour quelle raison elle acceptait de continuer d'en souffrir. Alors, elle repensait au théâtre, qu'elle aimait tant. Ce métier bouleversant, exigeant, aurait pourtant correspondu à sa personnalité. Apprendre à bien prononcer pour déclamer un texte était un défi. Puis, elle revenait au souvenir de Dullin, la critiquant devant tout le monde. Du reste, la plupart des Français se montraient reconnaissants de ce que les Canadiens avaient fait durant la guerre. Dans le nord du pays, les victimes reposaient dans des cimetières. Jehane souhaitait un jour se recueillir sur ces tombes avec sa mère. Et puis, au détour d'une conversation, la déception surgissait de nouveau. Un Français demandait à Jehane s'il y avait des ours à Montréal ou si on s'y promenait l'hiver en traîneaux à chiens ! Jehane s'en donnait alors à cœur joie pour briser leurs illusions, et surtout leur ignorance. Elle précisait que son père était banquier, que leur maison était immense et en pierres, qu'il n'y avait pas de forêt dans la ville, ni d'Indiens ou de tentes rue Sainte-Catherine, et que Montréal était une grande ville du Commonwealth.

Toutes ces petites contrariétés s'accumulaient et préparaient subtilement le retour au pays. Jehane s'ennuyait de son père. Toute une saison encore à vivre loin de lui. C'était un sacrifice que d'en être séparée.

Pugnace, la jeune fille se rendait néanmoins chaque jour à la Sorbonne. Craignant en silence que sa fille ait subitement d'autres idées plus encore saugrenues que faire du théâtre, Marie-Louise prenait soin de lui reparler régulièrement du désastre avec Dullin.

— Maman, la coupait Jehane. Ce désir de théâtre me vient de vous, pourquoi me le reprocher ? Votre élégance, votre goût pour les spectacles… C'est en partie parce que je vous admire que je voulais faire ce métier.

Jehane, en vérité, se trouvait à un tournant de son existence. Le temps passait. Elle était toujours célibataire, avait l'impression de tourner en rond, ne percevant pas de résultats au bout de tant d'efforts. Les échecs servent à grandir, mais ils laissent des cicatrices dont il faudra guérir. La jeune Patenaude ne serait jamais Marie Bell, cette grande tragédienne qui, alors, triomphait à Paris. Cependant, Jehane aurait découvert en France qu'elle ne manquait pas de cran. Cette qualité lui serait un atout. Elle en était sûre à présent. Par ailleurs, elle se connaissait bien mieux : elle était prête à faire des concessions, à condition qu'elles n'affectent pas son intégrité. Faisant le deuil du théâtre, Jehane était donc en train de se réorienter en revenant tout simplement à ses premières amours : la cuisine. Tout se faisait sans heurts, naturellement. Elle retrouva de l'entrain et se rendait avec un réel plaisir à la Sorbonne. Elle s'aidait, le ciel aussi. Pour parfaire ses connaissances, elle allait régulièrement au Musée de l'homme, y découvrant les premiers instruments culinaires et comprenant, surtout, que toutes les bases de la gastronomie venaient de Chine. À ce moment de son existence, elle rencontra surtout celui qui allait jouer un rôle déterminant pour son avenir. Un professeur de grande renommée, un vrai maître. Édouard De Pomiane.

D'origine polonaise, Édouard Pozerski était né en 1875 d'une mère russe et d'un père polonais. Sa famille, prenant la nationalité française, changea son patronyme en De Pomiane. Médecin, il enseignait à la Sorbonne. Cet esprit curieux et avant-gardiste, auteur de nombreuses publications sur la cuisine, était un spécialiste de la gastronomie. De Pomiane avait trente ans de plus que Jehane. La jeune fille apprit à le connaître et ne tarda pas à l'admirer. Elle était sensible aux hommes remarquables et intelligents, et se lia d'amitié avec ce personnage, qui devint un guide dans sa vie.

— Mademoiselle Patenaude, lui dit-il un jour, vous me semblez fort attentive. Je découvre qu'il ne fait aucun doute que vous possédez un talent pour la cuisine, et plus spécialement pour la gastronomie. Croyez-moi, mademoiselle, vous devriez persévérer dans ce domaine.

Ces simples mots suffirent à la conforter dans ce qu'elle devait vraiment faire de son existence : s'occuper de gastronomie, qu'Édouard De Pomiane présentait comme une science. Jehane pensait déjà à son retour au Canada, et se figurait les commentaires. Elle voyait sourire les gens : aller à Paris, certainement au détriment de l'équilibre de la famille Patenaude, payer cher des cours à la Sorbonne et finir maître ès recettes ! Ce domaine bien étrange avait un côté peu reluisant, voire burlesque. Fallait-il en effet étudier à l'université pour savoir faire une bonne tarte aux pommes ? Allons donc !

— Professeur De Pomiane, je vous écoute, répondit-elle, mais je crois qu'il me faudra encore un peu de temps pour comprendre que la gastronomie est un art et une science à part entière.

Comment aurait-elle pu se douter qu'elle deviendrait une pionnière dans son pays pour faire connaître ce qu'elle apprenait à tâtons ?

Néanmoins, Jehane était émue. Dans cette ville où elle serait toujours une étrangère, elle entendait enfin des paroles réconfortantes et, surtout, par un être de la qualité de De Pomiane. Un baume après la honte. La voie semblait claire, enfin.

De Pomiane était très impressionnant. En plus d'enseigner, il poursuivait des recherches à l'Institut Pasteur, surtout sur les sucs gastriques. Intarissable, il ne se lassait pas de raconter ses découvertes à ses étudiants. L'alimentation, déclarait-il, était intimement liée à la santé. « Nous sommes ce que nous mangeons », répétait-il.

Jehane écoutait. Ce que De Pomiane professait semblait juste mais, elle devait l'avouer, elle ne s'était jamais vraiment préoccupée de la composition de ses repas. Elle apprenait alors qu'un bon plat ne vise pas uniquement à remplir l'estomac. Avec De Pomiane, elle saisissait qu'il fallait étudier chaque aliment car ceux-ci pouvaient également être de bons remèdes pour prévenir les maladies. C'est ainsi que Jehane reconnut que la gastronomie était une science. Elle l'avait affirmé à son père, sur un coup de tête, mais désormais, elle en était convaincue. Après les cours, elle continuait d'étudier, passant ses rares moments de repos à arpenter Paris en compagnie de sa mère. Jamais, se disaient-elles, elles n'arriveraient à en faire le tour. Elles étaient nostalgiques à l'idée de bientôt refaire leurs malles et de reprendre le bateau pour Montréal. Mais parfois, il arrivait qu'elles en soient profondément tristes.

— Pourquoi papa ne viendrait-il pas s'installer avec nous, juste une autre année ? disait Jehane sans y croire.

— Tu n'es pas seule, Jehane, rétorquait sa mère sur un ton de reproche. Pense à Gérard, à Jacqueline et à Marcel, qui sont privés de moi depuis si longtemps…

Le temps filait. Jehane s'accrochait à tous ses moments privilégiés avec son professeur.

— Les années de guerre ont été très difficiles en France et en Europe, expliquait-il. Le rationnement faisait en sorte qu'il était impossible de trouver plusieurs aliments. Imaginez faire du pain sans farine... Une galette sans beurre? Mais la nécessité, comme on dit, crée l'organe.

Quand il évoquait cette période terrible, la Grande Boucherie, Jehane convenait que la misère était toujours bien visible dans cette ville. Dès lors, elle ne devait jamais oublier cette leçon de son maître, marquée au sceau du bon sens: la cuisine est tributaire des circonstances et des conditions de vie.

De Pomiane précisait surtout que chaque nation avait sa propre cuisine. Cette idée, semblant aller de soi à première vue, était pourtant fort novatrice pour l'époque. Et Jehane écoutait de toutes ses oreilles, tandis que de nombreuses idées germaient dans son esprit. «Y aurait-il donc une cuisine canadienne?» se demandait-elle. N'était-ce pas trop ambitieux? Au début des années 1920, le Canada était considéré comme une colonie de l'Empire britannique. Et que dire du Québec? La Belle Province était le berceau des Canadiens français, tout simplement.

À cette idée, toutefois, le bon goût des gâteaux de sa grand-mère Cardinal lui revenait à la bouche. Et autant de noms exotiques, justement: tarte au sucre, grands-pères à la mélasse, carrés aux dattes, sucre d'érable... La cuisine faisait partie de l'Histoire, elle en était dorénavant persuadée. Or, il ne fallait pas que se perde cette façon de faire des plats, même s'ils semblaient simples. Peu à peu, Jehane comprenait tout le sérieux des enseignements de son professeur.

À l'occasion, dans Paris, elle s'arrêtait devant la vitrine d'une pâtisserie.

— Tu vois cette brioche ? disait-elle à sa mère. Et ce pain au chocolat ? Ces viennoiseries ne sont pas uniquement fabriquées pour le bonheur des papilles. Il y a derrière des heures de travail et, surtout, quelqu'un qui a créé une recette pour en arriver à cette perfection.

Marie-Louise s'étonnait de tant d'enthousiasme de la part de sa fille. Après tout, ce n'était que du pain, des pâtisseries, des petits gâteaux remplis de crème. Par ailleurs, elle se disait que ce goût lui venait tout droit de son grand-père boulanger.

— Pour que la pâte soit aussi moelleuse, précisait Jehane, il faut beaucoup de patience et bien des essais qui se seront souvent soldés par des échecs. Je le sais, maintenant…

Puis, elle ajoutait :

— Un bon cuisinier est d'abord un créateur. C'est ce que nous dit le professeur De Pomiane, et je le crois.

Marie-Louise haussait les épaules. Alfred-Wilfrid manifestait la même ardeur en parlant des valeurs à la Bourse de Montréal et de New York. En ce qui la concernait, il lui importait peu que l'on sache comment était faite une brioche au miel ou une charlotte russe. Les déguster suffisait. L'art culinaire n'avait jamais été sa passion. Quel plaisir pouvait-on éprouver à se mettre les mains dans la farine ? Elle était fière de ses parents boulangers, mais n'avait jamais montré d'inclination pour reprendre le flambeau.

— Les recettes ne sont tout de même pas de la sorcellerie, disait-elle d'un ton morne.

Ce à quoi Jehane répliquait :

— J'étudie la chimie alimentaire. Je ne fais pas de recettes. J'en invente avec des ingrédients dont je connais la formule moléculaire.

Cependant, Jehane soupirait. Il lui faudrait toute une vie pour expliquer totalement en quoi consistaient ces études qui lui prenaient tout son temps.

— Si De Pomiane t'entendait déblatérer de telles sornettes, il serait encore plus en colère que je ne le suis.

Marie-Louise n'insistait pas. Quand Jehane se montrait aussi vive, sinon agressive, elle reconnaissait la détermination farouche d'Alfred-Wilfrid. Elle le revoyait jeter les bases de sa méthode d'apprentissage de l'anglais. Tous se moquaient de lui, alors, mais sans doute l'enviaient-ils aussi. Elle comprit que personne ne pourrait faire dévier sa fille.

— Jehane, déclarait-elle toutefois. Nous serons de retour bientôt à Montréal... As-tu pensé à ce que tu feras ?

— Maman !

Derrière cette question anodine, Jehane entendait tout ce que sa mère redoutait. Elle-même se posait des questions. Trouver un époux, avoir des enfants, s'occuper d'une maison... Ce scénario revenait la hanter chaque jour davantage alors que le retour approchait. Et si elle choisissait clairement le célibat ? « Mais non ! se disait Jehane, je me marierai bien un de ces jours... Mais j'ai tout mon temps. »

26

— Quel revers ! s'écria Marc en sortant de la douche. Tu as pris des speeds ou quoi ?

Robert hésita avant de répondre. S'il avait tant d'énergie, et de dextérité, c'était parce qu'il atteignait une vraie vitesse de croisière dans son travail, parce que, la veille, il avait longuement serré Nicole dans ses bras, et que le lendemain, il était invité à dîner chez Hélène. Cet emploi du temps frénétique lui convenait à merveille. Il n'en écrivait que mieux. Il rangea sa raquette de tennis dans son étui et dit à Marc :

— C'est Jehane qui me donne des ailes. « Toute biographie digne d'être écrite est le récit d'une ascension », disait Henry Bordeaux. Je pense que je suis en plein dans le mille avec mon personnage. Surtout en ce moment…

— Pourquoi ? demanda Marc.

Les deux hommes sortirent du club et s'arrêtèrent prendre une consommation au petit bar donnant sur le stationnement.

— Parce que j'en suis à un premier grand tournant de la vie de Jehane, lorsqu'elle entrevoit enfin son destin. Elle n'a pas exactement idée de ce qu'elle deviendra, mais elle sait, alors qu'elle a environ vingt ans, sur quoi elle travaillera en profondeur.

— C'est-à-dire ?

— La cuisine, bien sûr !

— Aussi clair que cela ? À vingt ans ?

— Oui, après deux années complètes à Paris, Jehane et sa mère préparent leur retour au Canada. La fébrilité est à son comble, elles ne pensent plus qu'à faire le bilan de ce long séjour. À la Sorbonne, le professeur De Pomiane convoque Jehane une dernière fois dans son bureau. Elle est anxieuse, elle se demande si ses notes sont moins bonnes, mais elle a des excuses : elle est déjà ailleurs, chez elle, près de son père. Et si elle échouait ? Après le ratage du théâtre, ce serait un désastre. Que dirait-elle à ses parents ? Elle chasse ces idées noires. Alors, De Pomiane l'invite à s'asseoir.

— Et alors, contre toute attente, enchaîna Marc, il lui dit qu'elle est la meilleure élève de sa faculté ! Ce n'est pas une bio que tu écris, c'est un roman !

— Presque, dit Robert en souriant. En effet, De Pomiane la félicite pour sa persévérance. Il lui fait remarquer qu'au début des cours, il la trouvait un peu perdue. Il s'est demandé si elle n'avait pas d'autres intérêts dans la vie que la chimie alimentaire… Tout cela en se moquant un peu, et peut-être en souhaitant lui tirer les vers du nez, car Jehane aurait pu vivre une histoire sentimentale à Paris.

— Ce n'était pas le cas, apparemment. Alors ? Que répond-elle ?

Tandis que Robert narrait les dernières semaines de l'étudiante à Paris, il avait l'impression de se dédoubler. Il entendait la jeune Patenaude se raconter à son professeur, assise devant lui, les jambes serrées, les mains sur sa jupe.

— Professeur, commença-t-elle, maintenant que ma session tire à sa fin, je peux vous l'avouer : je voulais revenir à Paris pour devenir comédienne. Le diplôme à décrocher à la Sorbonne était pour moi presque un prétexte. Mais vous êtes très observateur. J'ai pris goût à cette matière particulière. Grâce à vous, je l'admets. Je ne vous cacherai pas que dans ma propre famille, on trouvait bizarre que j'aille en France apprendre à faire des recettes ! Il a fallu que j'explique ce en quoi consistaient ces cours passionnants que vous donnez. Enfin, j'ignorais alors à quel point il est important de savoir ce que vous nous enseignez.

De Pomiane approuvait le commentaire de son étudiante.

— Mademoiselle, disait-il doucement, n'avez-vous pas songé à vous établir définitivement en France ?

La question stupéfia Jehane. Cette offre venant d'un professeur aussi renommé que lui ne pouvait que l'honorer.

— Franchement, je n'ai jamais eu cette idée, mentit-elle.

— Réfléchissez bien avant de prendre une décision que vous pourriez regretter plus tard. Je côtoie tant d'étudiants ici, et je suis à même, croyez-moi, de repérer ceux qui ont le talent d'aller encore plus loin. Je connais le Canada. Ce pays s'est battu à nos côtés lors de cette guerre qui a causé tant de malheurs. Je suis sûr que vous pourriez faire carrière en France… Revenez me voir la semaine prochaine, et dites-moi ce que vous décidez…

Tout en parlant, Robert songeait simultanément à son premier voyage à Paris avec Nicole. Eux aussi, jeunes et pleins d'illusions, avaient alors voulu s'établir là-bas.

— Et ? insista Marc. On sait qu'elle a fait carrière ici, mais a-t-elle réfléchi à cette proposition de De Pomiane ?

— Ça me rappelle tellement nos mois passés à Paris avec Nicole, murmura Robert.

— Nicole... dit Marc en lui jetant un regard entendu. Et tu vas encore me faire croire que lors de vos rendez-vous chaque semaine, il ne se passe rien !

Robert sentit contre son corps celui de Nicole. Leur étreinte, même furtive, ne le laissait pas tranquille.

— Mais non, s'écria-t-il. Elle est avec Patrick depuis un siècle. Ils arrivent de Guadeloupe !

Marc haussa les épaules en esquissant un sourire.

— Tout ça pour dire que quand tu étais avec Nicole à Paris, tu vivais un peu ce que Jehane a vécu ?

— Oui ! Quand tu séjournes longtemps ailleurs, tu ne peux jamais oublier... Après mon stage au *Nouvel Observateur*, tu penses bien que le journalisme politique à Montréal me paraissait bien fade... De son côté, Nicole avait rencontré des décorateurs et se demandait comment elle allait faire, de retour au pays, pour vivre sans volets, sans parquets, sans portes à battants à petits carreaux. Bref, la moquette jusqu'aux genoux et les maisons préfabriquées lui levaient le cœur. C'est normal... Et après, tu te fais une raison, tu reviens, tu fais ta vie, la vie passe... Mais tu n'oublies jamais...

Marc approuva. Lui-même avait étudié aux États-Unis et avait ramé à Montréal avant de s'y sentir bien.

— En deux mots, on comprend Jehane, dit-il. Dure décision. Surtout que De Pomiane lui tend la main...

— Exactement, reprit Robert. Elle garde pour elle ses tourments, mais elle est déchirée. Si elle fait carrière en

France, il lui faudra vivre loin de sa famille. Elle pense à son père. Il accepterait cette décision, mais a-t-elle vraiment envie de s'installer à Paris ? Et que dirait sa mère ? C'est un vrai dilemme. Alors elle a tranché.

— Elle a revu De Pomiane ? demanda Marc.

— Oui, et il a dû deviner la réponse qu'elle lui ferait à l'instant où elle est entrée dans son bureau. Après lui avoir dit qu'elle adorait Paris, mais qu'elle retournerait à Montréal, elle s'est tue un instant, sachant qu'elle jouait là son destin. Il n'y aurait plus de personnalité aussi flamboyante que De Pomiane pour lui faire une telle offre. Une telle chance ne repasserait pas dans sa vie. Elle en aurait d'autres, sans doute, mais cette fois, elle fermait elle-même la porte.

— D'après toi, quel est le principal argument, outre celui de la famille, qui la fait pencher en ce sens ?

Robert prit une pause avant de répondre et but une gorgée de jus d'orange.

— Jehane Benoit le raconte elle-même lors d'une interview. Elle estimait que cela aurait été ridicule de sa part de croire qu'elle aurait pu travailler en France, le pays de la gastronomie. La France regorgeait de chefs, de cordons-bleus. Qu'aurait-elle pu vraiment apporter à cette culture ? Mais en ce qui me concerne, je crois qu'elle n'avait jamais oublié les remarques acerbes de son professeur de théâtre. Elle avait trop d'amour-propre pour se traîner une étiquette de petite Canadienne française toute sa vie. Elle n'était pas du genre à se diminuer. Maintenant, elle ne doutait pas qu'elle avait du talent, et qu'elle pourrait exploiter cela à Montréal. Sa décision est lucide. Jamais elle n'aurait pu se faire un nom au sein de la confrérie des toques. Elle aurait sans cesse ressenti un malaise lorsqu'on lui aurait reproché sa façon de parler. Et cela était d'autant plus insultant que sa langue était châtiée. Gravir les échelons de la gloire dans un pays aussi chauvin, et surtout dans un pays où les hommes étaient rois et maîtres, était pure folie.

— C'est donc grâce aux Français et à leurs remarques plates qu'on a gardé notre Jehane chez nous !

Robert éclata de rire.

— Et grâce à son intelligence. Forte de tout ce qu'elle avait appris, elle a compris, comme Julia Child plus tard aux États-Unis, que sa véritable place était dans sa ville natale. Elle avait de grandes choses à accomplir, et ce ne serait qu'une question d'années avant qu'elle connaisse le succès dans tout le pays…

27

Les derniers mois en Europe furent des plus profitables à Jehane. Avec des étudiants de la Sorbonne, elle fit un voyage en Grèce pour se familiariser avec l'art culinaire de la péninsule hellénique. Cela lui rappela de beaux souvenirs quand, petite fille, elle entrait chez les deux frères grecs qui possédaient cette épicerie aux odeurs étranges et mystérieuses. C'était là, derrière sa mère, qu'elle avait découvert l'univers des épices. Qu'étaient devenus les frères Basil ? Elle se promettait d'aller les revoir dès qu'elle reviendrait chez elle. Arpentant divers quartiers d'Athènes, elle se revoyait dans le secteur de la Côte-des-Neiges, au comble du bonheur. Se réconciliant peu à peu avec son pays, à la veille d'y revenir, elle se disait qu'on ne savait pas assez à quel point Montréal était une ville cosmopolite. Il lui faudrait trouver le moyen d'en faire l'apologie.

Jehane devait toujours aimer voyager. En Grèce, elle visita bien entendu l'Acropole et le Parthénon. Elle ne se lassait pas de déambuler dans les rues bariolées de l'ancienne cité d'Athènes. Elle bénéficia alors de ses études classiques au Sacré-Cœur, retrouvant les sites où avaient vécu Platon et Socrate. Le long des quais du Pirée, elle imagina Ulysse, partant pour son odyssée incroyable. Curieuse, elle ne cessait de poser des questions au guide qui accompagnait le groupe d'étudiants. Quand venait le temps de passer à table, elle aimait par-dessus tout savoir de quoi étaient composés les mets qu'on leur présentait. La cardamone, l'harissa, le romarin, mais aussi la muscade et la cannelle rehaussaient le goût des viandes, et surtout de l'agneau, qu'on servait souvent. Elle humait l'odeur d'un plat mijoté. On lui précisait que celui-ci avait été aromatisé de thym ou de coriandre. Ces mots aux jolies sonorités titillaient ses papilles insatiables.

Si, selon l'adage, les voyages forment la jeunesse, ceux de Jehane lui seraient d'une grande utilité. Elle avait la ferme intention de rapporter ces nouvelles saveurs qu'elle découvrait et de s'en servir pour innover dans l'art culinaire. Elle créait en esprit des mélanges originaux. Cette épice méditerranéenne modifierait bien tel plat de sa grand-mère. De vastes possibilités s'offraient pour faire naître des goûts exquis. Jehane croyait également qu'il faudrait importer des recettes venues d'ailleurs. Il était temps d'abattre les frontières culinaires. Bien sûr, cela créerait des remous. La cuisine de son propre pays était encore fort mal connue, redondante et peu ouverte à la nouveauté. Qu'importe, elle avait l'intuition qu'elle serait l'une de ces personnes qui secouerait les conventions. Elle bouleverserait les habitudes du passé tout en les remettant au goût du jour. Rien de moins.

Après la Grèce, on offrit aux étudiants un autre séjour à l'étranger. Cette fois, le groupe irait à Londres. Tandis que sa mère restait à Paris, profitant de ses derniers instants dans la capitale française, Jehane s'inscrivit à ce programme. Elle aurait enfin la chance, même à l'occasion d'un si court séjour, de parfaire son apprentissage de la langue anglaise. Enfin, les cours de son père allaient vraiment lui servir. Elle était fébrile à l'idée de se retrouver pendant deux semaines au bord de la Tamise. Évidemment, le groupe ferait aussi quelques excursions à la campagne, celle qui fait tant rêver les âmes romantiques.

En ces années 1920, Londres était une ville très bigarrée. La couronne britannique ayant des colonies partout sur la planète, on y voyait des gens de toutes nationalités. Jehane fut éblouie par cette ambiance de liberté. À Piccadilly, elle se fondit dans la foule qui se pressait au Speaker Corner. Comment cela aurait-il pu exister à Montréal? Cette seule idée lui semblait farfelue. En tant que Canadienne, elle se sentait un peu chez elle à Londres, car l'Empire britannique exerçait à l'époque une forte ascendance sur le Canada, pays du Commonwealth.

— Tu vas à Londres? lui avait dit quelqu'un. Mais tu sais bien que cette ville n'est pas reconnue pour sa cuisine.

Jehane avait été choquée par cette remarque empreinte de préjugés. S'il était vrai que les Anglais n'étaient pas reconnus pour être de fins gourmets, en comparaison des Français, il n'en demeurait pas moins qu'il y avait en Grande-Bretagne de nombreuses coutumes culinaires. Les leçons d'Édouard De Pomiane lui avaient appris que la cuisine d'un pays est faite de son histoire. Or, les Anglais régnaient sur un Empire sur lequel le soleil ne se couchait jamais, selon la célèbre formule de la reine Victoria. Jehane se souvenait des amis anglo-saxons que ses parents recevaient à Westmount. Ces gens fréquentaient les meilleurs restaurants de Montréal et, quand ils venaient chez eux, ils étaient sensibles à la fine cuisine qu'on leur servait.

Aussi, lors de ce bref voyage d'études, la jeune fille en profita pour en apprendre davantage sur les goûts particuliers des Britanniques: elle aima le *plum-pudding*, le *beef and kidney pie*, le *fish and chips*, les *scones*. Sa curiosité la conduisit à s'intéresser au phénomène Auguste Escoffier. Elle assista à l'une de ses conférences au Carlton. Le roi des cuisiniers, que l'on surnommait aussi le cuisinier des rois, avait fait sa marque à la fin du XIXe siècle dans les cuisines du fameux hôtel Savoy, dans la capitale anglaise. On lui devait des recettes devenues célèbres comme les crêpes Suzette, ainsi nommées en l'honneur, disait-on, d'une maîtresse du roi Edouard VII. Escoffier avait également créé la pêche Melba, ce délicieux dessert concocté la première fois pour la cantatrice Nellie Melba. Jehane fut fascinée par le personnage d'Escoffier, originaire du sud de la France. Ce fut pour elle la rencontre d'une seconde figure marquante dans l'art culinaire. Ce que Jehane reconnaissait chez De Pomiane et Escoffier, c'était qu'ils avaient mis leur talent de chefs au service de la société. Or, Jehane croyait qu'une des principales fonctions de ce métier était de savoir inventer des mets nourrissants et bons pour la santé. Escoffier avait aussi laissé son empreinte dans les restaurants les plus chic. Né en 1846, il s'était taillé une réputation incontestable d'innovateur et d'artiste de la table. Elle trouvait sympathique sa tendance à créer des mets en l'honneur de certaines personnalités de son époque : le suprême de poulet Georges Sand, ou la timbale Garibaldi. Jehane retint cette philosophie particulière selon laquelle la cuisine devait se soumettre à une méthode qui ne laissait rien au hasard. Elle-même se comprenait de mieux en mieux. Elle était à la fois une artiste et une scientifique. Sur le point de revenir chez elle, elle ne s'était jamais sentie aussi sûre d'elle-même. Elle apprit aussi, comme un signe de son propre destin, qu'Auguste Escoffier avait été l'un des premiers chefs gastronomes à vouloir protéger ses recettes par des droits d'auteur. Elle aima cette idée. Une recette, assurément, était une invention à part entière. Toute sa vie, elle défendrait ce point de vue, ce qui ajouterait à sa réputation d'avant-gardiste.

Cependant, Jehane demeurait secrète sur toutes ces pensées qui lui venaient à l'esprit. Elle partageait rarement ses convictions avec ses collègues. Elle n'était pas sans percevoir que cet amour pour l'art culinaire qui grandissait en elle ne ferait pas l'unanimité. Elle croyait même que ses proches la trouveraient farfelue. Tant pis. Elle tirerait parti de ses voyages et de ses études, de grands apprentissages de sa vie.

De retour à Paris, Jehane retrouva sa mère. Le temps se mit à fuir. Les passeports étaient prêts, les valises n'attendaient plus que les derniers vêtements. Plus que quelques jours à Paris et les deux femmes embarqueraient à bord d'un paquebot pour la traversée de l'Atlantique.

Marie-Louise prit doucement le bras de sa fille et lui dit affectueusement :

— Promets-moi que ce voyage est l'un des derniers avant longtemps. Je reviendrais volontiers à Paris pour le plaisir, mais plus jamais aussi longtemps. Je me suis ennuyée de la maison, de mes enfants et de ton père. Toi aussi, n'est-ce pas ? Je n'aime pas employer ce mot, mais nous avons fait un très grand sacrifice pour ta réussite. Ma seule consolation, c'est de savoir que tu as renoncé à devenir une actrice…

Jehane n'avait jamais aimé se faire donner des leçons. Ces remontrances l'agaçaient, car elles lui rappelaient cet échec cuisant. Or, elle avait dépassé cela !

— Vous savez bien, maman, que je suis reconnaissante pour tout ce que vous avez fait pour moi. Faites-moi confiance. Ces études me seront utiles.

Marie-Louise se tut. Elle ne pouvait s'empêcher d'imaginer sa fille en robe blanche. Avec un époux de qualité. Jehane méritait une belle vie. Elle la voyait avec des enfants, puis des petits-enfants qu'elle-même tiendrait dans ses bras. Elle ne parvenait pas à renoncer à ce rêve. C'était, au fond de son cœur, son vœu le plus cher pour Jehane. Mais, déjà, sa fille était loin. À l'aube de sa nouvelle vie.

28

— Je te préviens ! s'écria Hélène, à l'instant même où Robert pénétra dans le vestibule de sa maison de Notre-Dame-de-Grâce.

Robert, un peu interloqué, lui tendit son imperméable et une bouteille de champagne avant de répondre.

— Que me vaut cette menace ?

— Ce n'est pas une menace, rétorqua Hélène en l'embrassant sur les joues, mais un conseil amical. Ce soir, tu fais une pause. Un *break* !

— Si je suis ici, c'est bien pour cela, non ?

— Justement, mais je te préviens : pas un mot sur Jehane.

Lorsqu'il fut confortablement assis dans un salon fort joliment meublé de choses anciennes, Robert prit une gorgée du Glenlivet qu'Hélène lui avait offert et ne put résister à tenter le coup et parler un peu de son travail.

— Pourtant… J'aurais pu t'en dire long sur les dernières semaines des Patenaude à Paris.

Hélène prit un air consterné.

— Robert… Tu as passé ta vie à travailler… Je n'ose pas imaginer ce que devait être ton quotidien avec Nicole… Dormais-tu avec ta machine à écrire ?

Robert convint en esprit qu'Hélène n'avait pas tort de lui rappeler ce trait de sa personnalité, et plus exactement de son comportement. Mais il n'y pouvait rien. Il ne traitait aucun sujet superficiellement.

— Bien sûr, mais…

— Si tu étais cultivateur, tu comprendrais la notion de jachère. Tous les sept ans, au moins, on doit laisser la terre se reposer, sinon elle ne fournit plus rien… Dans ton cas, tous les sept jours, pourquoi ne pas prendre vingt-quatre heures à faire autre chose, histoire de te ressourcer ? Tu n'en travailleras que mieux. Là, tu es sans cesse sous pression. As-tu une échéance ? Un éditeur attend-il ton texte ?

C'était un fait : il n'y avait pas d'urgence. Depuis la mort de Jehane Benoit, en 1987, à part un article dans un magazine féminin et quelques rappels de son existence sur les ondes radiophoniques, rien n'avait paru à son propos. Quelques mois de plus ou de moins avant d'en savoir plus long sur elle ne troubleraient aucunement la vie des lecteurs. Mais Robert avait toujours vécu comme si le temps pressait. Était-ce une séquelle qu'avait laissée la mort de son père dans son âme que de vouloir vivre en toute hâte ? Pourtant, il n'avait aucun souvenir de cet homme disparu beaucoup trop tôt. Mais il comprit que cela, inconsciemment, pouvait avoir généré une peur en lui et préparé le terrain à son côté frénétique.

— Puis-je au moins t'entretenir de la biographie en général ?

Hélène poussa un soupir.

— Que veux-tu donc me dire absolument là-dessus ? Qu'est-ce qui ne peut attendre ? demanda-t-elle avec tendresse.

Robert aurait voulu se taire et parler de n'importe quoi. L'actualité regorgeait de tragédies à commenter, tsunamis, ouragans, assassinats de tyrans, etc. Mais Robert avait toujours trouvé vain et puéril d'émettre des opinions sur des sujets dont les véritables enjeux échappaient à la majorité. Il préférait de loin aller voir une exposition de peinture, ou un film, et en parler après. Cependant, il ne put se taire, car il avait trop besoin d'un interlocuteur. Vivre sous un personnage pendant des mois et des années pour le reconstituer était une chose ; devoir garder le silence sur le processus créatif et méthodologique pour y arriver était insupportable.

— Comment dirais-je ? souffla-t-il. C'est comme si écrire une biographie était une plongée intérieure.

Hélène haussa le menton, soudainement attentive.

— Ta réflexion me semble te concerner, dit-elle, alors ça, ça m'intéresse !

— À force de te pencher sur quelqu'un, à analyser les moindres méandres de sa personnalité, de ses réactions, de son comportement, à force d'établir la chronologie de tous les événements que tu peux découvrir de sa vie, eh bien, tu ne peux faire autrement que de penser à toi-même. À ce que toi tu aurais fait, pensé, ou éprouvé en pareilles circonstances… Tu me suis ?

— Oui, même si je suis comptable, plaisanta-t-elle. Je suppose que les comparaisons viennent d'elles-mêmes…

— Je ne peux pas, par exemple, m'empêcher de penser à ce qui serait arrivé à Jehane si, comme moi, elle avait perdu son père très jeune…

— Et qu'en déduis-tu ?

— J'en conclus qu'on n'aurait jamais lu la moindre ligne de Jehane Benoit, car étant donné le contexte de son époque, la place laissée aux femmes, les mœurs, les convenances, ce n'est pas Marie-Louise qui l'aurait poussée à étudier, puis à travailler. Le but ultime était le mariage… Il faut insister sur le fait que ce père était d'avant-garde, très ouvert d'esprit. Il a reporté sur Jehane les ambitions qu'il aurait réservées à son petit Jean-Marie, même s'il a eu d'autres fils, mais je crois que cela dépasse cela. Il a compris qu'une grande femme germait en sa fille, qu'elle était un être d'exception. Aussi l'a-t-il aidée comme il a pu pour qu'elle se réalise, comme on dit…

— Je t'arrête !

— Quoi ? interrogea-t-il. Tu n'es pas d'accord ?

— Je le savais. Tu parles de toi pour mieux raconter Jehane. Ça suffit je te dis. Finis ton verre et passons à table.

Mais la conversation ne tarda pas à revenir à madame Benoit puisque Hélène avait préparé une de ses recettes au cidre.

— C'est très bon, dit Robert, je me demande si…

— Tu ne te demandes rien ! Mange. Au dessert, nous ouvrirons le champagne. J'ai fait une meringue. Tu vas te régaler.

La soirée passa. Hélène parla beaucoup de la Suisse, ce pays qui l'avait enchantée. Elle y retournerait dans quelques semaines, de nouveau invitée par son ami libraire. Tandis qu'elle décrivait les paysages qu'elle y avait admirés, Robert écoutait, mais d'une oreille distraite, pensant à tous ceux que Jehane contemplerait dans sa vie. Car les quelques années à Paris, dans sa jeunesse, n'auraient été que l'annonce d'une existence marquée par de nombreux déplacements et séjours à l'étranger. Jehane parcourrait l'Europe, irait en Asie, connaîtrait le Canada d'est en ouest. Puis, quand Hélène se permettait quelques confidences – ce libraire l'attirait, elle espérait que son intérêt dépasse l'amitié –, Robert songeait à lui-même, lorsqu'il avait rencontré Nicole avec des amis, au bar de l'hôtel Ritz, rue Sherbrooke Ouest, séduit et inquiet à l'idée de ne pas lui plaire. Il pensait simultanément à Jehane racontant son coup de foudre pour Bernard Benoit, qui avait de nombreuses années de moins qu'elle. Puis, il fit le lien : Jehane et lui avaient connu le coup de foudre, dans le même quartier, à quelques maisons de distance… Cela le fascina. Il avait déjà hâte au lendemain, pour se remettre à écrire.

— Tu m'écoutes, Robert ?

Il revint dans le salon où, quelques minutes auparavant, ils s'étaient assis devant la bouteille de Laurent Perrier. Hélène l'ouvrit et remplit deux coupes.

— Donc, Le Montagnard, à Sutton, ça te dit ?

— Le Montagnard ? répéta-t-il, complètement perdu.

— Oui, je te dis qu'un petit séjour, ne serait-ce qu'une nuit à l'extérieur de Montréal, te serait très profitable. Je suis libre le week-end prochain. Louons un petit chalet au Montagnard, et allons-y !

Il marmonna, décontenancé par une telle proposition.

Mais Hélène eut le dernier mot.

— Si ce n'est pas pour toi, et encore moins pour moi, vas-y pour Jehane. Je suis sûre que ce *break* dans sa région t'inspirera de très bons chapitres…

29

Enfin à Montréal, en débarquant du paquebot, Marie-Louise et Jehane furent ravies de retrouver Alfred-Wilfrid. Celui-ci semblait s'être bien accommodé de leur longue absence et leur annonça d'emblée que les enfants, pensionnaires, se portaient bien, mais qu'ils se languissaient de voir enfin leur mère et leur sœur dès leur prochaine sortie.

— J'ai bien pris soin de moi quand vous n'étiez pas là, déclara-t-il en riant.

Marie-Louise eut tôt fait d'ajouter qu'il avait tout de même eu l'aide d'une bonne et d'une cuisinière.

Jehane ne lâchait plus son père. Tous les regrets d'avoir quitté Paris s'effaçaient devant son bonheur de le retrouver.

— Maintenant que tu es ici, Jehane, et que tu as suivi des cours de cuisine à Paris, je suis sûre que je pourrai goûter de véritables bons plats, lui dit-il.

Jehane accueillit de bon cœur ces remarques. Ils montèrent bientôt en voiture. Tout au long du parcours jusqu'à la maison de Westmount, ils parlèrent du séjour en France.

— J'ai toutefois un grand reproche à te faire, Jehane : tu aurais dû me dire la vérité, lança Alfred-Wilfrid, d'un ton réprobateur.

— Que voulez-vous dire, papa ?

— J'ai appris que tu voulais devenir comédienne.

— C'est vrai…

Jehane regarda sa mère. Celle-ci serrait les lèvres.

— Oui, j'ai même suivi des cours chez Charles Dullin. Cela n'a pas été facile. J'ai surtout reçu une leçon d'humilité.

— L'humilité est une vertu, ma fille, qui peut être fort utile dans la vie.

— J'ai compris chez Dullin que je n'étais pas faite pour être actrice.

Marie-Louise sourit tendrement. Il était clair, au ton de sa fille, que celle-ci avait vraiment renoncé à ce sot projet.

— Jehane a surtout rencontré d'excellents professeurs à la Sorbonne qui lui ont fait changer d'idée, affirma-t-elle.

— Ah ! Qui donc ? demanda Alfred-Wilfrid.

— Un très grand chef ! Mais également scientifique et médecin : Édouard De Pomiane.

— Tu l'évoques avec beaucoup d'affection et d'admiration. Mais ici, à Montréal, prépare-toi ! Il te faudra convaincre pas mal de gens que cuisiner est une fonction qui mérite tant d'estime.

— Papa ! intervint Jehane de toute la fougue de sa jeune vingtaine. Ne parlez pas ainsi. J'ai suivi des cours de chimie alimentaire, comme je vous l'avais promis. J'ai parfois fait à ma tête avec le théâtre, je l'avoue. Mais toutes ces expériences serviront mes projets de carrière. Je crois que je n'aurai pas à me battre pour montrer qu'il n'était pas inutile d'aller à Paris. Il y aura toujours des gens étroits d'esprit. Ce sera à moi de leur prouver qu'ils sont dans l'erreur.

Alfred-Wilfrid et Marie-Louise ne trouvèrent rien à redire. Ils ne doutaient pas de la force de leur fille.

— On m'a même offert de rester en France, dit Jehane fièrement.

— Qui t'a donc fait cette offre ? demanda son père.

— Précisément ce monsieur De Pomiane. Il m'a dit que j'avais du talent. Je l'ai cru, vous savez…

— Mais qu'aurais-tu donc pu faire là-bas ? Toute seule ! s'exclama son père, craignant que tout ce discours n'annonce un prochain départ.

— Un chef, une toque, comme on dit.

— Eh bien, je crois que la France ne manque pas d'effectifs à cet égard. Concentre donc tes efforts pour exercer ce qui te plaît, mais ici, à Montréal, auprès de nous !

Jehane approuva, mais aussitôt, elle eut un serrement au cœur. Elle avait perçu, dans l'intonation de son père, une certaine hésitation. Comme s'il prenait ses projets un peu à la légère. Un coup de tête. Un autre. Elle-même n'était pas sans se poser des questions. Avait-elle vraiment envie de persévérer dans ce domaine ? Tout était à faire à cet égard à Montréal, ou presque. Elle regarda sa mère, déjà renfrognée. Jehane devina que Marie-Louise déplorait que Jehane n'ait que les mots carrière et travail à la bouche, alors que ceux de mariage et de famille étaient bien plus convenables.

Jehane, du coup, se sentit très triste et atrocement nostalgique du grand Paris, qu'elle venait de quitter, peut-être pour toujours. La crainte l'enveloppa. Mais qu'est-ce que ses parents imaginaient ? Qu'elle ne souffrait pas d'être seule ? Qu'elle ne se demandait pas, elle aussi, si elle resterait célibataire toute sa vie ? Chaque fois qu'elle croisait le regard de sa mère, alors qu'il était question de son avenir, la maudite question revenait la tarauder.

Quand ils arrivèrent à la maison, sans doute pour dissiper le nuage, chacun se retira dans sa chambre. Après un bon bain et une nuit de sommeil, tout irait mieux.

Pendant plusieurs jours, voire plusieurs semaines, il ne fut question, à table ou au salon, que du voyage en Europe. Le récit perdurait. Jehane avait tant à dire. N'avait-elle pas visité de nombreux pays ?

— En Europe, j'ai beaucoup pensé à notre chère Nanny, précisa-t-elle en soupirant, car, chaque jour, les vieux pays, comme elle disait, lui manquaient.

En effet, lorsqu'elle était enfant, les Patenaude avaient engagé une gouvernante irlandaise du nom de Mary Freeny. Elle parlait à peine français, ce qui était parfait pour l'apprentissage de l'anglais à la maison. Jehane l'avait aussitôt aimée.

— Mary s'intéressait davantage à la cuisine qu'aux enfants ! rappela Marie-Louise. Je suis convaincue que c'est elle qui a eu le plus d'influence sur ton choix de carrière, plus encore que ta grand-mère…

— Maintenant que vous le dites, je reconnais que vous avez raison, maman. Vous vous souvenez ? Quand Nanny est repartie en Irlande, vous m'avez remis un grand cahier dans lequel elle avait consigné des recettes de son pays.

— Tu avais quinze ans, ma chère enfant, et je savais que tu serais émue de savoir qu'elle l'avait écrit juste pour toi.

La petite famille ne gardait que de beaux souvenirs de cette miss Freeny.

— Nous l'avions engagée sous recommandation. Quelle fille distinguée ! Mais il a fallu que l'on s'habitue à sa cuisine, souligna Alfred-Wilfrid.

Jehane ne partageait pas l'opinion de son père.

— Je ne crois pas cela, déclara-t-elle. La cuisine irlandaise, je peux vous l'affirmer, est l'une des plus originales et aussi des meilleures. Saine. Nous jugeons de façon si péremptoire tout ce qui touche au monde anglo-saxon. Quand nous pensons aux Irlandais, c'est toujours aux pauvres familles qui ont dû quitter leur pays à cause de la famine. Cependant, au Royaume-Uni, il y a une véritable tradition culinaire. Je vous le prouverai ! Car j'ai bien l'intention de faire la cuisine le plus souvent possible.

Quelque quarante ans avant la publication de son encyclopédie culinaire, Jehane jetait les bases, en paroles, de ce qui serait l'œuvre de sa vie. Des entrées aux desserts, en passant par la cuisson des viandes et les particularités régionales, elle traiterait tous les sujets gastronomiques, mais également de la cuisine de tous les jours. Tel un grand designer qui allie haute-couture et prêt-à-porter, Jehane engloberait dans son travail tous les aspects culinaires. Depuis les cours des sœurs du Sacré-Cœur, et les rudiments qu'elles lui avaient transmis – connaissance des aliments de base, règles de bienséance à table –, la jeune Patenaude ne cessait d'évoluer dans ce métier, cette profession – un art. Il lui faudrait encore des décennies pour que tous les savoirs soient rassemblés sous une même couverture, mais chaque jour apportait une expérience nouvelle.

De retour à Westmount, Jehane avait mille idées en tête et elle avait hâte d'enfin se lancer... Mais elle vivait avec ses parents, sous leur gouverne. Et c'était d'autant plus dur que ceux-ci s'étaient retrouvés et qu'ils semblaient vivre une seconde lune de miel. En plus, il y avait les autres, Gérard, Jacqueline et Marcel, à qui Marie-Louise rappelait sans arrêt à quel point elle s'était ennuyée d'eux. Combien de temps faudrait-il encore à Jehane pour quitter ce bercail ? Elle avait hâte de trouver au plus tôt une occupation lucrative, car elle n'avait pas l'intention de vivre à leurs crochets éternellement, même si elle ne se mariait pas. Ils étaient compréhensifs et patients, mais elle sentait une certaine pression de leur part.

— Avec une femme comme toi, lui disait-on parfois, un homme aurait toutes les raisons d'être heureux. Savoir faire la cuisine est un don du ciel. Ne dit-on pas que l'on prend un homme par le ventre ?

Jehane souriait mais n'en pensait pas moins. Ainsi, quoi qu'elle décide, si elle restait seule, elle serait toujours un paria, une marginale, et cela même pourrait nuire à ses projets. C'en était assez. Désormais, elle chercherait la perle rare.

30

— Alors, où en es-tu ? demanda Thomas Lapierre. Ça avance ? Jehane est-elle revenue d'Europe ?

Ce soir-là, Robert avait convié Thomas et Sophie chez lui. En entrée, il servirait un céleri rémoulade qu'il avait fait lui-même, puis un petit roast-beef qu'il avait préparé en suivant à la lettre les indications de *L'Encyclopédie de la cuisine canadienne*. Cette Jehane était une pédagogue née. Elle expliquait clairement et simplement. Son écriture était fluide et son vocabulaire vaste et précis. Chaque fois que Robert ouvrait le gros ouvrage, il était épaté. Quelle ambition que de rédiger plus de mille pages sur une gastronomie particulière alors que, pendant si longtemps, on avait réduit la cuisine du pays à quelques tartes, ragoûts et tourtières ! Jehane aurait, travaillant sans relâche, fait tomber bien des idées reçues à ce sujet.

Robert offrit un autre scotch à ses invités. Puis, il s'assit.

— J'en suis à un passage assez lacunaire. Oui, Jehane est de retour au pays. En 1926 – elle a donc vingt-deux ans –, elle va enfin se marier.

— Voilà qui a dû soulager ses parents, dit Sophie.

— Oui, mais l'embêtant, c'est qu'on ne sait presque rien de ce Carl Otto Zimmerman, un Allemand, peut-être un ami de la famille… Le couple s'épouse le 21 avril à Sainte-Catherine-d'Alexandrie, rue Amherst. Pourquoi là, et non à Westmount ? Aucune idée… Les témoins sont les pères des mariés. La mère de Zimmerman, Eugénie Lacroix, était canadienne-française. Après son second mariage avec Bernard Benoit, lorsque Jehane sera de plus en plus interviewée et médiatisée, elle ne parlera presque jamais de Carl, pas même à ses petits-enfants, au point que peu de gens auront même su qu'elle avait eu un premier époux. C'est très irritant, toutes ses inconnues dans l'équation d'une vie.

— Sans doute a-t-elle aimé cet homme… déclara Sophie. Je la vois mal épouser quelqu'un contre son gré.

— Peut-être, enchaîna Robert, mais j'ai des doutes. Aurait-elle plutôt trouvé quelqu'un avec qui elle pouvait envisager ce compromis ? Je penche pour cette version. Jehane était tout de même assujettie aux lois et surtout aux coutumes de son temps. L'idée, pour elle, on le sait, c'était de travailler. Pour cela, il lui fallait quitter le foyer familial. Pour accomplir, pour s'accomplir, devrais-je dire, Jehane avait besoin d'un homme. Sans doute a-t-elle trouvé en Carl cette personne qui allait lui apporter une certaine liberté. D'autant plus qu'il était voyageur de commerce, donc souvent absent…

— On passe à table ? demanda Thomas. Je meurs de faim !

Le dîner fut délicieux. Et le roast-beef parfait. On félicita Robert, mais également Jehane, et on revint à ses années de mariage, bien assis dans le salon, devant une tarte aux amandes.

— Ce mariage, comme je vous le disais, est flou. Mais cette union va évidemment changer sa vie. Jehane, affranchie, maîtresse de maison, est certainement sensible à ce nouveau contexte. Mais bientôt, c'est clair, il y a mésentente dans le couple. Que s'est-il passé ? Je l'ignore. À bien écouter les interviews de Jehane, on peut toutefois lire entre les lignes. Elle affirmera, par exemple, avoir besoin d'admirer un homme pour vivre avec lui. Que l'admiration est la condition *sine qua non* de la survie du couple. Cela veut-il dire que ce n'était pas le cas avec Carl ?

— Auront-ils des enfants ? s'enquit Sophie.

— Une fille, Monique, le 17 avril 1927, répondit Robert. Un an après leur mariage, presque jour pour jour, ils la baptisent à Sainte-Catherine-d'Alexandrie. Mais très vite, je crois que Jehane et Carl vivent chacun leur vie, même s'ils restent ensemble. En 1934, par exemple, Jehane, déjà connue d'un certain milieu, accepte d'ouvrir un restaurant sur l'île Sainte-Hélène à l'occasion des fêtes commémoratives de l'arrivée de Jacques Cartier au Canada. Quelle énergie car, en même temps, Jehane est tout à l'établissement de son école de cuisine et de son Salad Bar, rue Sherbrooke Ouest, où elle a habité, selon des sources sûres.

— Parents d'avant-garde, qui l'encouragent à étudier en Europe, et couple évolué, qui se respecte sans divorcer, souligna Thomas.

— Oui, reconnut Robert. Mais cette situation était d'autant plus vivable que Jehane venait d'un milieu privilégié, et que Zimmerman gagnait bien sa vie. Quand on peut à peine joindre les deux bouts, on a tendance à rester ensemble.

Sur ces paroles, Robert pensa à ses propres parents. Ils n'avaient pas eu assez d'être deux pour vivre convenablement. Du coup, à cette pensée, il se demanda si Berthe avait aimé son mari qu'elle avait eu le malheur de perdre bien jeune. Fouillant rapidement dans sa mémoire, il ne se souvint d'aucun propos de sa mère concernant cette partie de sa vie. C'était peut-être pour mieux faire son deuil de cet homme que de ne pas en parler. Robert faisait face à l'évidence : il ne savait pas plus de choses sur son père que sur Zimmerman.

— Peut-être aussi gardaient-ils le statu quo pour leur fille ? suggéra Sophie.

Thomas se resservit une part de tarte aux amandes et déclara :

— Je ne sais pas ce que vous en pensez, mais si Jehane s'est mariée en 1926 et qu'elle rencontre Bernard Benoit en août 1940, c'est donc qu'elle a vécu en couple pendant toutes ces années. Reste-t-on ensemble quand on ne s'aime pas ? J'en déduis que ces gens se sont entendus à plusieurs égards.

— En effet, dit Robert, enthousiaste. Sans doute étaient-ils pris par leurs professions respectives, comme cela se voit à notre époque, et que la procréation n'était pas leur priorité. À ce chapitre, on ne peut rien affirmer. Un seul enfant, c'est peu, en ce temps où les familles nombreuses étaient légion au Québec.

Tous se turent un instant. Puis, Robert reprit :

— En tout cas, ces longues années demeurent obscures dans la connaissance de cette vie. Si, après la naissance de Monique, Jehane ouvre Le Fumet de la Vieille France, son école de cuisine, et son Salad Bar, c'est certainement parce qu'elle avait préparé ce projet de longue haleine dans les moindres détails. On n'ouvre pas une telle entreprise en criant ciseaux. Peut-être même que Zimmerman l'y avait aidée ?

— Oui, approuva Sophie. Cela dit, ça n'a pas dû être si simple. J'imagine les attentes et les jugements de la famille, des amis. Les questions… À quoi ont servi les études de Jehane si elle n'en fait rien ?

« Jehane était une sorte de bombe à retardement, se dit Robert, puisqu'elle mettait en place toutes les pièces du puzzle pour mieux surprendre la galerie. Ouvrir un établissement rue Sherbrooke, avant la Seconde Guerre mondiale, c'était un tour de force pour une femme seule, fût-elle mariée. »

— Alors, conclusion de ce mariage ?

— Une étape dans sa vie, s'écria Sophie, un tremplin pour réussir professionnellement.

— Une libération du joug de Marie-Louise, dit Thomas en souriant.

— Jehane ne se cachait pas lorsqu'elle affirmait se sentir loin de sa mère, approuva Robert.

Mais il restait contrarié. Cette partie nébuleuse du parcours de la grande dame le frustrait. Cependant il s'efforça de se détacher. Chaque vie renfermait un mystère. Sinon plusieurs. Jehane aurait le sien, pour l'éternité. D'elle, subsisterait, même au troisième millénaire, une œuvre de premier plan.

Rien que ça, méritait qu'on le raconte.

31

Les graines de la révolution féministe avaient germé lors de la Première Guerre mondiale, au moment où des milliers de femmes avaient été forcées de travailler dans les usines. Au Canada, ces dernières obtiendraient le droit de vote en 1919, et seulement en 1940 au Québec. Le second conflit mondial confirmerait le désir de libération de toute une génération, dont faisait partie Jehane Patenaude-Zimmerman. Le fossé entre la mère et la fille se creuserait définitivement.

Même mariée, il arrivait que Jehane s'oppose à sa mère. Elle avait hâte que ses projets se concrétisent et, parfois, Marie-Louise s'impatientait.

— Tu es mariée, ne songes-tu pas plutôt à élever ta fille ? À avoir d'autres enfants ? La carrière n'est pas une sinécure, Jehane. N'es-tu pas heureuse aux côtés de Carl ?

— Vous-même, maman, vous avez quitté votre mari pour m'accompagner en Europe ! Était-ce parce que vous ne l'aimiez pas ? Pas du tout. Lorsque je dis que je veux travailler, ce n'est pas parce que je méprise mon mari, mais parce que je veux aller plus loin.

Jehane parlait fermement. Marie-Louise levait les yeux au ciel.

Souvent, Jehane songeait aux dernières paroles du professeur Édouard De Pomiane. Avait-elle bien fait, finalement, de revenir à Montréal ?

— Je ne regrette pas d'avoir décidé de m'établir dans mon pays, soulignait-elle, mais ce n'est certainement pas pour cuisiner des tartes et des tourtières au jour de l'An. J'ai d'autres ambitions que de faire cuire des œufs au petit-déjeuner. Je veux créer mes propres recettes ! Je veux que mon école de cuisine prenne de l'ampleur. Carl approuve ma démarche. Je ne suis pas une tête de linotte. J'ai rencontré des gens qui me conseillent. Mon père a réussi dans la finance. Je m'en inspire. J'aurai besoin d'argent et je compte sur vous pour une aide d'appoint.

Marie-Louise, la soixantaine, ne voyait pas d'un bon œil que sa fille s'acharne en ce sens. Elle rétorqua en soupirant :

— Je sais que je n'aurai pas les arguments pour te faire changer d'idée. Je te connais, tu es comme ton père, une Patenaude pure laine.

Marie-Louise avait parlé sèchement. Sans doute le regrettait-elle. Si Jehane n'avait que la carrière en tête, ce n'était certainement pas parce qu'elle était follement amoureuse de Carl. En l'occurrence, elle se serait montrée plus épanouie. Combien de temps une fille pouvait-elle cacher ses sentiments les plus intimes à sa mère ? Marie-Louise devinait qu'il se passait quelque chose, mais ne soulevait pas la question. Pourtant, elle s'inquiétait. Que ferait Carl dans cet arrangement qui ne lui laissait aucune place ? Si Jehane ne lui offrait pas l'occasion d'être un époux, et un père, c'était donc que, dans son âme, elle restée foncièrement célibataire. Cela n'augurait rien de bon. Cette fille, décidément, irait sans cesse à l'encontre des convenances. L'idée que ce couple se brise glaçait Marie-Louise. Que diraient les gens, les amis, la famille ? Quelle ombre cela pourrait-il jeter sur l'avenir de Jacqueline ? Encore une extravagance de

Jehane ! Cette sombre perspective la consternait. Que lui dirait-elle, auquel cas ? Elle s'entendait déjà parler : « Fais semblant que tout va bien, garde une bonne attitude, reste digne. » Mais qu'allait-elle penser ? Les liens du mariage sont indissolubles. Pas question de séparation et encore moins de divorce. Dans ce milieu petit-bourgeois, il fallait garder une façade impeccable, à l'image des maisons qu'on habitait. Les femmes étaient celles qui faisaient les sacrifices nécessaires pour que le couple soit lié à jamais.

— Pour le meilleur et pour le pire, murmura Marie-Louise.

Puis, elle soupira. Jehane n'était pas une enfant facile, et elle détesterait toujours qu'on se mêle de sa vie privée. Ainsi, son projet de se lancer en affaires prenait plus de place dans sa vie que ses possibles problèmes personnels.

Une fois de plus, Jehane avançait sur un terrain tout à défricher. En ces années 1930, le monde culinaire était surtout réservé aux religieuses. À l'école, les petites filles se familiarisaient avec la vie ménagère par leurs bons soins. C'était au couvent que l'on apprenait à distinguer le verre à eau du verre à jus, la cuiller à soupe de la cuiller à dessert, la fourchette à poisson, l'assiette à pain. C'était au couvent que l'on apprenait à nouer son tablier, à poser ses instruments en ordre sur un comptoir, à battre des œufs, à faire de la pâte, à dresser une table, à disposer les couverts selon les règles de l'art. Jehane, elle, seule et sans personne, ouvrirait une brèche dans un domaine très fermé, abordant ces sujets et les traitant à fond. Un des premiers livres qu'elle publierait serait une collection des meilleures recettes qui lui venaient de sa famille : tarte à la ferlouche, biscuits à l'avoine, pot-au-feu traditionnels. Jehane ne voulait pas tant révolutionner le monde culinaire qu'offrir une vue d'ensemble de ce que préparaient les mères dans les maisons, du plus loin que l'on pouvait s'en souvenir. Presque un siècle après la parution du livre *La cuisinière canadienne*, publié chez L. Perrault en 1840, que de nombreuses femmes avaient consulté toute leur vie, Jehane rafraîchirait, avec sa façon pratique, claire et exhaustive, toutes les données culinaires connues à ce jour. Elle proposerait la nouvelle version, en français, de l'ouvrage *The New Galt Cook Book*, paru en 1898, signé Margaret Taylor et Frances McNaught, et bien connu du monde anglo-saxon. Elle serait, ainsi que l'auteur Joe Fiorito la qualifierait, «l'archiviste de l'histoire culinaire du Canada». Le premier professeur laïc en cette matière.

Rien ne devait arrêter la jeune femme. Elle se mit en frais de trouver au plus tôt un local, même si l'époque n'était guère propice à un tel projet. La crise de 1929 avait affaibli toute la société. Le chômage était élevé, la situation économique lamentable. À Montréal, des masses de travailleurs perdaient leur emploi, allant grossir les rangs des pauvres qui se comptaient par milliers. Des ingénieurs et des avocats pelletaient de la neige ou travaillaient dans des restaurants pour gagner leur vie. Cependant, Jehane ne vivait pas ces drames. Elle restait à l'abri, dans son milieu protégé. De toute façon, elle ouvrirait son établissement dans l'Ouest, à deux pas du Ritz, dans un quartier où les problèmes financiers ne se faisaient pas sentir aussi durement qu'ailleurs dans la métropole. Grâce au soutien de sa famille, elle put enfin mettre sur pied sa grande entreprise, à laquelle elle avait consacré tant d'années. Mais, bien vite, ce local devint sa maison…

32

— Avec le recul, tant d'initiative paraît très impressionnant, déclara Nicole.

— Tu veux dire, dans le contexte de son époque? demanda Robert.

Tandis qu'il préparait du thé, Nicole relisait les préfaces de quelques livres de Jehane Benoit et prenait des notes. Robert les avait lues et relues, mais Nicole avait l'œil pour trouver des détails qui lui avaient échappé. Comme Jehane s'était rarement exprimée sur elle-même, ces quelques paragraphes, au début de chacun de ses ouvrages, en disaient plus que n'importe quel témoignage.

— Jehane était à l'affût des nouveautés, reprit Robert. Elle se renseignait à droite et à gauche. Elle avait vu dans un journal américain que les restaurants dans lesquels les clients se servaient eux-mêmes à un comptoir à salades étaient de plus en plus populaires. On commençait alors à vanter les vertus des légumes. On cherchait des alternatives aux viandes, en particulier au bœuf. Ces idées n'étaient pas si neuves pour Jehane qui se souvenait de ses cours à la Sorbonne. On lui avait enseigné que nombre de maladies étaient la conséquence d'une mauvaise alimentation.

— Tu prétends donc qu'elle était une végétarienne avant la lettre, dit Nicole.

— Non, puisqu'elle a beaucoup étudié la cuisson des viandes, du four à bois jusqu'au four à convection, et qu'elle a publié plusieurs ouvrages à ce sujet, mais elle a certainement popularisé les légumes et fait connaître leur diversité. Grâce à elle, la cuisine est devenue plus variée. Avec la modernisation de diverses structures, et surtout grâce à l'apport cosmopolite, les Canadiens pouvaient passer à autre chose, et ne plus manger que des pommes de terre, des carottes et du chou.

— Par exemple ?

— Je pense à cette miss Mary Freeny. Cette Irlandaise au service des Patenaude. Elle disait par exemple à Marie-Louise que, au Canada, le vrai brocoli était inconnu. C'était tout à fait vrai, en ce temps-là. De quoi attirer l'attention de Jehane qui découvrait qu'il existait une grande variété de légumes de tous genres. Un jour, de retour du marché, sa mère tendit des choux de Bruxelles à miss Freeny. La servante s'exclama : « Ah ! Voilà enfin des brocolis comme nous en avons en Irlande ! » Bien entendu, cette remarque fit rire tout le monde.

— En effet, tout cela n'a rien à voir avec le sandwich traditionnel.

— Détrompe-toi, Nicole. Jehane, étant donné sa condition sociale, se nourrissait déjà très bien. Et avant de connaître cette nanny, figure-toi qu'elle n'avait jamais mangé de sandwiches ! Pas question de cela à la table de Marie-Louise. Alors, c'était la fête pour Jehane, quand Mary Freeny disait : « Un simple morceau de fromage entre deux tranches de pain et voilà un bon repas. »

Nicole rit.

— En parlant de sandwich, dit-elle, tu ne m'en ferais pas un par hasard, avec le thé ?

Robert la regarda d'un air surpris.

— Tu m'étonnes, ce n'est guère dans tes habitudes de grignoter l'après-midi.

— On change, murmura Nicole.

Robert se dit que cette remarque, de la part de son ex-femme, ne pouvait pas être anodine. Nicole ne parlait jamais pour ne rien dire. Pourtant, elle enchaîna.

— Alors, ce Salad Bar, dans quelles circonstances l'a-t-elle ouvert ?

Tout en préparant le sandwich, Robert se mit à raconter :

— On sait que de 1935 à 1939, huit mille élèves suivirent ses cours au Fumet de la Vieille France.

— Mon Dieu, c'est extraordinaire !

— Oui, autant d'élèves diplômées de cette toute nouvelle école de cuisine indique bien la confiance et le respect qu'on accordait à madame Patenaude, car elle se faisait appeler comme ça, à cette époque. C'est donc d'abord pour ses élèves qu'elle a pensé à cette formule de Salad Bar. Une cantine, en somme, qui évitait aux étudiantes d'apporter un lunch, ou encore de sortir et de perdre leur temps. Cela dit, bientôt, des hommes d'affaires de la rue Sherbrooke et des alentours en ont fait leur quartier général du midi. Certes, l'endroit était plein de filles, mais il est bien certain que les salades en question étaient bonnes !

— J'adorerais rencontrer une de ces diplômées… Il faudrait mettre une annonce dans un journal pour en trouver une, et avoir un témoignage.

— Pas fou, dit Robert en tendant une assiette à Nicole.

Elle mordit aussitôt dans son sandwich.

— Tu as mis des graines de sésame ! Bonne idée, c'est très bon.

— Excellente source de calcium et puissant antioxydant.

Ils se regardèrent et se sourirent. Robert se dit soudain que, oui, il était possible de changer dans une vie. Jamais au cours de leur existence commune, ils n'avaient vécu de moments aussi simples et agréables.

— Et pourquoi le nom anglais de Salad Bar ? demanda Nicole.

— Sans doute parce que le principe était déjà très à la mode aux États-Unis et que, forcément, Jehane voulait attirer la clientèle du secteur, surtout anglo-saxonne. Cet endroit était idéal pour mettre à profit toutes ses connaissances. Un vrai laboratoire. Jehane soignait surtout l'aspect de ses plats, jamais sophistiqués, mais toujours sains et appétissants, une sorte de Commensal avant l'heure. Les carottes, radis, concombres, tomates, finement tranchés, étaient à l'honneur sur des lits de laitues et de salades de toutes sortes. Il y avait aussi des salades de chou et de pommes de terre, plus traditionnelles, mais avec la touche personnelle de Jehane. D'ailleurs, elle a toujours insisté sur ce point : les recettes sont toujours uniques, même si on les suit à la lettre, car chacun a sa façon de cuire, de touiller, d'assaisonner, etc.

— Peut-on dire que le Salad Bar a été le premier restaurant végétarien ?

— Non, rien ne permet d'affirmer cela. Souviens-toi des buffets d'autrefois, impossibles à imaginer sans la salade de poulet, le jambon tranché, et le sempiternel roast-beef froid ! Cependant, la formule du Salad Bar est, elle, tout à fait moderne à Montréal. À cet égard, Jehane Benoit a vraiment innové en démocratisant la restauration. Les gens se servaient eux-mêmes, l'ambiance était conviviale, elle-même devait saluer ses clients ; certaines élèves y ont peut-être même rencontré leur mari !

Nicole saisit une feuille et prit une note.

— Je vais passer une annonce, peut-être dans *Nouveau Début*. Imaginons une jeune fille fréquentant cette école vers 1939. Elle serait donc née autour de 1920. Cette personne aurait quatre-vingt-dix ans aujourd'hui...

— Ça réduit les chances de trouver un témoin, dit Robert en pensant tristement à sa mère.

— Sait-on jamais... Ma grand-mère a vécu jusqu'à 94 ans, et elle pétait le feu.

— Si tu le dis, déclara Robert.

Il lui saisit la main.

— Merci pour tout ce que tu fais. Tu es super.

Nicole sourit et baissa les yeux.

33

Levée tôt le matin, sinon à l'aube, Jehane travaillait d'arrache-pied pour faire connaître son école de cuisine et gérer son petit restaurant. Elle ne comptait pas ses heures. C'était une sorte de bataille à livrer que de s'imposer, à Montréal, avec ce type d'entreprise. En effet, quelles mères enverraient leurs filles dans une école culinaire laïque, alors que ces cours particuliers s'enseignaient depuis des lustres dans les couvents bien protégés ? Jehane annonçait dans les journaux, tout en comptant sur l'efficacité du bouche-à-oreille. Souvent, néanmoins, elle se heurtait aux commentaires négatifs. Qu'offrait-elle donc de plus que les sœurs ? Quel genre de jeunes filles imaginait-elle attirer dans son établissement, alors que l'idée même de travailler était inenvisageable pour la plupart d'entre elles ?

— Mais voyons, disait-elle aux sceptiques, ce genre d'école existe à Paris et partout en Europe. Je suis diplômée du Sacré-Cœur, de la Sorbonne. J'ai donc beaucoup à transmettre. Cela est sans mentionner les cours que j'ai suivis à la fameuse école Le Cordon Bleu, à Paris. On y accueillait des centaines d'étudiants et on devait en refuser tout autant, c'est vous dire !

Jehane défendait son point. Certes, il fallait faire évoluer l'art culinaire, mais surtout les mentalités.

— La cuisine, affirmait-elle, ce n'est pas simplement mettre de petits plats dans des grands. Il faut savoir être une bonne hôtesse quand on a à recevoir. Et ce n'est pas la même chose si on a deux, dix ou cent personnes à table !

Ma grand-mère, par exemple, cuisinait à l'œil. Elle ne suivait pas de recette, disant: «Je connais tout cela par cœur.» Toutes, mais je devrais aussi dire tous, n'ont pas ce talent. Ils ne peuvent pas dire: une tasse, c'est à peu près cela, une cuiller à café, c'est gros comme ça. Ma grand-mère ajustait selon le goût et la consistance. Mais on ne cuisine plus comme cela aujourd'hui. On est plus sérieux, plus raffiné. Ce qui ne veut pas dire qu'on ne doit pas être intuitif. Ça aussi, je l'ai appris à Paris.

À force, Jehane Patenaude fit sa marque. Cette jeune femme, mariée et mère, dont on pouvait croire qu'elle était pourtant entièrement au service de son art, venait d'instituer dans sa ville une véritable nouveauté. Le succès fut grand. Le Fumet de la Vieille France, qui portait également le nom anglais de School of Culinary Art, ainsi que le Salad Bar, étaient massivement fréquentés. Madame Patenaude, propriétaire et directrice, était toujours tirée à quatre épingles, élégante sans ostentation. Elle relevait ses cheveux en chignon, se vêtait de tailleurs ajustés mais assez stricts, soulignant une silhouette bien en chair, fixait une sobre broche à son corsage, portait une montre et sa bague de mariée. Sans être grande (elle mesurait cinq pieds quatre pouces), Jehane en imposait, toujours pimpante et impeccable.

Ouvrir une école de cuisine à Montréal fut tout compte fait une excellente idée. Jehane fut bien récompensée par sa persévérance. De plus en plus, parmi les remarques dénigrantes, elle récoltait des compliments et des félicitations. Ce ne fut que bien plus tard, quand toute cette épopée fut derrière elle, que Jehane reconnut que ses premières années en affaires avaient été ardues. Travailler, élever un enfant, ne pas négliger sa famille et se souvenir qu'elle avait un mari étaient beaucoup de choses à mener de front. Lorsqu'elle avait quelques instants de répit, Jehane réfléchissait. Toutes ses pensées allaient vers son métier, son entreprise. C'était aussi un désir d'être célèbre, à sa façon. Elle ne serait jamais comme sa mère, suscitant les regards admiratifs par ses toilettes ravissantes. Elle serait elle-même, forçant l'admiration par son intelligence et ses accomplissements. En somme, elle n'avait pas perdu le goût de la scène. Pour bien enseigner, il faut être un peu acteur.

L'école culinaire de Jehane Patenaude attira d'abord des Anglo-saxonnes, des bourgeoises désirant surtout devenir de parfaites hôtesses et épater leurs invités. Elles s'inscrivaient au Fumet de la Vieille France pour être à la fine pointe de ce qui se faisait en cuisine. Le nom même de l'établissement était gagnant. En ces années, une anglophone n'aurait vraisemblablement pas souhaité étudier dans une école du nom de À la cuisine du Québec, par exemple. Mais encore : que la propriétaire ait étudié à la Sorbonne faisait presque d'elle une Française. Cela avait doré son blason. Jehane, forte de ses cours en chimie alimentaire, était ni plus ni moins une savante. Peu à peu, des Canadiennes françaises nanties entendirent parler de ces cours. Et, chaque jour, le Salad Bar accueillait quelque nouveau client.

— Pourrait-on avoir la recette de cette délicieuse salade de betteraves ? demandait une dame.

Jehane s'empressait de répondre : l'on pouvait assister, pour le savoir, aux cours qu'elle offrait le matin et l'après-midi.

Ainsi, en peu de temps, elle réussit à se constituer une clientèle fidèle qui passait le mot en vantant les talents du professeur et de l'hôtesse du Salad Bar. L'endroit rassembla bientôt de nombreux gourmets. Ce n'était pas un cinq étoiles, bien évidemment, mais il avait un je-ne-sais-quoi de spécial. Ayant vécu à Paris, Jehane avait imposé un style bien à elle, une *French Touch* comme le disaient ses clients anglais. Et cela rendait unique ce lieu chaleureux et convivial. L'entreprise avait, c'était le cas de le dire, poussé comme un champignon. Jehane avait dû engager des employées en plus de son assistante, la fidèle Annette, qui dormait à l'étage. L'une d'elles, Berthe Drouin, lui parut très vigilante et ne rechignait pas au travail. Jehane aimait les gens dynamiques, exécrant la lenteur et la mollesse. Elle se montrait une patronne juste, mais très exigeante.

Monique, sa fille, était élevée selon ces principes. Jehane ne supportait pas les larmes et les lamentations. « Ne pleure pas ; prends sur toi ; débrouille-toi » étaient les préceptes de base incontournables. Jehane transmettait à sa fille, d'autant plus qu'elle était une fille, ce qu'Alfred-Wilfrid lui avait appris et dont elle goûtait les fruits désormais, grandement reconnaissante. Jehane était une mère ferme, attentive, concernée, solide. Avec elle, Monique ne pouvait pas avoir peur. Mais tôt, elle apprit l'indépendance, une certaine solitude. Elle ne pouvait solliciter cette mère occupée, affairée et bien résolue à solidifier chaque pierre de son édifice. Parfois, des membres de la famille suggéraient à Jehane de cesser de travailler. Cela ne nuisait-il pas à sa vie conjugale, à celle de sa fille ? Au contraire, répondait Jehane, comme si elle annonçait son avenir : justement, elle travaillait d'autant plus pour le bien-être et la sécurité de Monique. Celle-ci serait fière de sa mère et comprendrait vite qu'une femme a autre chose à faire de son existence que d'attendre, de séduire, de se plaindre et de traîner.

Du coup, Monique fut aux premières loges d'un enseignement de haut calibre. À six ans, elle savait confectionner de petits gâteaux, préparer des ingrédients, accomplir toutes sortes de petites choses qui lui faisaient comprendre que cuisiner est une joie. Jehane observait sa fille et la reprenait à la moindre erreur, guidant sa main mais la laissant exprimer ses goûts. Qui sait ? Un jour, Monique Zimmerman pourrait prendre la relève de sa mère. Au contraire de Marie-Louise, elle ne tenterait pas d'imposer ses idées à sa fille, mais si cette dernière, comme c'était le cas, montrait une inclination pour les arts de la table, alors elle ferait tout pour l'aider.

Les années passaient. Jehane travaillait sans relâche avec le même enthousiasme qu'à ses débuts. On ne savait presque rien de sa vie privée. Toujours discrète, la jeune madame Zimmerman, qui se faisait appeler Patenaude, offrait l'image d'une femme dynamique et aimable, même si tout n'était pas idyllique dans sa vie. Après la naissance de sa fille, Jehane avait senti son couple battre de l'aile. Comme bien des femmes, elle eut le réflexe de culpabiliser. Elle aurait dû rester auprès de Carl, être une ménagère modèle. Elle avait négligé son foyer. Toutes ces idées sombres n'étaient pas sans la tirailler. Mais elle comprit vite qu'elle avait tort de porter sur elle toutes les fautes. Après tout, elle faisait de son mieux, tout en étant partout à la fois.

34

Hélène et Robert eurent le sentiment de raviver un peu leur passé en se retrouvant tous les deux dans un petit chalet intime et douillet du Montagnard, à Sutton. Ce court séjour dans la région que Jehane avait tant aimée faisait partie du travail d'un bon biographe. Rien de mieux que de marcher sur les pas de son personnage pour bien s'en imprégner. Si on est attentif aux signes, ils se manifesteront, tous les biographes le disent, et chacun a son histoire de révélations étranges: Jean Orieux avec Voltaire, André Maurois avec Hugo, Troyat avec Dostoïevsky. Robert attendait son signe à lui, tout en se disant que, depuis presque vingt ans qu'il était venu à Noirmouton, il en avait eu de très nombreux. Jehane semblait orchestrer son travail, chaque plan de chapitre, lui soufflant des répliques, lui insufflant ses sentiments. De surcroît, un ex-collègue de *La Patrie*, fou de généalogie, l'aidait en ce sens; Hélène et Nicole se révélaient de précieuses adjointes, et toutes les conversations qu'il avait au sujet de Jehane avec ses amis lui apportaient toujours un point de vue qui le guidait vers une réflexion plus approfondie.

Après avoir roulé sur la montée Benoit, vers l'ancien domaine de Jehane et Bernard, et s'être arrêté devant la maison, bien décrépite depuis qu'une autre, plus imposante, avait été construite non loin, Hélène et Robert marchèrent dans le village de Sutton. Bernard Benoit avait longtemps été maire de l'endroit, de même que du Canton, créé en 1802. À l'hôtel de ville, on leur indiqua où était la tombe de Jehane. L'après-midi même de leur arrivée, ils se rendirent au cimetière de la rue Academy et se recueillirent un bon moment devant la stèle funéraire. Robert était fasciné par les chemins que prenait la vie. Jehane, née à la ville, mais amoureuse de la campagne depuis l'enfance, y reposait pour toujours. D'immenses conifères semblaient protéger son souvenir et cristalliser la beauté de l'existence. Bientôt, ce serait le printemps et, en ce 5 mars, Hélène et Robert eurent droit à une journée parfaite : un ciel immensément bleu, aucun nuage, un soleil chaud faisant goutter les arbres scintillants.

Les routes de la région étaient bordées de fermes et de champs. Ici et là, on apercevait des vaches, des chevaux, des cerfs et, le long des fossés, des dindons sauvages. Sillonnant le coin, au ralenti dans la voiture, Hélène et Robert devisaient.

— À cette étape de ton livre, quel bilan fais-tu de Jehane ? demanda Hélène.

— J'en suis à boucler la période du Salad Bar, répondit Robert. Elle est indéniablement l'inventeur de ce restaurant nouveau genre, à Montréal en tout cas. Si quelqu'un venait à manquer, elle était là pour assurer le service. Toujours souriante, elle passait de la cuisine aux tables en saluant ses clients fidèles qui devenaient chaque jour plus nombreux. Un travail de longue haleine, pas un moment de répit, ou presque. Jehane incarnait sans nul doute une figure de réussite, mais je crois bien que les plus perspicaces de ses clients devinaient qu'il se cachait une souffrance derrière cette façade impeccable qui ne montrait pas un seul signe de fatigue.

— Souffrance… On n'imagine pas Jehane souffrir.

— Tout le monde a sa zone d'ombre, non? reprit Robert. Professionnellement, Jehane se battit et atteignit le succès, mais c'était également au détriment d'autre chose. Cette femme n'était pas une machine. Derrière son attitude toujours égale et forte, on peut se dire aussi qu'elle prenait sur elle.

— Tu penses surtout à son mariage ?

— On sait que Jehane vivait dans l'édifice même de son école de cuisine avec sa fille, son assistante, et même des pensionnaires. Jamais il n'est fait une mention de Carl. Je pense que, très vite, ils ont vécu chacun de leur côté. J'ai la profonde impression que Jehane, bien que mariée, était une mère célibataire.

— Comme la tienne…

— Finalement, oui. Ces femmes n'ont pas connu une vie de famille typique. Et peut-être, mais je n'en saurai jamais rien, que Jehane avait accueilli ma mère avec d'autant plus de considération qu'elles étaient toutes deux dans la même situation. L'une veuve, l'autre laissée à elle-même.

— Jehane le voulait bien !

— Certainement, acquiesça Robert. Mais ce n'est pas parce qu'on peut s'assumer et ne pas dépendre d'un autre qu'on est forcément heureux et content de son sort. Jehane le dira plus tard dans sa vie. Elle croyait profondément à l'amour. À l'homme idéal. Elle y croyait, même si elle risquait de ne jamais le vivre… La pensée est créatrice car, dans un prochain chapitre, je vais enfin décrire son coup de foudre pour Bernard Benoit.

— Alors qu'elle était encore madame Zimmerman…

— Et n'oublie pas que nous sommes alors presque à la veille de la Deuxième Guerre mondiale. En 1940, Jehane a trente-six ans ! Autant dire cinquante-six aujourd'hui… Une femme de cinquante-six ans rêve-t-elle à l'amour quand elle est mère et que son mariage s'étiole ?

Hélène bondit sur son siège.

— Tu veux rire ? Bien sûr que oui !

Robert éclata de rire.

— Ouf ! Je viens de dire une grosse bêtise…

Hélène se reprit.

— L'amour n'a pas d'âge, insista-t-elle. Tout peut toujours arriver dans la vie, à n'importe quel moment. Tu le décriras bien quand tu raconteras la rencontre de Jehane et de cet homme qui a…

— Une vingtaine d'années…

— Tu vois ? s'écria-t-elle.

De retour vers le Montagnard, Hélène et Robert ne s'adressèrent plus que quelques mots. À Sutton, ils s'étaient arrêtés dans une épicerie faire quelques courses. Baguette, tomates, mozzarella, charcuterie, bon Riesling. Ils décidèrent de dîner le soir dans leur petit chalet. Robert fit un feu dans le poêle à bois. L'endroit était intime et confortable. Le vin aidant, Hélène redevint plus loquace, et Robert comprit sa vive réaction dans la voiture lorsqu'elle lui confia qu'à bientôt soixante-huit ans, elle était amoureuse du libraire qu'elle avait rencontré en Suisse. Dans quelques semaines, elle le retrouverait puisqu'il lui avait demandé de la revoir.

— Cela peut paraître ridicule, mais ce ne l'est pas. À part toi, Robert, je n'ai jamais rencontré d'homme dans ma vie…

Les souvenirs des longues années durant lesquelles ils avaient été amants lui revinrent intensément, comme si leur relation avait daté de la veille.

— Et pourtant, dit-il, tu es une femme superbe, intelligente, tu as tant de qualités !

— Comme quoi, souffla Hélène, ça ne veut rien dire… Que peut-on contre les circonstances ? Beaucoup pourront dire que Jehane Benoit, qui avait du charme mais qui était loin d'être une beauté, avait peu d'atouts de son côté pour susciter une passion romantique chez un homme… Et pourtant ! Elle va presque envoûter ce Bernard, bien plus jeune qu'elle… Moi, j'ai attendu toute ma vie d'être heureuse avec mon homme à moi. Il n'est jamais venu. Quand tu t'es rapproché de moi, je savais que tu n'oublierais jamais Nicole… Mais j'ai accepté d'être ta maîtresse, car je voulais vivre, moi aussi…

Robert se sentit très mal. Avait-il abusé d'Hélène, l'avait-il fait souffrir en ne lui donnant qu'une partie de lui-même ?

Comme si elle l'avait entendu penser, Hélène déclara :

— Tu m'as apporté beaucoup, Robert. Pendant toutes ces années, je me suis sentie une vraie femme, désirée. Et cela, je le comprends aujourd'hui, a contribué à ce que je fasse des pas vers cet homme, en Suisse.

— Qu'es-tu donc en train de me dire ? demanda Robert. Tu vas vivre là-bas ?

Le visage d'Hélène s'illumina. Elle était tout à coup une jeune fille amoureuse.

— Il m'a laissé entendre que c'était ce qu'il souhaitait, si je le voulais…

— Mais c'est merveilleux !

— Oui, ainsi tout vient à temps à qui sait attendre.

Elle baissa les yeux, se tut un moment, puis dit tout bas :

— C'est pour cela, aussi, que j'ai insisté pour passer ce week-end à Sutton, avec toi… Bientôt, je vais commencer un nouveau chapitre de ma vie, long j'espère, à Lausanne. Je vais vendre ma maison, et je ne reviendrai plus à Montréal qu'à l'occasion. Alors j'ai pensé qu'avant tout cela, j'aimerais boucler la boucle avec un autre chapitre très important de ma vie…

Robert la regarda longuement. Il s'approcha d'elle et lui mit doucement la main sur les lèvres.

Puis, il l'entraîna tendrement vers le lit.

35

Bernard Benoit, étudiant aux Hautes études commerciales, était un beau jeune homme, débrouillard et élégant. Une classe rare se dégageait de toute sa personne. Il désirait ardemment réussir dans le monde des affaires et de la publicité. Pour cela, il travaillait de son mieux afin d'obtenir des notes supérieures. Connaissant le fameux Salad Bar, il eut l'idée de soumettre un projet de publicité avec celle qui lui paraissait une figure importante de la gastronomie canadienne. Un matin, très tôt, il se présenta chez madame Carl Zimmerman. Quand elle ouvrit la porte, le jeune homme distingué lui tendit la main.

— Bonjour, madame, je suis Bernard Benoit et je suis étudiant. Je dois faire un travail en publicité et j'ai pensé à vous.

Jehane le fit entrer au salon. Pendant plus d'une heure, ils discutèrent de ce projet tout à fait innovateur.

— J'aimerais que vous fassiez un plat qui vous représente. Quelque chose qui serait très vendeur.

— Je vais vous faire des brioches, dit-elle. Vous viendrez les chercher, demain, si vous le voulez.

— C'est parfait, répliqua Bernard.

— Mais pourquoi avez-vous pensé à moi pour votre travail ?

— J'ai su que vous avez étudié la chimie alimentaire à la Sorbonne. Je connais bien entendu votre école de cuisine de réputation, mais surtout, je suis impressionné que vous ayez implanté ici un nouveau type de restaurant.

— Oh ! Les salad bars existent depuis un moment aux États-Unis. Si je ne l'avais pas fait, un autre en aurait eu l'idée.

Jehane, pourtant toujours assez sûre d'elle-même, se surprit soudain à être mal à l'aise. Ce jeune homme – ce si jeune homme ! – qui la complimentait la bouleversait. Il avait de très beaux traits, un visage un peu anguleux et un air frondeur, ce qui ajoutait à sa virilité. Son regard pétillant d'intelligence et de sensualité avait dû émouvoir de nombreuses jeunes filles. Enfin, lorsque passant de son air sérieux, presque grave, à son sourire éclatant, Bernard parut à Jehane être la séduction même. Son petit côté *British*, à la fois raffiné et masculin, lui avait plu d'emblée. Jehane se ressaisit discrètement. Son cœur battait vite, elle avait certainement rougi. Comme c'était gênant. Elle salua Bernard en lui promettant que les brioches seraient prêtes à servir à l'aube, lorsqu'il viendrait les chercher.

— Cinq heures du matin, c'est très tôt, répéta Bernard. Je suis désolé de vous importuner à cette heure indue.

— Mais non, trancha Jehane sur un ton aimable et en contrôlant le vibrato de sa voix, les affaires sont les affaires !

Jehane se leva à deux heures du matin pour confectionner les brioches. Leur arôme embaumait l'appartement. Elle cuisinait toujours avec amour et attention, mais elle redoubla d'ardeur pour que ces viennoiseries soient inoubliables. Ce garçon l'avait ébranlée. Elle avait hâte de le revoir. Peut-être parleraient-ils encore un moment, le matin ? Elle se mit à rêver, incapable de se raisonner. Des paroles d'Alfred-Wilfrid lui revenaient en mémoire :

« On attrape un homme par le ventre. » C'était bien vrai. Mais un homme si jeune ? Bernard Benoit incarnait l'énergie. Jehane se dit qu'il devait être sportif. Comment l'avait-il trouvée ? Vieille ? L'avait-il même regardée comme un homme regarde une femme ? Elle était plus près de la quarantaine que de la trentaine. Comme le temps passait vite ! Pouvait-on, à bientôt quarante ans, avoir la prétention d'attirer un étudiant ? Jehane disposa avec précautions les brioches sur des plaques, s'obligeant à penser à autre chose. Mais, tandis qu'elle les badigeonnait de beurre, elle ne pensait qu'à la façon de s'habiller pour recevoir Bernard. Quel vêtement, en effet, portait-on pour livrer une marchandise à l'aube à un nouveau client ? C'était burlesque ! Elle opta pour un déshabillé classique mais qui ferait naturel. Après tout, à cinq heures du matin, la plupart des mortels dormaient.

À l'heure dite, Bernard sonna.

— Comme ça sent bon, dit-il en entrant dans l'appartement, tout à fait à l'image de Jehane, propre et bien tenu.

Jehane désigna les brioches, appétissantes à souhait, chaudes et exhalant une subtile odeur de cannelle.

— Vous pouvez en prendre une, je vous le permets, dit-elle en riant un peu trop nerveusement.

Bernard n'avait jamais goûté de pâtisserie aussi succulente, du moins c'est ce qu'il lui affirma. Il constatait que Jehane méritait sa réputation.

— Je savais que vous étiez un cordon-bleu, mais ces brioches sont exceptionnelles. Je vous remercie infiniment. Je vous tiens au courant.

Bernard lui serra la main en souriant. Une seconde plus tard, il avait disparu.

Ce fut tout.

Jehane était consternée, embourbée dans cette ridicule robe d'intérieur. Elle aurait voulu disparaître, mais déjà, elle espérait avoir des nouvelles de Bernard. Que penserait-il de ses brioches ? Et qu'en diraient les gens à qui il les ferait goûter ? Il détenait avec le récit qu'il pouvait lui en faire un excellent prétexte pour la revoir. Voilà que Jehane refaisait des plans sur la comète. Elle se trouva idiote. Cependant, elle ne cessait d'entendre la moindre parole qu'il avait prononcée, d'un ton à la fois doux et grave, comme une caresse.

Alors, comme toutes les femmes amoureuses, elle se mit à attendre.

Cela ne lui était jamais arrivé. Et cette attente fut plus difficile à vivre que toutes les épreuves de sa vie, comme si son existence même – et elle avait raison – en dépendait.

Jehane était une femme naturellement émancipée. On l'aurait crue née avec ce trait. Envers et contre tous, sa mère d'abord, les conventions de son époque, les préjugés, elle avait marché pas à pas dans son propre chemin. Et là, la trentaine presque révolue, mère d'une enfant de treize ans, presque une jeune fille, elle venait de succomber à un coup de foudre ? C'était merveilleux. C'était exaltant. C'était insupportable. Elle se perdait en conjectures, soliloquant en se livrant à ses tâches. Aucune distraction, mais l'esprit envahi de… Bernard. C'était absolument fou. C'était délicieux comme la meilleure des recettes parfaitement réussie. Si cet homme était venu à elle, tentait-elle de se convaincre, c'était parce qu'il faisait partie de son destin. Elle avait confiance : il reviendrait. Ne le lui avait-il pas assuré ? Sa relation sentimentale avec Carl était déjà chose du passé, même s'ils étaient mariés. Depuis longtemps, elle se disait que Zimmerman ne pouvait être le premier et le dernier homme de sa vie. Jehane se connaissait : elle était ardente, sensuelle, passionnée, sinon elle n'aurait jamais cuisiné ! Mais elle n'était pas qu'une cuisinière d'exception, elle était une femme ! Elle ne se cachait plus qu'elle n'avait jamais cessé de rêver à ce compagnon qui l'accompagnerait toute sa vie. Un complice. Cet homme était-il Bernard ? Elle avait l'intuition que cet étudiant possédait cette qualité rare d'être celui qui la soutiendrait dans son entreprise, qui saurait l'encourager à aller plus loin. Bernard lui apportait une bouffée d'espoir. Il semblait sûr de lui. Les autres hommes qu'elle rencontrait parfois lui paraissaient pessimistes et fermés, sans initiative. Jehane, qui ne se laissait jamais abattre, n'était pas de cette trempe.

Pourtant, depuis son retour à Montréal, qui commençait d'ailleurs à dater, sa vie n'avait pas été des plus faciles. Il lui avait fallu redoubler de vigilance tous les jours pour devenir aussi compétente que l'un de ses professeurs de la Sorbonne. Aussi, son rôle de mère la préoccupait. Elle tenait à ce que Monique reçoive une solide éducation, la seule voie pour s'en sortir. Elle avait dû montrer à tous qu'elle ne s'était pas trompée en s'engageant dans une profession réservée aux hommes et aux religieuses. Jehane se découvrait, ou du moins se reconnaissait enfin : elle était romantique, elle croyait à l'amour, et le souhaitait de toutes ses forces.

Au demeurant, le temps passait. Les heures tournaient, monotones. Puis les jours, et les semaines. Jehane oscillait entre l'espoir et le découragement. Était-elle folle d'avoir imaginé une idylle, à son âge ? Qu'elle était bête ! Et puis non. Elle repassait en esprit les moindres instants passés avec Bernard. Il y avait eu quelque chose entre eux, c'était certain. Mais l'interminable attente d'un signe de lui la minait. Elle essayait sans cesse de prendre sur elle. Elle se répétait qu'elle devait se faire une idée : ce jeune homme qui avait toute la vie devant lui était trop jeune pour elle, et il n'était venu lui demander ces brioches que pour son travail. Point final. Les compliments qu'il lui avait bel et bien adressés n'étaient dus qu'à sa politesse. Bernard l'avait oubliée.

Puis, comme toujours lorsqu'on cesse de penser à quelque chose, ne serait-ce qu'un instant, le téléphone sonna. Au bout du fil, la voix de Bernard saisit Jehane. Il y avait alors trois semaines qu'elle espérait cet appel. Le jeune homme lui sembla préoccupé. Mais qu'avait-il ? Était-il fâché ?

— Madame Zimmerman, dit-il. Je dois vous annoncer que ce n'est plus moi qui ferai la publicité de vos brioches… On a donné le contrat à quelqu'un d'autre.

— Quoi ? rugit-elle. Mais c'est vous qui avez eu cette idée !

— Je sais, mais ce milieu est sans pitié. Il arrive que l'on se fasse voler une idée, surtout quand elle est bonne.

Jehane voulut aussitôt aider ce garçon si authentique. Elle comprenait sa colère. Elle aurait tout fait pour lui. Mais quoi ? Elle lui affirma qu'elle ne tolérerait pas une telle injustice.

— Monsieur Benoit, laissez-moi faire. Donnez-moi le numéro de téléphone de ce monsieur.

Bernard fut impressionné par l'impétuosité de Jehane. Mais celle-ci, certes généreuse, était également une femme éprise. Cette histoire de contrat en était une de loyauté, mais cela lui donnait surtout la chance de se rapprocher de cet homme qui faisait battre son cœur. Le devinait-il ? Sans doute, car il ne se montrait pas totalement indifférent à ses avances discrètes. Mais s'intéressait-on à une femme mariée plus âgée ? Bien sûr que non.

Peu de temps après, Jehane, tenant parole, entra en contact avec ce patron.

— Monsieur, énonça-t-elle poliment et fermement, je sais que vous avez l'intention de monter une campagne publicitaire. Alors écoutez-moi bien : si ce n'est pas monsieur Benoit qui fait cette campagne, je refuse de collaborer.

Le ton était sans répliques. Jehane eut un instant de crainte. À l'autre bout de la ligne, cet homme pouvait juger douteuse cette attitude arrogante. Et les rumeurs ? Jehane n'en avait que faire. Elle était véritablement indignée par l'injustice que l'on faisait à Bernard, qui cherchait tout simplement à travailler.

Au bout du fil, l'homme resta un moment muet. Constatant que madame Zimmerman était fort sérieuse et en colère, il répondit qu'il reconsidérerait sa décision.

Jehane, tout heureuse, avait enfin une bonne raison de rappeler Bernard pour lui annoncer qu'elle pensait bien avoir réussi à récupérer le contrat auquel il tenait tant.

— Merci, madame, dit-il simplement.

C'était loin d'être une réplique hollywoodienne. Aucun cheval blanc à l'horizon. Jehane, déstabilisée, ajouta pourtant, piétinant son orgueil et sa dignité :

— Si vous avez besoin de quoi que ce soit…

En raccrochant, elle s'en voulut. Quel comportement mielleux ! C'était gros comme une maison. Désormais, Bernard savait qu'elle avait des sentiments pour lui. Elle s'efforça de concentrer toutes ses pensées sur son travail. Elle ferait confiance au destin qui les avait conduits l'un vers l'autre.

36

Dès qu'elle fut assise dans le salon, Nicole but une gorgée de son kir royal. Puis, elle ouvrit son sac et en sortit une feuille pliée en quatre.

— Lis ! s'exclama-t-elle en adressant à Robert un regard profondément heureux.

Il saisit la feuille et la déplia.

— Tu vas voir, c'est génial ! dit-elle encore.

Il prit quelques instants avant de se pencher sur le texte. Depuis un quart d'heure que Nicole était arrivée, il se sentait gauche et mal à l'aise. Le week-end passé avec Hélène l'avait surpris et il y pensait régulièrement depuis son retour à Montréal. Hélène avait rencontré l'homme de sa vie et le rejoindrait en Suisse. Aussi s'étaient-ils dit au revoir en s'accordant deux nuits, comme autrefois. Robert était heureux pour Hélène. Enfin, elle connaissait l'amour. Elle avait tant attendu. Du reste, à présent qu'il venait de s'assoir avec Nicole pour leur traditionnelle rencontre de la semaine, il se sentait presque fautif.

— Comment va Patrick ? demanda-t-il.

— Mais lis, lis, qu'est-ce que tu attends ? s'écria-t-elle, presque agacée.

Elle se leva et alla fumer une cigarette à la fenêtre.

Robert s'exécuta.

« Madame,

J'ai lu avec intérêt l'annonce parue dans *Nouveau Début* au sujet de Jehane Benoit et de son école de cuisine. Ma mère, une Indienne du village des Hurons, près de Québec, a étudié chez les Ursulines de Québec. Très jeune, en 1937, elle s'est mariée à un Montréalais. Mon père, ingénieur, voulait, par amour pour elle, qu'elle reste à la maison, mais elle avait la passion de l'art culinaire et voulait parfaire ses connaissances dans ce domaine. Mon père allait souvent, le midi, manger au Salad Bar, rue Sherbrooke Ouest. C'est ainsi que ma mère s'inscrivit au Fumet de la Vieille France. Souvent, elle m'a parlé de Jehane Benoit, devenue très médiatisée, surtout en 1955, lorsqu'elle a publié *Jehane Benoit dans sa cuisine*, un vrai *best-seller* annonçant le succès inégalé de son encyclopédie. Lorsque, ensemble, nous faisions des recettes, ma mère me rappelait toujours quelque souvenir de ses deux années dans cette école. Jehane, me disait-elle, était un professeur aussi généreux qu'intransigeant. Elle avait une main de fer dans un gant de velours. Elle enseignait avec autant de rigueur que d'humour. Ses références paraissaient intarissables. C'était une historienne de l'art culinaire. Ma mère soulignait souvent que Jehane connaissait très bien l'important apport amérindien dans notre cuisine canadienne. Elle était au fait des coutumes autochtones, elle parlait à ses étudiants des « trois sœurs » qui constituaient, avec le gibier et le poisson, la base de leur alimentation, soit les haricots, la courge et le maïs. Elle leur enseignait à préparer la banique et la sagamité. Jehane parlait avec un grand respect des anciens et expliquait souvent que la cuisine canadienne doit très peu aux Français, ce qui peut paraître surprenant. Les années ont passé. Ma mère n'a jamais travaillé dans ce domaine, préférant élever ses enfants et réserver à sa famille tous les secrets que lui avait transmis celle qu'elle appelait Madame Patenaude. Je peux vous dire en terminant que Jehane Benoit, jusqu'à la mort de ma mère, a souvent fait partie de nos conversations. Elle fut pour ma mère un mentor et un exemple. »

Robert releva la tête, impressionné.

— Tu parles. Quel beau témoignage. Je ne savais même pas que tu avais mis l'annonce ! Coquine !

Ils trinquèrent, saluant la bonne volonté des gens, et de cette femme en particulier, qui avait pris le temps d'écrire à Nicole.

— C'est intrigant, dit Robert, je suis certain que si on la rencontrait, elle nous raconterait d'autres anecdotes.

— Je peux lui écrire, son adresse est sur l'enveloppe.

Elle but lentement le reste de son kir et tendit son verre à Robert.

— Un dernier avant le dîner, non ?

Il se leva et la servit.

— Mais je crois que je pourrais passer une autre annonce et demander des renseignements plus généraux, ajouta-t-elle. La dernière ne concernait que la période du Salad Bar. D'ailleurs, quand René Delbuguet l'a vue dans le journal, il m'a téléphoné. Il est très content de ce projet de livre. Il m'a parlé de Bernard. Me disant qu'il était très amoureux de Jehane.

Robert revint s'assoir.

— J'en suis là, justement. À leur rencontre.

— Oui, dans ton e-mail d'hier, tu m'as dit que tu avais écrit l'histoire du contrat des brioches…

Nicole était impatiente d'entendre la suite. Robert était toujours surpris de cet engouement. Lui-même regardait avec empressement chaque nouvel épisode de *Mad Men*. Ces formules de séries étaient accrocheuses, presque subliminales. Rien de tel que de se plonger dans une histoire en restant parfaitement passif, pour décrocher. Comme le fit Nicole, qui s'allongea sur le canapé tandis que Robert racontait.

— Pendant un moment, après cette affaire de brioches, Jehane fut sans nouvelles de Bernard. Elle crut sans doute qu'elle s'était complètement illusionnée à son sujet. N'oublie pas leur différence d'âge. Treize ans, tout de même…

Nicole haussa les épaules.

— Oui, dit-elle, mais les affinités sont les affinités. Les rencontres sont souvent irrationnelles. N'empêche que cela n'était pas commun, et surtout pas dans ce sens-là !

— Un jour, poursuivit Robert, elle reçut enfin un appel. C'était lui. On imagine aisément sa joie. Bernard la remercia et lui annonça qu'il avait réussi son examen grâce à la publicité qu'il avait faite de ses brioches. À partir de ce moment, sans qu'ils se doutent à quel point, leurs vies furent scellées. Ils seraient en effet ensemble pendant quarante-sept ans ! Ils réfléchirent bientôt à d'autres projets professionnels. Bernard présenterait à des journaux et à des commerces les plats de Jehane.

— Mais intimement, que se passait-il entre eux? demanda Nicole. Au début, ce n'était donc qu'une amitié de travail?

— Je crois qu'ils étaient amoureux. On sait par une déclaration de Jehane elle-même que Bernard mit trois semaines avant de l'embrasser.

Hélène rit.

— Ce que j'aime avec Jehane, dit-elle, et c'est bien dommage qu'on n'ait pas plus d'archives sur elle à part ces documentaires, c'est qu'elle n'avait pas peur des mots. Elle était vraie et simple. Ainsi, confier ce premier baiser de Bernard… Beaucoup auraient tourné cela autrement… Auraient parlé d'un rapprochement, par exemple, usé d'un euphémisme. Pas elle.

— Tout à fait. Bernard paraît un peu plus réservé, mais son sourire en dit long. Ils étaient très épris l'un de l'autre, c'est évident. Bernard a dû vite comprendre que Jehane et Carl, c'était fini.

— Une passion physique alors, murmura Nicole.

— Oui, mais également une grande admiration mutuelle. En ce qui concerne Bernard, la différence d'âge, et d'expérience, peut expliquer cela, mais le respect qu'il avait pour elle était réel. Il n'était pas de sa génération, il était plus ouvert à l'idée de la femme qui travaille. Et elle! C'était un bourreau de travail. Aucune paresse. Elle pouvait tout faire au pied levé. Bernard trouvait cela très séduisant. On verra plus tard le nombre de choses que cet homme a accomplies. Ces deux-là s'étaient vraiment trouvés.

— Justement ! Reviens à eux ! réclama Nicole. Que se passe-t-il après le fameux baiser ?

— Ça relève du conte de fées… répondit Robert, à la fois amusé et sérieux.

Nicole l'incita à continuer d'un mouvement de la main.

— Au moment où leur relation se soude, enchaîna-t-il, où ils comprennent tous deux clairement qu'ils sont, en quelque sorte, des âmes sœurs, ils vont être séparés… Comme une épreuve, longue et dure, à la mesure de leur amour et pour le mesurer…

Nicole lui jeta un regard interrogateur.

— Une séparation ? Mais pourquoi ?

— La guerre…

— Les Canadiens n'ont pas dû partir immédiatement !

— C'est ce que je verrai demain, ou cette semaine. J'ai encore mes notes à réviser avant de me lancer dans la rédaction de cette partie de l'histoire.

— Et sinon, que pensait sa famille de cette histoire d'amour ? s'enquit encore Nicole.

Robert ne put s'empêcher de pousser un soupir.

— Les relations de Jehane et de sa famille sont très obscures. Je ne sais presque rien. Par exemple, dans les médias, elle n'a jamais mentionné qu'elle avait deux frères et une sœur. Une sœur ! Qu'est donc devenue Jacqueline ? Je n'en sais rien ! Ça me fatigue, tu ne peux pas savoir. Bref, on peut imaginer que Gérard, son frère né en 1905, ait pu lui faire une remarque, la mettre en garde, par exemple, ou que sa sœur, qui avait vingt ans ans à cette époque, ait pu rêver de cette histoire... Mais cela restera le fruit de spéculations. À entendre Jehane, on a vraiment l'impression qu'elle était fille unique. C'était à coup sûr une famille pas comme les autres.

Il se leva.

— Canard laqué, ça te va ?

— Wow ! s'exclama Nicole.

Et il lui prit le bras pour l'entraîner dans la salle à manger.

37

Bernard savait-il déjà qu'il jouerait un rôle important dans la vie de Jehane? Sans doute, mais il n'était pas pressé. Il avançait pas à pas, une heure à la fois. Chacune de leur rencontre était un moment privilégié. Ils se retrouvaient souvent chez Murray's, rue Sainte-Catherine, allaient au cinéma et devinrent enfin amants lors d'un petit séjour dans les Laurentides. Cependant, Bernard ne disait pas encore à Jehane son intention de partir pour l'Europe. Cadet dans le corps universitaire, il s'enrôlerait bientôt. En cet automne 1940, un an après la déclaration de la Deuxième Guerre mondiale, le 3 septembre 1939, le Canada était engagé dans le conflit. Bernard n'avait pas un caractère belliqueux, mais surtout le sens de l'honneur et du service. Il ne songeait pas au danger qui se profilait devant lui. Il avait surtout envie d'être utile à son pays. La campagne publicitaire à cet égard battait son plein: on demandait aux jeunes hommes de faire un grand sacrifice et d'aller se battre contre les ennemis de la liberté. Bernard suivait de près les visées de l'armée canadienne. Il voulait en faire partie. Pas question de rester observateur passif de ce combat. C'était un appel qu'il sentait, et il ne se défilerait pas.

Un jour, enfin, se retrouvant avec Jehane, il lui prit les mains, mais aussitôt s'interrogea. Il ne voulait pas faire souffrir cette femme, qui n'avait pas hésité à lui faire confiance et à le défendre. Il n'oublierait jamais avec quelle véhémence elle l'avait aidé à décrocher son premier contrat en publicité. Si, alors, il se sentait plus indépendant, il reconnaissait que Jehane Patenaude-Zimmerman avait joué un rôle décisif dans sa vie. Cependant, celle-ci sentait la menace planer dans le silence de Bernard. Elle devinait que l'heure était grave. Que se passait-il donc dans son cœur et son esprit ? Récemment, elle lui avait fait savoir qu'elle désirait qu'il vive à ses côtés. Elle était toujours mariée, mais elle avait une entente tacite avec Carl. Néanmoins, Bernard n'avait pas répondu. Par respect, et peut-être par crainte de le perdre, elle ne voulait pas se montrer trop pressante. Soudain, elle comprit qu'il aurait été même inutile d'insister. De toute évidence, Bernard avait d'autres idées en tête. Or, elle ne ferait pas comme bien des femmes amoureuses : risquer de tout gâcher en voulant tout, tout de suite.

— Jehane…

Bernard lui dit qu'il l'aimait, mais sur un ton à glacer le sang. Jehane baissa les yeux. Allait-il lui annoncer qu'il avait une autre femme dans sa vie ? Par fierté, elle le devança et déclara :

— Tu es si jeune, je comprends…

Il la fixa.

— Jehane ! Que vas-tu penser ? Je t'aime, tu le sais, mais la situation est là. J'ai décidé de m'engager.

Jehane fut soulagée. Elle était la seule pour lui. Mais, en même temps, elle fut submergée de peine et se retint pour ne pas pleurer.

— Dans l'armée ? Bernard, penses-y… J'ai déjà peur pour toi.

— Allons... Pourquoi ne dis-tu pas plutôt que tu es fière de moi ?

Elle se jeta dans ses bras.

— Bernard, dit-elle en sanglotant, bien sûr, je comprends. Je t'attendrai.

C'étaient des paroles. Comment comprendre ce désir d'aller se battre ? De peut-être mourir ? Ne voulant pas se montrer trop émotive, elle souhaita avoir la force de changer de sujet sans y parvenir. Elle ne put se retenir de demander à Bernard pourquoi il voulait tant s'enrôler quand d'autres garçons cherchaient par tous les moyens à éviter cette obligation.

— Cette guerre est dure, dit-il. Il faut participer.

Jehane se tut, consternée par la détermination de Bernard, et à la fois admirative de tant de courage. Il enchaîna :

— C'est la drôle de guerre, comme ils disent... Les nations se regardent en chiens de faïence. On sait que ça éclatera un jour ou l'autre. En attendant, les Allemands et les Français sont chacun de leur côté. Je veux participer à cet effort de guerre. Je ne veux pas dire plus tard que je suis passé à côté de l'Histoire. Je veux en faire partie.

— Mais tu avais l'idée de trouver un emploi en publicité ! s'écria Jehane. Je ne veux pas t'influencer, je ne suis pas naïve, je sais bien que je n'ai pas tant de pouvoir, mais...

Bernard lui jeta un regard profond. Il avait une autorité naturelle. Jehane comprit qu'elle ne pouvait aller plus loin. Elle fit semblant de sourire. Ils s'étreignirent.

— Je te tiendrai au courant, Jehane, bien entendu. Au début, je ne serai pas si loin, dans un camp, quelque part. Nous pourrons même nous téléphoner. Une fois là-bas, nous nous écrirons. Nous resterons liés. Et quand je reviendrai…

Un silence perdura, puis Bernard continua sur un ton plus léger.

— Quand je reviendrai, nous pourrons penser à des projets ensemble.

— Oh ! oui, soupira Jehane. Il faut faire confiance à la vie.

La guerre influençait tout, marquait chaque instant. Au printemps 1942, Bernard servait à Brockville, en Ontario. Ce fut, pour Jehane, le début d'une série d'allers-retours. Elle rencontrait son jeune amant à l'hôtel Revere avec, chaque fois, pour lui, du chocolat, des cigarettes et des livres. Nommé sous-lieutenant, il fut transféré au Camp Borden où, vite, il grimpa les échelons. À Montréal, Jehane prenait le relais et s'occupait de la mère de Bernard avec dévotion. Le 13 avril 1943, enfin, il s'embarqua pour l'Angleterre. Ce fut le début d'une longue et dure séparation. Jehane s'accrocha à la dernière image : Bernard, dans son uniforme, droit comme un i, empreint de volonté. Il lui disait au revoir de la main. Il la regardait intensément. Jehane priait pour le revoir vivant. Puis, la réalité l'avait gagnée. Elle menait une existence si frénétique qu'elle avait à peine le temps de se languir, même si elle pensait à Bernard de tout son être. Elle savait qu'elle lui serait fidèle. Mais lui ? À cette pensée, elle s'en voulait. Bernard l'aimait. Lui aussi, attendrait. Comme dans toutes choses, Jehane n'était pas une femme qui se complaisait dans un pessimisme malsain. Elle avait l'habitude de faire confiance et déclarerait, vers la fin de ses jours, que « tout, dans sa vie, était venu à elle sans qu'elle ait à le chercher ». Quand elle écoutait les nouvelles à la radio, quand elle lisait les journaux, elle imaginait Bernard et suivait chaque déplacement de son corps d'armée. Bientôt, en juillet 1944 exactement, il débarquerait en France, se battre pour la liberté. Parfois, les nouvelles étaient encourageantes mais, le plus souvent, on cédait à l'épouvante : ce n'était qu'une question de jours avant que l'ennemi nazi n'arrive à vaincre les alliés.

Ainsi, pendant ces années, Jehane eut peur chaque jour de sa vie de perdre l'homme qu'elle aimait. En juin 1942, alors que des milliers de Canadiens périrent de l'autre côté de chez eux, Jehane suivit le déroulement de ce terrible épisode. Elle compatissait au sort atroce de tous ces malheureux, tout en se réjouissant que Bernard n'ait pas fait partie du régiment sacrifié. Combien de temps aurait-elle la force d'endurer cette épreuve ?

Monique la ramenait à la réalité. Sa fille avait besoin d'elle et lui donnait la force d'espérer, tout comme le goût de vivre. Elle se consacrait à son travail. Puis, les questionnements revenaient la tirailler. Si Bernard finissait par l'oublier, elle n'en ferait pas une maladie. Peut-être même rencontrerait-elle un autre homme. Mais aussitôt, elle ne voyait que Bernard dans le rôle de son compagnon. Il n'était pas question qu'elle finisse sa vie seule. Elle gardait des liens de tendresse et de bonne intelligence avec Carl, elle ne le détestait pas, mais c'était comme s'il n'avait jamais existé. Elle ne gardait pas d'amertume de ce court mariage. Ce n'était pas dans son tempérament de s'apitoyer. Au fond d'elle-même, elle avait du respect pour cet homme qu'elle avait choisi d'épouser, presque vingt ans plus tôt. Elle se revoyait, parfois, avancer dans l'allée de l'église, avec sa robe blanche. Alors, son cœur se serrait. Elle revoyait aussi la naissance de sa fille. Carl n'avait pas tardé à venir les rejoindre, pour les prendre toutes deux dans ses bras. Les beaux souvenirs sont souvent teintés de mélancolie. Les beaux jours passent, il ne reste que la nostalgie. Au demeurant, Jehane ne sombrait jamais dans un chagrin stérile. Elle avait un dur travail à faire. Il en serait ainsi toute sa vie.

— Madame Zimmerman ?

Jehane reconnut la voix de sa propriétaire. Que se passait-il ? Elle semblait si nerveuse. Sa voix tremblait au bout du fil.

— Qu'est-il arrivé ?

Pour une fois que Jehane prenait enfin quelques jours de vacances… Fallait-il que ? Quoi, quoi donc ?

— Jehane… Le feu a détruit une partie de l'immeuble dans lequel se trouve votre Salad Bar.

— Non !

— Madame Zimmerman, ne soyez pas inquiète, vos appartements ne sont presque pas touchés. Les pompiers ont fait du beau travail. Je dois vous dire que l'eau a fait des dégâts, bien plus que le feu. Mais cela reste un grand malheur.

Jehane aurait voulu crier, mais elle se maîtrisa. Elle vit en l'espace d'un instant tout ce qu'il lui faudrait de courage pour ne pas s'effondrer.

— Merci. Je reviens demain. Nous nous reparlerons.

L'incendie du Salad Bar était une catastrophe. Sans Bernard à ses côtés, comment pourrait-elle remonter une telle entreprise ? Elle était seule. Malgré le soutien de sa famille, elle ne pourrait compter que sur elle-même pour surmonter cette autre épreuve. Sa propriétaire tenta de la convaincre : il fallait se relever les manches, se mettre à la tâche et recommencer.

— Je ne sais pas, dit Jehane. Je ne sais pas si j'ai la force de me lancer dans un tel projet. Me revoyez-vous en train de rebâtir ce restaurant auquel j'ai consacré tant d'années ? Et puis, il y a la clientèle. J'ai tissé des liens de fidélité avec ces gens. Même si tout va très vite, le Salad Bar sera fermé pendant des semaines, peut-être des mois. Ces clients iront ailleurs. Imaginez-vous l'investissement ? Comment puis-je être sûre qu'ils reviennent après la rénovation ? Je ne me fais pas d'illusion. Des restaurants, il y en a des centaines à Montréal. J'ai presque quarante ans, je ne me vois pas refaire ce chemin. Je ne peux plus…

En son for intérieur, Jehane, qui s'installa momentanément au 4109 de la Côte-des-Neiges, se disait que cet accident devait avoir un sens, comme tous les événements d'une existence. Ce sinistre se produisait à un moment capital de sa vie, alors qu'elle n'en pouvait plus d'être loin de Bernard. Alors qu'elle avait tant fait pour ce petit restaurant, elle découvrait qu'elle n'avait plus aucune envie de le gérer. Peut-être plus tard, dans d'autres circonstances, mais alors, elle n'avait qu'un seul désir : retrouver Bernard. Et peu importait le danger. Récemment, elle s'était liée d'amitié avec Mary et Frank Wooster, un couple de réfugiés. Ils l'aideraient à entrer dans quelque institution caritative, comme bénévole. Œuvrant à la Croix-Rouge, par exemple, elle aurait toutes les chances d'être envoyée en Europe, et de se rapprocher par ce moyen de l'homme qu'elle aimait.

Lorsque Jehane prenait une décision, c'était définitif.

En 1945, elle aurait atteint son but.

38

— C'est étonnant, cette simultanéité entre vos deux histoires, dit Robert en invitant Hélène à s'asseoir dans un bar de l'aéroport.

— Que veux-tu dire ?

— J'en suis tout juste au moment où, en 1945, Jehane part enfin rejoindre Bernard. Et toi... Tu t'envoleras tout à l'heure pour la Suisse, retrouver...

— Julien.

— Julien...

Robert serra fort la main d'Hélène.

— Chère amie, je te souhaite le meilleur dans tout cela, dit-il en l'embrassant sur la joue.

Hélène sourit. À soixante-huit ans, elle avait l'allure d'une jeune fille à la veille de se fiancer. Elle était ravissante, rayonnante, prête à partir, sans regrets.

— Le Salad Bar de Jehane a brûlé du jour au lendemain. Tu as vendu ta maison en une semaine. C'est bien plus facile de partir dans ces conditions, non ?

— Certainement, reconnut Hélène, même si c'est toujours dur de devoir abandonner ceux qu'on aime.

Elle lui adressa un sourire entendu.

— Je te souhaite le meilleur dans tout cela, dit-elle à son tour.

— Tout cela…

— Tout ce travail sur Jehane te conduit sur des pistes. Des pistes de ta propre vie. Elle t'aide, sans le savoir bien sûr, à diriger tes pensées, cerner tes désirs, tes peurs, que tu le veuilles ou non. Mais avant que je parte, dis-m'en davantage sur la fin de ce chapitre de sa vie. Et promets-moi que lorsque je serai installée à Lausanne, et branchée sur Internet, tu m'enverras la suite.

Robert sourit, promit et relata à Hélène ce qu'il avait écrit la veille.

Jehane ne pouvait plus supporter de rester seule à Montréal, alors que Bernard vivait peut-être les derniers jours de sa vie. Ses amis, les Wooster, se posèrent alors en véritables fées dans sa vie. Grâce à eux, Jehane eut la responsabilité, en qualité d'auxiliaire, de s'occuper de la cantine de la Croix-Rouge. Cela ne pouvait convenir davantage à cette femme qui avait passé tant de temps dans les cuisines. Elle n'aurait pas à faire ses preuves, juste à être efficace. Jehane restait à l'affût de la moindre possibilité de traverser l'océan. On lui demanda de se rendre en Yougoslavie, mais elle refusa, estimant que ce pays était trop éloigné de la Grande-Bretagne, où se trouvait toujours Bernard. Lorsqu'enfin, on lui proposa l'Angleterre, elle accepta aussitôt et s'embarqua en août sur l'*Erria*, un bateau suédois. Depuis le 7 mai, en tant qu'attaché de l'ambassade canadienne, Bernard se trouvait toutefois en Hollande. Cependant, quand Jehane posa enfin ses bagages à l'hôtel Dorchester, à Londres, après dix jours de traversée, Bernard vint la rejoindre. La trouverait-il changée ? Jehane, quarante et un ans, était très nerveuse et excitée de ces retrouvailles. Mais elle fut déçue, et désarçonnée, par la froideur de Bernard. Elle comprit bientôt que ces cinq années de séparation l'avaient endurci – il avait vu tant d'atrocités. Cette distance n'était néanmoins que passagère de sa part. Car, aucun doute là-dessus, Bernard l'aimait. Il allait le prouver. En effet, pour circuler auprès d'un officier de l'armée, Jehane devait être mariée. Or, elle avait depuis peu obtenu son divorce de Carl Zimmerman. L'union, civile, eut lieu le 23 août 1945. Les deux témoins furent le couple Wooster. Le lendemain, Bernard dut repartir en Hollande. Madame Benoit commença seule sa vie conjugale.

Les obstacles s'accumulaient mais, chaque fois, la bonne étoile de Jehane lui venait en aide. Ainsi, Mary Wooster possédait, près de Paris, une usine de levure. Elle obtint pour son amie un visa pour aller en France. Après toutes ces années, Jehane retrouva Paris. La ville avait bien changé, croulant sous l'affliction et la suie, malgré la libération toute récente. Les gens étaient maigres, profondément éprouvés. Chacun, de près ou de loin, comme en 1914, avait perdu un être cher. Au 3, rue de Surène, Jehane, Mary et Frank se retrouvaient. Il arrivait que Jehane raconte ses souvenirs des années 1920, au Sacré-Cœur, à la Sorbonne, avec sa mère. Mais vite, elle revenait à Bernard. Quand seraient-ils donc réunis ? Pendant cinq ans, elle avait vécu d'une lettre à l'autre, espérant dans la crainte et, à présent, la guerre était terminée ! Elle n'en pouvait plus d'attendre.

Le grand jour arriva enfin. Bernard vint la chercher en Jeep. Ils roulèrent jusqu'en Hollande et s'installèrent à Amsterdam, puis, en novembre, à La Haye. La partie était-elle enfin gagnée ? Bernard avait une vie aux Pays-Bas, des amis, et bénéficiait même d'un chalet à Loosdrecht où le couple put se retrouver et vivre quelques moments d'intimité à la campagne. Pourtant, les entraves marquaient encore leur chemin. Lorsque Bernard fut démobilisé, il dut retourner en Angleterre et, de nouveau, Jehane se retrouva toute seule, obligée de se débrouiller dans ce pays étranger, et dont elle ne comprenait pas la langue.

Puis, au bout de six mois de cette escapade européenne, Jehane embarqua sur le *Talisse*, un cargo à moteur, et arriva dans le port de New York le 10 février 1946.

— Robert, interrompit Hélène, tout cela est passionnant. Ces seuls mois sont un livre en soi. Tant de rebondissements dans une histoire d'amour ne font que prouver à quel point Jehane et Bernard étaient sincères. Je souhaite que cela soit de bon augure pour mon propre cas ! Mais tu devras m'écrire la fin… J'entends qu'on annonce mon vol.

Le cœur de Robert se serra. Ces vingt années d'amitié amoureuse avec Hélène prenaient ce jour-là un nouveau tournant. Déjà, il le voyait bien, elle n'était plus là, mais toute en esprit près de Julien, à Lausanne. Il la serra une dernière fois dans ses bras.

— Merci, Hélène, d'avoir été là.

— C'est moi, Robert, qui te remercie. Grâce à toute la tendresse que tu m'as donnée, j'ai continué d'espérer. Et voilà, ça se passe ! Je suis si heureuse !

— Je te souhaite d'être aussi soudée à lui que Jehane l'était à Bernard !

Elle rit, rassembla ses effets et se dirigea vers la porte d'embarquement.

— Robert, dit-elle en le regardant soudain gravement.

Il attendit.

— Promets-moi d'aller au bout de ce livre.

— Bien sûr, je n'abandonnerai certainement pas. Ne serait-ce que pour rappeler notre bon souvenir à Roxanne Provencher qui nous aura tant fait rager !

Hélène rit de bon cœur. Les zizanies professionnelles étaient mortes et enterrées. C'était bien de pouvoir s'en moquer, après s'en être rongé les sangs.

— Et promets-moi autre chose…

— Oui, Hélène.

— Occupe-toi bien de Nicole. Ne prends pas votre amitié à la légère…

Il n'eut pas le temps de répliquer. Hélène partit en agitant la main. Robert resta seul avec ses questions sans réponse.

39

Sur l'Atlantique, en route vers l'Amérique, Jehane eut tout le loisir de faire le point sur les mois qui venaient de s'écouler. Elle ne regrettait pas une seule seconde de son séjour en Europe ni aucun de ses gestes. Bernard Benoit était fait pour elle. Tous deux partageaient un même amour de la culture française. À la moindre permission, pendant la guerre, Bernard était allé au théâtre. Il lui avait fidèlement écrit, le plus souvent possible. À distance, Jehane avait pu le suivre et l'imaginer, rassurée et profondément heureuse qu'il ne l'ait jamais oubliée. Ses lettres étaient de véritables récits. Il lui parlait peinture, précisant qu'il profitait de ses rares moments pour aller dans des musées. Il aimait particulièrement les tableaux de personnages et d'événements historiques. Mais, sachant que Jehane préférait les paysages, il lui décrivait en détail les toiles qu'elle n'avait pas pu voir avec lui.

Ces lettres nombreuses que Bernard, âgé, songea à publier, furent le lien qui les unit pendant cinq ans. Ils apprirent à se connaître malgré l'éloignement. Ils s'apprivoisèrent, les mots les rapprochèrent. Chaque lettre était comme une visite, un moment unique. C'était si long avant d'en recevoir une. Trois semaines, parfois un mois. Le monde était en guerre. Partout, les amoureux attendaient la missive qui les apaiserait. Jehane avait été comme toutes les femmes. Elle avait compté les jours avant d'enfin serrer contre son cœur la lettre de celui qui avait pensé à elle. De si loin, ils étaient si proches. Jehane savait qu'elle avait eu raison d'aimer cet homme, en dépit des préjugés au sujet de leur différence d'âge. Il n'était pas comme les autres. Elle l'admirait. Ce sentiment si fort l'aiderait à surmonter toutes les embûches qui allaient forcément surgir. Car Jehane, en 1946, pouvait très bien susciter l'opprobre. Elle était partie rejoindre un homme pour aussitôt l'épouser en vitesse, laissant Monique, dix-huit ans, au Canada, et coupant plus que jamais les liens avec son premier mari. Il fallait beaucoup d'audace, et surtout la certitude d'être véritablement aimée, pour vivre à fond cette aventure.

Mais comment Jehane aurait-elle pu oublier ce jour où Bernard était venu vers elle ? Chaque fois qu'elle cuisinait de bonnes brioches, elle le revoyait, si sûr de lui. Sous des dehors un peu sévères, Jehane cachait une âme romantique et passionnée. Leur liaison à Montréal avait passé comme l'éclair. À présent, Jehane revenait dans sa ville natale, et tout son être était empreint du souvenir des années de guerre. Pendant tout ce temps, elle n'avait pu garder pour elle son amoureux. Dans l'armée, Bernard travaillait avec les chars d'assaut, et devait se rapporter régulièrement à son régiment. Toutefois, le couple s'était retrouvé à la moindre occasion. C'est ainsi que Jehane avait redécouvert la France, mais aussi l'Angleterre, un pays qu'elle affectionnait.

À son arrivée à New York, Jehane prit le train jusqu'à Montréal. C'était pour y commencer un long nouveau chapitre de sa vie. Finis le Salad Bar, les horaires fous, l'école de cuisine. Fini, aussi, l'appartement de la rue Sherbrooke Ouest. À quarante-deux ans, ce fut chez sa mère, avenue Wood, qu'elle débarqua, au terme de son étrange voyage de noces. Elle fut accueillie froidement par Marie-Louise, qui n'avait que des reproches à lui faire. Une femme de son âge pouvait-elle ainsi se conduire ? Apparemment, oui. Jehane lui tenait tête et n'hésita pas à réclamer son aide. Car les temps d'après-guerre étaient durs, même au Canada. Alors, il fallait que Marie-Louise se fasse une raison : une semaine plus tard, ce serait au tour de Bernard de revenir. Le couple n'avait nulle part où aller. Pendant plusieurs mois, il faudrait vivre chez les Patenaude, le temps de réfléchir à l'avenir, d'établir une stratégie pour gagner de l'argent. Jehane et Bernard devaient commencer leur vie conjugale dans ce contexte singulier. Mais leur couple était fort comme le roc. En dépit des épreuves et des déceptions, car il y en aurait, ils amorcèrent en cette période une union marquée par le succès, tant sentimentalement que professionnellement.

Partout, on entendait : « Plus jamais ça, plus jamais la guerre. » Tout était à refaire, tout était à faire. Ce fut le début des Trente Glorieuses, ces années 1945 à 1975, un moment où l'économie connut un essor remarquable. On espérait que la vie serait meilleure, et c'est dans cette effervescence sociale que Jehane et Bernard mirent en place la plupart de leurs projets. Bernard avait le sens des affaires, le don des chiffres, un talent de publicitaire, de la ténacité à revendre. Jehane savait cuisiner, connaissait les moindres secrets de la gastronomie, de la cuisson, des ingrédients, des réactions chimiques. À eux deux, ils formaient une équipe hors pair. Bernard considérait avec beaucoup de sérieux les lettres envoyées à Jehane par de nombreux admirateurs de l'époque du Salad Bar et du Fumet de la Vieille France. Il répétait que tous ces gens étaient ses clients. Ses fans ! C'étaient eux qu'il fallait servir et nourrir, dans tous les sens du terme. En juin 1947, le couple créa sa propre maison d'édition pour publier *Mes fiches culinaires*, que Jehane signa. Ce livre devait annoncer tous ceux qui suivraient, et que Jehane traduirait elle-même en anglais. Deux ans plus tard, elle fit en effet paraître *Les meilleures recettes de Jehane P. Benoit*.

Chaque soir et tôt le matin, elle ouvrait un cahier et rédigeait, mettant en place, sans encore le savoir, l'immense matière qu'elle aurait à ordonner pour l'encyclopédie. Dans la maison que les Patenaude leur achetèrent bientôt à Westmount, Jehane, comblée, avait tout l'espace et la paix pour produire d'une façon presque titanesque. De son côté, Bernard, devenu commandant de la Compagnie d'intelligence militaire de Montréal, vite employé d'une compagnie américaine, ne chômait guère. Il séjournait souvent aux États-Unis, tout en soutenant Jehane dans toutes ses entreprises. Six ans à peine après leur réinstallation à Montréal, Jehane et Bernard coulaient des jours paisibles et constructifs. À eux deux, ils formaient une usine en miniature. Là où il aurait fallu une équipe pour produire un livre ou, comme Jehane le faisait, transmettre son enseignement dans le cadre de plusieurs émissions radiophoniques, dont trois fois par semaine à *Fémina*, que dirigeait Louise Simard, le couple suffisait à la tâche. Le bonheur donne des ailes et, dans le cas des Benoit, c'était plus que vrai.

L'année 1955 sonna l'entrée de Jehane dans la célébrité. La parution de l'ouvrage intitulé *Jehane Benoit dans sa cuisine, avec recettes authentiques du Québec* fut un très grand succès. Les quelque huit mille élèves de son école de cuisine, même fermée plus de dix ans auparavant, n'avaient pas oublié leur extraordinaire professeur. Enfin, un livre d'envergure renfermait tout ce qu'ils avaient appris ou presque au Fumet de la Vieille France, cette école non encore remplacée à Montréal. Car il faudrait attendre 1968 pour que le gouvernement fonde l'Institut de tourisme et d'hôtellerie du Québec. En ce milieu des années 1950, Jehane Benoit était donc la figure de proue d'un mouvement qui allait prendre une ampleur phénoménale un demi-siècle plus tard, avec les Ricardo Larrivée, Josée Di Stasio et autres vedettes de la cuisine d'aujourd'hui.

Si la cuisine à Montréal, voire au Canada, pouvait être comparée à un train, bien entendu, et incontestablement, Jehane Benoit en était la locomotive.

Jusqu'à sa mort, en 1987, elle ne cesserait de faire évoluer cette connaissance, dans les deux langues, sans aucun rival, ou presque. Jehane Benoit, l'impératrice de la cuisine, devait régner pendant presque un demi-siècle sur son propre royaume et le servir en monarque éclairé avec tout l'amour qu'elle éprouvait pour ses sujets.

40

— C'est étourdissant, conclut Sophie, après avoir écouté Robert lui faire le récit des débuts de la renommée de Jehane Benoit.

Thomas Lapierre approuva, et proposa de boire un petit calvados au salon. Les trois amis s'assirent.

— Il reste tout de même des lacunes, déclara Thomas à Robert. Jehane qui se marie en Europe… Et Carl, alors ?

Robert approuva de la tête, et soupira. Il se sentait lui-même la locomotive d'un long train qui, du point de départ au point d'arrivée, roulait sur des rails parfois bien incertains.

— Bonne remarque, dit-il. S'agissait-il d'un divorce, d'une annulation de mariage ? Jehane a mentionné le mot divorce à des témoins de sa vie. Ses livres, dès la fin des années 1940, sont signés Jehane P. Benoit. C'était donc son nom officiel. Du reste, Bernard et Jehane s'épousent religieusement à Westmount après la mort de Carl, en 1964. Et il ne fait aucun doute que, dès 1940, lorsque Jehane rencontre Bernard, elle ne le quitte plus.

— Un couple mythique, comme Signoret et Montand, ou Elizabeth Taylor et Richard Burton, déclara Sophie.

— Je ne suis pas d'accord avec Taylor et Burton, rétorqua Thomas, mariés et divorcés cinq six fois, c'était rocambolesque…

— Sophie n'est pas si loin de la vérité, coupa Robert. Tous les grands couples de l'histoire ou presque ont leurs secrets et leurs pages sombres…

— Et pour Jehane et Bernard ? s'enquit Sophie.

— Là encore… Beaucoup de vague au singulier, et de vagues au pluriel, dit Robert en riant. Or, dans ce livre, je ne souhaite pas m'étendre sur ce qui aurait pu se passer. Mettre en contexte, avec des dialogues, est déjà amplement suffisant pour tenter de reconstituer une atmosphère sans tomber dans la subjectivité.

— Mais tu sais pourtant des choses sur leurs moments sombres, dit Thomas.

— Oui, comme tout le monde qui s'intéresse à Jehane. Il n'y a qu'à écouter les petits films qui lui ont été consacrés pour le savoir, dans les grandes lignes. Ainsi, au cours des années 1960, Bernard a eu un fils avec une autre femme, que cette femme a élevé. Quelques années avant que Jehane meure, Bernard lui a demandé si elle accueillerait ce fils à Noirmouton. Elle a dit oui.

— Fantastique ! s'écria Sophie. Quelle générosité de sa part !

— En effet, reconnut Robert. Mais leur relation était basée sur le respect de l'autre. Tous deux avaient vécu, étaient lucides. Pas de dépendance affective compulsive et hystérique entre eux. Je ne dis pas que Jehane n'en a pas souffert. Je n'en sais rien ! Mais certainement !

— À faire le compte de tous ses accomplissements pendant leurs quarante et quelques années de vie commune, on peut en déduire que Jehane avait peut-être d'autres chats à fouetter, lança Thomas.

— Et comment ! renchérit Robert. Elle n'arrête pas. C'est le début de l'ère des médias. La radio connaît son apogée et, surtout, la télévision. Tandis qu'elle écrit et qu'elle publie massivement, des ouvrages mais également des chroniques culinaires, jusqu'en 1975, dans *Canadian Homes and Gardens*, et dans *La Revue moderne*, dirigée par Léo Cadieux, Jehane Benoit attire l'attention d'un monde en ébullition, celui du commerce et de la publicité qui vient avec. Elle est observée, sans qu'elle s'en doute, par toutes sortes de compagnies qui veulent s'emparer du marché : le riz Dainty, les marchés d'alimentation Steinberg, la brasserie Dow. On lui demande de créer des recettes pour vanter les mérites du cidre, de la bière, du riz, etc. Contrairement à ce que l'on pourrait croire, ce ne sont pas les passages de Jehane dans des émissions comme *Femme d'aujourd'hui* ou *Bonjour madame* qui vont vraiment la faire connaître, mais bien les films publicitaires, les spots commerciaux, les annonces, quoi. Ces grandes compagnies font de Jehane le porte-parole de leurs produits : poêlons, chaudrons, produits nettoyants, ingrédients, fours, etc. Vous vous souvenez ?

— Bien sûr ! dit Sophie. Elle avait une voix si particulière, un timbre aigu. Et toujours pulpeuse, malicieuse. C'était un drôle de personnage.

— Comme le déclare son petit-fils, dans un des documentaires : « Ma grand-mère était épouvantable, très complexe… », précisa Robert.

— Quel qualificatif ! Tout un programme, répliqua Thomas.

— Je mets un bémol à « épouvantable »… Le fils de Monique (elle avait épousé un berger des Cantons-de-l'Est du nom de McDonald), est davantage anglo-saxon. Alors, dans son vocabulaire, épouvantable peut vouloir dire plein de choses... Redoutable, autoritaire, intraitable... Rien de surprenant quand on apprend à connaître Jehane Benoit, qui était seule, avec Bernard, à la tête d'une entreprise gigantesque, il faut bien le dire... Bref, Jehane devint une vedette du petit écran par la publicité. Elle ne pouvait rêver de meilleure exposition. Surtout que cette exposition dura de très nombreuses années. C'est donc comme ça que Jehane s'est imposée comme gastronome, communicatrice, pédagogue, etc. Elle enseignait un art de vivre, une nouvelle façon de faire les choses au moment, par exemple, où les ménagères par milliers s'habituaient à faire leurs courses dans de grandes surfaces, comme les Steinberg. Le monde changeait. On ne s'approvisionnait plus chaque jour chez le boucher, puis le boulanger, puis le crémier. Tout était réuni dans un même endroit. À des fins pratiques...

— Et lucratives, souligna Sophie.

— Eh oui, reprit Robert. Et on voit où nous en sommes aujourd'hui...

— Jehane Benoit, star des pubs, dit Thomas. Je comprends mieux maintenant pourquoi elle affirmait que tout venait à elle, et qu'elle n'allait pas vers les choses...

— Très vrai, ajouta Robert. Jehane Benoit était une figure charismatique. Ces grandes compagnies l'ont très vite compris. Elle n'était pas belle, ni même jolie, mais elle avait du charme, du piquant, et on se souvenait d'elle. Ses lunettes à montures foncées, ses broches à son corsage, ses robes ajustées et décolletées sans provocation, son éternelle montre. Mais c'était surtout sa diction, unique. Il était impossible de ne pas la reconnaître, même à la radio. Elle roulait ses *r* sans exagération mais avec une certaine préciosité, et cela la distinguait. C'était clair qu'elle avait reçu une belle éducation. À l'époque, il y avait au Québec de grandes campagnes pour le bon parler français. Jehane incarnait parfaitement ce mouvement. Elle articulait bien, sans pour autant modifier son accent. Elle avait aussi cette assurance qui lui venait de son milieu. De plus, elle était fière d'être bilingue. Les femmes au foyer ne pouvaient que l'admirer, sans la jalouser. Car ce n'était pas Marilyn Monroe ou Brigitte Bardot qui leur enseignait la cuisine et tout ce qui concernait la table, mais bien cette femme, une sorte de figure maternelle à la fois fringante, distinguée, mais non séductrice. Jehane était l'image même de la réussite sans ostentation et sans glamour. Juste une femme bien dans sa peau, à sa place, capable d'accomplir. Dans tout le Canada anglais, madame Benoit était connue. Elle passait bien, grâce à toutes ces qualités. Dans toute notre histoire, rares sont les figures qui ont fait l'unanimité d'une côte à l'autre. Elle oui. Elle mérite une statue.

On se tut sur ces mots. Les trois amis, amoureux d'histoire, d'art, de musique et de lettres honorèrent en pensée le souvenir de cette femme.

— Un livre est un bon début pour fixer son souvenir, dit Thomas.

— Oui ! Aussi, je vais rentrer. Jehane a une grosse semaine devant elle… Tout comme moi !

Sophie se leva aussitôt et désigna son violon.

— Robert… Reste encore un peu, dit-elle. Apprends à te détendre. Si tu nous parles encore un peu de Jehane, je te jouerai la Sonate en sol mineur de Bach…

Sophie jouait divinement sur un violon admirable créé par Rosario Forget à Montréal, en 1910. La proposition était tentante. Robert resta assis.

— Que dire de plus, ma chère Sophie ! s'exclama-t-il. Une telle entreprise littéraire gastronomique n'a pu se créer du jour au lendemain. Je dois dire que Jehane avait le don de mêler ce qui était ancien à ses propres innovations. Elle a toujours su allier l'aspect pratique et sophistiqué, l'exotisme et le terroir, mondialisant, si je puis dire, et avant l'heure, la cuisine…

— Quelle innovation, par exemple ? Une nouvelle recette ? Le topinambour redécouvert ? s'enquit Thomas.

— Jehane avait eu de la chance, enchaîna Robert, même pendant la guerre. Durant son séjour en France, par exemple, elle avait également travaillé, comme bénévole car elle n'avait pas de permis, dans les cantines de la Croix-Rouge, y acquérant une expérience unique – humaine, et plus précisément humanitaire. Ces qualités sensibles firent partie de sa personnalité publique si attachante. Lorsque la télévision prit son envol, Jehane ne put qu'être sollicitée à l'écran. Elle correspondait à une image sociale et dynamique qu'on était en train de former. Cette époque correspondait aussi à un grand affranchissement des femmes. On était à la veille de la commercialisation de la pilule. Le monde vivait un bouleversement jamais vu auparavant. À l'écran, les émissions exclusivement féminines se multipliaient. Dans chacune d'elles, forcément, une section était consacrée à la cuisine. Jehane semblait marcher sur un chemin tout tracé, mais qu'elle avait au demeurant labouré, pendant des années, dans l'ombre. Maintenant, elle était parfaitement en phase avec son temps, à la première place. Il n'était plus question de vivre avec un tablier autour des hanches et la tête dans un fourneau à longueur de journée tandis qu'on élevait sa marmaille. L'auditoire féminin avait besoin d'apprendre à faire des repas rapides et sains. Non seulement Jehane comprit très vite ce qui se passait dans la société moderne, mais elle allait au-devant des changements et instituait à elle seule de véritables modes.

— Mais quelle mode, justement ? insista Thomas.

— Je pense notamment à la longue période de Noirmouton, répliqua Robert. C'est au cours de ces années, avec l'indispensable apport de Bernard, qui se transforme en éleveur sur ses terres de Sutton, que Jehane remettra l'agneau au goût du jour. Cette viande, au contraire du bœuf, était boudée de la population. La raison en était bien simple. La plupart des gens qui l'avaient consommée étaient des militaires, des marins. Or, ce n'était pas le tendre agneau que Jehane aromatiserait éventuellement au gin que ces gens mangeaient, mais bien un mouton infâme, bouilli, fort au goût, caoutchouteux sinon encore laineux !

— Pas très alléchant, dit Thomas.

— Affreux, tu veux dire. Le mouton était très populaire en Angleterre. On avait beau l'étouffer sous des patates, il n'en restait pas moins coriace et malodorant. Jehane en gardait un souvenir clair, car on en cuisait beaucoup dans les cuisines de la Croix-Rouge, en France. On servait aux nombreux soldats une nourriture plus que rudimentaire. Dans de gros chaudrons, des morceaux de mouton mijotaient pendant des heures dans de l'eau et du sel. Rien d'appétissant. Or, Jehane changerait tout cela en enseignant comment cuire l'agneau, mais également comment l'élever, à quel âge l'abattre, comment le préparer et le rendre délicieux.

— En résumé, interrompit Sophie, elle devient connue grâce à ses recettes, c'est bien cela ?

— Oui, comme auteur et, presque aussitôt, à l'écran. Dans le cadre de ses premières publications, Jehane accorde beaucoup d'importance à la tradition. Se souvenant de son grand-père Patenaude, qui lui avait appris à cueillir les pommes et à les respirer, ou à son grand-père Cardinal, qu'elle admirait et qui avait eu, le premier au Québec, le culte des moutons, et enfin, à sa chère grand-mère maternelle qui lui avait transmis tant de connaissances culinaires, Jehane souhaitait surtout remettre à la mode des recettes éternelles, les inscrire dans les mémoires, pour toujours, avec des mots simples et efficaces. Elle avait une façon unique et imagée d'expliquer. Ses recettes n'étaient pas rédigées en dehors d'un contexte. Jehane savait composer, derrière un comptoir comme devant une feuille de papier. Chaque fois, elle étoffait lesdites recettes de détails historiques. Elle précisait, par exemple, qu'autrefois, alors que les réfrigérateurs n'avaient pas été inventés, les anciens bâtissaient un caveau, y gardant des légumes, de la viande. Puis, vinrent les glacières. Jehane avait connu cette façon de faire, et étayait ses témoignages de riches anecdotes. Cela rendait ces livres sympathiques et conviviaux. Intimes. Les lectrices avaient l'impression de la connaître. Jehane avait une thèse, et la servait de tous ses moyens.

— Une thèse ? releva Thomas, sceptique.

— L'alimentation est un acte culturel, répondit Robert. De Pomiane l'avait assez répété et expliqué à la Sorbonne. Aussi, écrivant, enseignant, communiquant, tandis que Bernard avançait dans sa carrière, Jehane n'en abandonnait pas pour autant l'étude. Chaque jour, elle faisait des recherches. Elle n'improvisait jamais. La chimie alimentaire, sans cesse en évolution, lui servait à imaginer les meilleurs amalgames. Ce travail l'amusait. Et les résultats l'emballaient car, le plus souvent, exécutant chacune de ses recettes, et la raffinant jusqu'à en être parfaitement satisfaite, elle concoctait des repas extrêmement variés et succulents. Jehane exerçait ce métier avec un sens du sacré. Tout ce qu'elle prenait dans ses mains, c'était avec amour. Œufs, herbes, instruments, viande, huiles étaient par elle manipulés avec déférence. Jehane était entrée en cuisine comme on entre en religion. Avec dévotion. Et cela dura toute sa vie ! Cette fois, je ne dis plus rien. Sophie, à toi de jouer.

Après avoir écouté la femme de Thomas exécuter avec grâce la sonate de Bach, Robert décida de revenir chez lui à pied. Il ne restait que quelques jours avant que le printemps ne s'installe. La nuit était claire et douce. Dans quelques jours, ce serait le 21 mars. Robert souhaita d'avance un bon anniversaire à Jehane.

41

Jehane et Bernard étaient très occupés. Mais, assez épicuriens, ils s'arrangeaient pour profiter de la vie. En 1955, ils séjournèrent en Europe pour célébrer leur dixième anniversaire de mariage. Ces années avaient passé comme dix jours. Le couple était parfaitement conscient de son bonheur, et surtout de sa chance. De telles ententes sont rares. Jehane et Bernard savaient goûter chaque moment, et il en fut de même de retour au pays. Bonne chère, bons vins, maison confortable, dîners entre amis, lectures de qualité, équitation pour Bernard, mais également promenades fréquentes à la campagne. Ils en avaient bien besoin pour se ressourcer alors que leur quotidien était principalement axé sur le travail. La région de l'Estrie les attirant particulièrement, ils s'y rendaient souvent. Bernard, amateur de voitures sport, aimait conduire. Jehane n'aimait pas la vitesse, mais être aux côtés de ce merveilleux compagnon, oui. Monique Zimmerman, la fille de Jehane, les accompagnait. Elle contribua à ce qu'ils s'attachent à ce coin de l'Estrie puisqu'elle y rencontra un berger, ne tarda pas à s'installer avec lui pour bientôt donner naissance à un garçon et une fille. Une raison de plus, et non la moindre, pour que Bernard et Jehane tournent surtout autour du village de Sutton, d'autant plus qu'ils avaient acheté une maison au jeune couple.

Les parents, au demeurant peu envahissants, fréquentaient des auberges. Chaque fois, ils se disaient à quel point ce serait une bonne idée d'avoir quelque chose à eux à la campagne. Pour Jehane, cela signifiait renouer avec des goûts d'enfance, mais pour Bernard, c'était un projet qu'il chérissait depuis très longtemps. Avoir une terre, l'exploiter, élever des bêtes et monter à cheval… Le rêve.

La pensée est créatrice.

Un jour de la fin du mois d'octobre, alors en plein travail à Westmount, Jehane répondit au téléphone. C'était Bernard. À l'autre bout du fil, sa voix paraissait surexcitée. Il parlait vite.

— Je suis allé faire un tour dans les Cantons-de-l'Est, j'ai trouvé une maison, j'ai échappé à la police ! s'exclama-t-il.

Jehane resta sans voix. Qu'est-ce que c'était que cette histoire de fous ? Voilà donc que Bernard avait passé l'après-midi à rouler à toute vitesse dans son nouveau bolide. Mais pouvait-elle reprocher cela à son mari de trente-neuf ans ? Une fois de plus, elle garda pour elle ses commentaires. Sans en souffrir, car elle y gagnait cent fois au change. Cependant, elle détestait qu'il frôle la mort à rouler à cette allure.

— Je roulais trop vite, mais j'ai réussi à les semer !

Un enfant. Jehane fronça les sourcils et dit :

— Que fais-tu là-bas ? La police pourra te retrouver, tôt ou tard. Peut-être a-t-elle pris le numéro de ta plaque ?

— Allons, Jehane, entendit-elle, aussitôt soulagée, je ne suis pas un contrevenant de la route, j'allais à une vitesse raisonnable… Ne t'inquiète pas. Oui, je me suis rendu à Sutton et j'ai vu une maison, un domaine pour être précis.

Il n'eut pas à terminer sa phrase. Jehane avait compris.

— Tu souhaiterais qu'on aille s'établir à Sutton ? Mais tu n'y penses pas. Je travaille à Montréal. Toutes mes émissions sont enregistrées dans les studios de la métropole et ailleurs au pays… Je voyage sans arrêt… N'est-ce pas prématuré ?

Bernard ne répondit pas. Il savait qu'elle aussi désirait profondément avoir un endroit bien à eux à la campagne.

— Nous n'en sommes pas là, ma Jenny, dit-il affectueusement. Éventuellement, il serait possible pour toi de faire une grande partie de ton travail à Sutton. C'est une belle terre, si tu voyais ! On aurait notre potager. Notre petite ferme, une spécialité. J'ai même parlé à des gens autour, qui élèvent des vaches laitières. Nous, nous pourrions élever d'autres bêtes. Je ne sais pas, moi, des moutons peut-être ?

À ce récit, Jehane, apaisée, se mit à rêver. Ce dont parlait Bernard lui plaisait.

— C'est très étrange que tu parles de moutons. Mon grand-père Cardinal fut l'un des premiers à importer une race de moutons, ici au Canada.

— Tu vois, s'écria Bernard. Le mouton, c'est la viande, mais aussi la laine. Nous pourrions monter une petite compagnie. Dans notre pays, nous avons besoin de vêtements chauds. Nous pourrions fabriquer des manteaux, des chandails, des chapeaux, des mitaines, des mocassins !

Jehane éclata de rire et demanda à son époux de réfléchir un peu. Elle savait que Bernard était un homme posé mais, en même temps, il avait une tendance à prendre des décisions rapidement. Elle devina que s'il parlait d'une ferme et d'une maison à Sutton en ces termes, c'était qu'il avait presque dans sa main la clef de ce domaine.

— Tu as rencontré le propriétaire, n'est-ce pas? demanda-t-elle, amusée.

À l'autre bout du fil, Bernard répondit d'une voix nette et assurée :

— J'ai signé le contrat, Jehane : j'ai offert huit cents dollars de dépôt. Le domaine nous coûtera environ cinq mille.

Jehane écarquilla les yeux. La somme était importante.

— Fais-moi confiance, Jenny. Nous serons heureux là-bas. Monique vivra à nos côtés avec sa famille. Elle travaillera avec nous. Tu verras : nos journées ne seront pas assez longues pour réaliser tous les projets qui nous attendent.

C'est ainsi qu'une grande aventure commença, celle de Noirmouton. Mais comme pour tous les projets d'envergure, il fallut du temps. Les Benoit allaient régulièrement à Sutton. Le travail à accomplir pour préparer le domaine à la moindre exploitation, et à l'habitation tout simplement, était colossal. Cependant, ces séjours étaient chaque fois de purs moments de bonheur. Jehane et Bernard comprenaient, un peu interloqués, à quel point ils étaient nés pour vivre à la campagne. Faisant des recherches auprès de sa famille, Jehane en apprit davantage sur son grand-père éleveur de moutons. C'était lui, le premier au pays, à avoir importé les moutons Hampshire qu'il avait achetés en Écosse.

Bernard ne pouvait qu'être fasciné par cette histoire. Une histoire de destin. Jehane précisait que c'était tout naturel qu'elle reprenne alors le flambeau de cette initiative familiale. Tout cela grâce à ce mari entreprenant, sinon visionnaire. Alors que Bernard expliquait son projet, on lui répétait que le climat du Québec n'était pas toujours favorable aux moutons, mais il n'était pas homme à changer d'idée facilement. Il écoutait toujours attentivement ses convictions. Au récit que lui faisait Jehane de son grand-père, il était de plus en plus persuadé d'être sur la bonne voie.

L'élevage était un point important, la maison en était un autre. Rien à voir avec le confort de Westmount. C'était à peine si Jehane aurait pu y camper. La bicoque laissée en l'état était un repaire de souris et d'insectes. Heureusement que la bâtisse surplombait un vaste terrain. Bernard n'était pas étranger à toute la bonne volonté que sa femme devrait manifester pour trouver des qualités à ce refuge.

— Tu as tellement d'idées, Jehane. Tu pourras en faire une maison qui te ressemble, belle et hospitalière. Je te promets de me remettre un peu à la peinture. Je ferai des tableaux sur bois, un peu comme il y en a en Suisse et en Bavière. Des images bucoliques. Crois-moi, ce sera le paradis ici, et dans peu de temps.

Loin du brouhaha de la ville, le plus régulièrement possible, Jehane et Bernard découvrirent un autre monde. En se rapprochant de la nature, Jehane renoua avec les joies de cultiver. Elle s'enthousiasma pour une cuisine dominée par les légumes et les fruits. Elle donna également un grand coup pour que la maison redevienne habitable. C'était un travail monstrueux. Mais Monique, qu'elle appelait tendrement Chop Chop, l'aidait de son mieux.

De son côté, Bernard œuvra à son idée de faire l'élevage de moutons. Son expérience en commerce l'aida considérablement dans cette tâche. Il se transforma tout naturellement en berger. Un très élégant berger. Avec ses chiens, il sortait ses brebis de l'enclos pour les promener dans son domaine vallonné. Puis, il montait à cheval, partant des après-midi entiers.

Le couple mettait à profit chaque instant à la campagne et, de plus en plus, c'était avec regret qu'il revenait à Westmount. Bernard organisait ses flûtes pour que, plus tôt que tard, il s'installe définitivement à Sutton et gère son domaine à plein temps. Il ne resterait qu'à convaincre Jehane de s'y établir pour de bon. Mais ce n'était pas pour tout de suite. Les installations étaient encore précaires. Mais les Benoit, chaque semaine, faisaient leurs marques et prenaient leur place dans le voisinage. Le couple de citadins tranchait un peu avec l'entourage. Ces Montréalais ne pouvaient qu'être des originaux. Penser s'établir à la campagne du jour au lendemain était une lubie. Souvent, les natifs avaient vu des gens s'imaginer que le paradis était les vallons de Sutton pour tôt comprendre que cela était une illusion. Et ces Benoit, en plus, avaient commencé à élever des moutons! On les avait pourtant prévenus que les pauvres bêtes gèleraient l'hiver, même à l'abri dans leur bergerie. Cela était sans mentionner que, dans un tel froid, les moutons auraient les plus grandes difficultés à se reproduire. Mais ce Benoit s'entêtait. Un vrai bouc. Il faisait ses recherches, et cela le convainquait du contraire. De son côté, en peu de temps, Jehane avait transformé la prairie en y plantant de nombreux pommiers. Elle avait également des fraisiers, des framboisiers, tous ces arbustes et ces arbres qui donnent de si jolies fleurs au printemps. Jehane aussi avait ses plans, de plus en plus motivée par ce grand projet. Elle planterait des bleuets, un fruit encore méconnu dont on pensait qu'il ne poussait exclusivement que dans la région du Lac-Saint-Jean. Elle ne cessait de créer en esprit des recettes avec ces petites baies.

La tâche, ils ne se le cachaient pas, était fort ardue. Ce grand terrain, bien que magnifique, se révéla un champ pierreux. Situé à une assez haute altitude, il comportait des obstacles que Bernard n'avait pas devinés. Aussi fut-il étonné quand on lui dit qu'il fallait dynamiter la roche couvrant la terre ici et là, et faire plus d'une centaine de voyages de pierres pour seulement la préparer à l'agriculture. Pour cette besogne, Bernard engagea des ouvriers et se montra un maître d'œuvre infatigable. Jehane l'observait, fière et admirative, tout en se répétant qu'elle n'aurait jamais eu cette patience. Bernard servait son idéal de toutes ses forces, investissant chaque minute de son temps. Il aurait pu se contenter de quelques moutons, mais il voulait sa propre bergerie, son domaine, des centaines de bêtes. Ce n'était qu'à ce prix que Jehane, bientôt, pourrait mettre sur pied une boutique et y proposer de multiples produits dérivés. Elle les vendrait à ses clients, ses lecteurs, ses admirateurs, Bernard n'en doutait pas un instant. Ils pourraient même avoir un petit restaurant, sinon une école de cuisine. Jehane approuvait les idées de Bernard. C'était une nouvelle vie, radicalement différente qui, devant eux, se déployait. Ce qu'ils voulaient, c'était être heureux, tout en sachant qu'il y aurait toujours davantage de difficultés, ce que les esprits négatifs, voire envieux, ne cessaient de leur rappeler.

— Vous êtes fous… Avoir une si belle vie à Montréal et tout abandonner pour un tas de pierres !

Jehane faisait souvent part à Bernard des remarques qu'on lui faisait. Elle n'était pas femme à se laisser abattre, mais il arrivait que ces commentaires la blessent.

— Que disent donc ces mauvaises langues ? demandait Bernard, protecteur et souriant.

— Qu'à bientôt soixante ans, il est ridicule de s'engager dans une telle aventure. Comment les gens peuvent-ils penser ainsi? Je ne suis pas Mathusalem! Il est certain que je ne peux pas t'aider comme je le voudrais. Je te fais confiance pour t'occuper des bêtes. La bergerie, c'est ton affaire.

— C'est très bien ainsi, je ne vois pas cela comme un pensum.

— Que puis-je y faire? Mon travail, mes livres, mes émissions, tout cela me prend tellement de temps! Cela dit, j'ai eu une offre récemment pour engager une secrétaire.

— Bonne idée. Tu n'auras donc qu'à te consacrer aux choses que tu aimes faire. Et tu sais, Jenny, dis-toi bien que moi aussi, je dois lutter pour ne pas me laisser abattre à la moindre médisance…

En effet, à l'occasion, on disait à Bernard: «Vous aimez vos brebis au point de les appeler vos filles. Alors comment faites-vous pour les tuer?»

Bernard se taisait. Quand il voyait ses bêtes partir à l'abattoir, cela lui brisait le cœur.

— Il faut bien manger et se vêtir, répondait-il.

C'était le salaire de l'originalité, de l'initiative. Chacun à sa façon, Jehane et Benoit étaient différents, des entrepreneurs, des pionniers.

Jamais, ils ne renonceraient à Noirmouton, la magnifique œuvre de leur vie. Cependant, même s'ils l'ignoraient encore, ils devraient bientôt s'en séparer, comme d'un enfant, mais ce serait pour une cause tout aussi remarquable.

42

« Cher Robert,

Enfin je peux te donner des nouvelles. J'ai maintenant, dans la jolie maison de Julien, à Lausanne, mon bureau, mon ordinateur, une pièce à moi. Nous nous entendons parfaitement, nous sommes heureux, nous nous aimons, franchement, c'est le paradis. De ma vie, jamais je n'aurais cru changer de pays, m'adapter aussi facilement et ne rien regretter ! Nos rencontres, bien sûr… Comment vas-tu ? Comment va Nicole ? Surtout : comment va Jehane ? Je devrais écrire comment vont Jehane et Bernard, puisque toi aussi, tu es en pleine histoire d'amour… Alors laisse-moi te raconter à quel point le monde est petit. J'ai parlé de ta biographie à Julien qui, tu penses bien, est fou des livres. Je me disais que jamais il n'aurait entendu parler de madame Benoit, eh bien c'est tout le contraire. Non seulement il la connaissait de nom, mais il savait, par des amis, que le couple Benoit a passé toute une année en France, en 1962… Je suppose que je ne t'apprends rien. Julien sait donc par ces gens qui ont alors fréquenté les Benoit (ils logeaient à Paris dans un appartement non loin de la Tour Eiffel), que c'est là que Jehane a rédigé son encyclopédie ! J'étais estomaquée, mais aussi honteuse d'ignorer cela alors que Jehane, du moins son livre, est dans presque tous les foyers du Québec. Il aura fallu un Suisse pour me révéler cet épisode. J'ai hâte que tu viennes, que tu redécouvres la Suisse (car tu y as voyagé jadis, avec Nicole, n'est-ce pas ?). Viens quand tu auras publié… Julien, en effet, me propose de vendre des exemplaires de ce livre en consignation dans sa librairie. Il me précise que même si Jehane Benoit est à peu près inconnue en Europe, les lecteurs sont si friands de biographies, qu'ils liront ton livre, d'autant plus que, s'il est bon, Julien en fera l'éloge… »

Robert s'arrêta de lire le long courrier électronique qu'il venait enfin de recevoir d'Hélène. Elle était partie depuis environ un mois et, déjà, il sentait que pour elle, le Québec était de l'histoire ancienne. Il était content qu'elle soit enfin vraiment heureuse et ravi de sa proposition. Il imaginait la librairie, donnant dans une jolie rue escarpée de Lausanne, les exemplaires de sa biographie bien exposés, lui-même sur place, les signant peut-être. L'espace d'une seconde, il vit Nicole à ses côtés. Quelle agréable perspective, mais bien évidemment impossible. Nicole n'accepterait jamais de quitter Patrick pour voyager avec son ex-mari. Robert pensa que l'histoire intense de Jehane et Bernard lui faisait un peu perdre la tête.

Il se dirigea dans la cuisine, fit bouillir de l'eau. Bientôt, les arbres qu'il admirait par la fenêtre se couvriraient de bourgeons. Il avait hâte. L'hiver perdurait. Même en mars, il neigeait presque chaque jour. Il se disait aussi qu'au printemps, il terminerait son livre, de façon à pouvoir profiter de l'été pour le relire, le réviser, le peaufiner et peut-être encore y insérer des passages car, chaque jour, semblait-il, la vie se mettait de la partie pour lui en apprendre davantage sur son sujet. Ainsi, l'anecdote exceptionnelle que lui avait narrée Hélène. Il savait que Jehane et Bernard avaient dû momentanément renoncer à s'occuper de Noirmouton au moment où, sans s'y attendre, Bernard avait reçu une offre impossible à refuser : de mai 1962 à septembre 1963, il travaillerait à Paris pour la Rheem International, une compagnie de chauffage et de climatisation. Parfaitement bilingue, fort compétent et diplomate dans l'âme, Bernard était le candidat idéal pour ce poste. Jehane n'hésita pas une seconde à l'accompagner. Monique et sa famille veilleraient sur Noirmouton. Ce n'était que l'affaire de quelques mois. Tout pouvait attendre pour vivre une expérience aussi agréable et enrichissante. Les Benoit adorant la France, ils étaient aussi enchantés à l'idée d'y séjourner qu'Hélène l'avait été à celle de retrouver son libraire, pour toujours.

Et en effet, le plus extraordinaire, c'était que Jehane rédigerait dans la Ville lumière sa fameuse encyclopédie. Plus de mille pages. Tous les sujets touchant de près ou de loin la cuisine, l'alimentation et la gastronomie. Robert se demandait si, se trouvant en France à mener cette formidable entreprise, Jehane avait tenté de joindre De Pomiane. Depuis ses études en chimie alimentaire, quel chemin avait-elle parcouru ! Le grand professeur de la Sorbonne disparaîtrait en 1964. Une rencontre avait pu avoir lieu, mais Robert ne le saurait jamais. Il y avait de nombreux Canadiens à Paris, en ces années. Jehane et son mari avaient-ils croisé Borduas, Riopelle ? Une fois de plus, les témoignages étaient rares et les renseignements maigres. Pour continuer à raconter cette vie, Robert devait s'en remettre aux confidences de Bernard Benoit, rassemblées dans la préface d'un livre de sa femme, aux récits de la famille Delbuguet, ainsi qu'à quelques souvenirs relatés ici et là dans des articles et des documentaires. C'était peu. Il savait au moins que Jehane n'avait pas rédigé entièrement seule cet immense livre. Elle avait eu l'aide de madame Ruffini, la secrétaire de Bernard, pour mener à bien et en un temps record, ce projet impressionnant.

Jehane faisait toujours les choses vite et bien. C'était dans son tempérament. Et elle bénéficiait d'une très grande énergie, sans doute décuplée par tout ce que Paris lui apportait. Entre un musée et un déjeuner, une promenade dans un parc et une visite de quartier, elle se remettait à son ouvrage, ressourcée et pleine d'idées. Enfin, au bout de quelques mois, elle termina la rédaction de ce qui allait devenir un best-seller au Québec et, deux ans plus tard, un best-seller dans sa traduction anglaise, partout au Canada. Le matin vint où, un lourd colis dans ses bras, elle se dirigea à la poste. Ce fut donc d'outre-mer qu'Hélène Bélanger, attachée d'édition, reçut le volumineux manuscrit. En septembre 1963, le mois même du retour du couple à Montréal, *L'encyclopédie de la cuisine canadienne*, signée Jehane Benoit, paraissait aux Messageries du Saint-Laurent. À soixante et un ans, Jehane Benoit, déjà populaire, devint une célébrité. Jamais alors elle n'aurait pu penser qu'au troisième millénaire son livre serait encore lu, recherché, et que sa propre vie ferait l'objet d'un ouvrage.

Robert but une gorgée de son thé Kombucha. Il venait de découvrir cette sorte, et la trouvait exquise. Il avait l'impression qu'en boire stimulait son inspiration. Il s'assit à sa table de travail, termina la lecture du courrier d'Hélène. Elle répétait : il fallait qu'il vienne la voir. Qu'il invite donc Nicole ! Robert fut étonné de cette insistance de la part de son amie. Elle n'avait croisé Nicole qu'une seule fois, au journal. Un moment gênant. Robert, récemment séparé de sa femme, avait commencé à fréquenter Hélène. Malgré tout, les deux femmes avaient eu l'air de se plaire, nullement dupes, ni l'une ni l'autre. Que la vie était parfois étrange ! Il y avait de ces tolérances. Seul l'amour expliquait ces comportements raisonnables. Comme Jehane avec Bernard, songea-t-il, au moment où ce dernier avait eu une liaison avec une autre, au point d'en avoir un enfant… C'était dans les années 1960. Mais quand, exactement ? Après leur établissement définitif à Sutton, en 1967 ? Robert en doutait. Il penchait davantage pour les années suivant le retour des Benoit à Montréal, donc fin 1963, jusqu'à l'Expo. Un seul argument le faisait pencher pour cette déduction. L'auteur de la fameuse encyclopédie – une vraie bombe dans tous les foyers – avait été très sollicité au moment de cette parution, et au cours des années suivantes. Jehane était partout à la fois. Elle devait avoir bien peu de temps à consacrer au projet Noirmouton… Mais cela n'était qu'une supposition. Il y avait aussi le désir d'enfant. Bernard n'aurait pas de progéniture avec cette sexagénaire. C'était un sacrifice, et un deuil. Cependant, l'éloignement momentané de cet homme si attaché à Jehane demeurerait mystérieux pour Robert. Il devait se faire une idée. On ne pouvait pas tout savoir sur son personnage, ce qui n'empêchait pas d'imaginer des scénarios. Une attirance pour une femme plus jeune était possible. Un entichement aussi. Peut-être même un amour surgi du passé… Et puis, il reconnut que cette liaison ne pouvait avoir eu lieu après le retour de Paris, puisque le couple s'était uni religieusement en 1964. Il passa néanmoins encore quelques heures à farfouiller dans ses notes, à réécouter des passages des documentaires, à éplucher Internet. En vain. Un jour peut-être, la lumière se ferait sur cette affaire, car tout finit par se savoir, dans la vie… Il décida d'attaquer son prochain chapitre du beau côté des choses, celui dont on se souvient, le seul qui importe, au bout du compte…

43

Dans sa toute nouvelle cuisine fonctionnelle, aux larges fenêtres donnant sur des vallons et des prairies dont elle ne se lassait pas, Jehane Benoit était à son comptoir. Selon son habitude, elle était en train de préparer un bon repas. Mais ce soir-là, il s'agissait d'un événement spécial. En plus de célébrer son anniversaire, elle avait décidé d'inviter des amis pour enfin pendre la crémaillère. Lorsque Bernard avait craqué pour cette maison des Cantons-de-l'Est, en 1956, ce n'était pourtant qu'une bicoque. Onze ans plus tard, après de nombreuses rénovations, des travaux qui n'en finissaient plus, le couple avait enfin pu y élire domicile. Depuis l'achat de la maison, beaucoup d'eau avait coulé sous les ponts dans leurs vies respectives. Devenue veuve de Carl Zimmerman, Jehane avait enfin pu épouser religieusement Bernard, en 1964. Quelle patience leur avait-il fallu pour se rendre jusque-là !

Ce jour-là, Jehane avait toutes les raisons d'être heureuse : née le premier jour du printemps, elle éprouvait pour cette saison du renouveau des affinités subtiles. Ce jour-là la mettait toujours en joie. Comme ces arbres bourgeonnants, elle avait l'impression de ressusciter après le long hiver. Habiter à la campagne au moment de cette splendeur de la nature en éveil était paradisiaque. Elle adorait cela.

Depuis le salon, meublé très confortablement, Bernard lui demanda si elle avait besoin d'aide. Jehane pouffa de rire. Comment pouvait-il lui poser cette question après toutes ces années, alors qu'elle n'était jamais aussi à l'aise et comblée que dans sa cuisine ? Elle avait décidé de ne pas faire compliqué pour son repas d'anniversaire. Elle ferait pour ses invités l'un de ses plats favoris : son fameux gigot d'agneau piqué au genièvre, badigeonné et cuit dans l'âtre. Elle ne manquerait pas de les éblouir encore une fois.

Elle s'arrêta un instant pour se reposer et laissa divaguer ses pensées. Elle avait alors soixante trois ans. Elle aurait pu se trouver vieille, mais non… Elle avait gardé un corps énergique, même si elle faisait un peu plus d'embonpoint que dans sa cinquantaine. Sa peau était belle et lisse, ses yeux toujours malicieux, sa bouche aux lèvres bien dessinées volontiers ouverte sur un sourire. L'admiration que lui vouait Bernard comptait pour beaucoup dans le fait qu'elle se sente à l'aise malgré leur différence d'âge. Elle n'était pas une sexagénaire ordinaire. Son mari, tout juste cinquante ans, semblait l'aimer comme au premier jour, et en dépit des épreuves qui avaient jalonné leur parcours sentimental. Cependant, Jehane était encore étonnée d'avoir atteint cet âge. Elle eut soudain la sensation du temps qui passe trop vite. Était-ce le fait d'avoir mené cette existence hors du commun ? Elle soupira. Malgré son caractère fort et son tempérament fougueux, elle frémissait à l'idée de quitter un jour cette vie dont elle aimait les succès et les revers. Elle se ressaisit. Mais non, elle avait encore de longues et bonnes années devant elle. Cela ne l'empêcherait pas de se procurer quelque nouvelle crème de nuit dont on vantait les mérites rajeunissants. Jehane avait un grand faible pour les produits Estée Lauder et n'était pas sans vouloir plaire à Bernard. Pour ce faire, elle mettait toutes les chances de son côté.

Trêve de nostalgie ! Optimiste et énergique, elle était allergique à la morosité qui fait tourner les sauces et rater les béchamels. D'aussi loin qu'elle cherchait dans ses souvenirs, Jehane avait aimé faire la cuisine, même si sa mère n'avait pas eu cette passion. Elle se remémora la douce époque où, collée à sa grand-mère maternelle, elle la regardait travailler. Désormais, elle comprenait ce que signifiait le mot artisane. D'abord et avant tout, Jehane avait appris de Rose-Anna Cardinal qu'il fallait poser sur la table un plat attirant pour l'œil et irrésistible à humer. Elle pensait souvent à son enfance, tentant de savoir si c'était vraiment à ce moment de son existence qu'elle avait appris à aimer faire la cuisine. De toute façon, cela ne pouvait être que chez sa grand-mère, puisque, dans la grande maison de Westmount, la petite Jehane n'avait pas accès aux cuisines, ou du moins, exceptionnellement. Elle se contentait de se présenter à table, de faire sa prière et de manger sans avoir compris comment tous ces plats avaient été confectionnés.

Sondant sa mémoire, il lui revint un souvenir très clair. Elle devait avoir quinze ans. La Première Guerre mondiale venait de se terminer, Montréal commençait à prendre conscience de la tragédie qui avait transformé le monde. Jehane était loin de tout cela bien qu'elle se sentît concernée par les tragédies dont elle entendait les échos. Elle se souvint qu'à cette époque, il lui arrivait de pousser ses promenades bien au-delà des limites de Westmount. Elle se rendait dans le quartier Côte-des-Neiges pour aller dans une épicerie qui lui paraissait un monde en soi. Deux jeunes hommes l'accueillaient avec leur plus beau sourire. Ah ! Les frères Basil. Ce nom résonnait dorénavant dans son esprit comme le titre d'un poème exotique.

— Bonjour mademoiselle, disaient-ils d'une voix chantante.

Leur accent avait séduit la jeune fille. Mais aussi, elle avait été fascinée par toutes ces denrées qui s'étalaient devant ses yeux. Jehane n'avait jamais vu autant de fruits, de légumes, d'épices ! Tant de couleurs et d'odeurs l'avaient éblouie. Les frères Basil avaient remarqué cette jeune fille. Elle était l'une des rares clientes qui posaient mille et une questions sur les fromages, les charcuteries, l'usage des herbes et des aromates. Elle semblait vouloir tout savoir. Jehane, sans avoir de véritable idée de ce que serait son avenir, était là, étudiant instinctivement, se préparant à des études poussées en gastronomie. S'arrêtant au comptoir, prête à payer, elle demandait encore comment on cuisinait ce légume dont elle ne connaissait pas le nom. Quelle était cette viande ? Ce boudin et ces saucisses avaient-ils un goût particulier ? Les frères Basil lui transmettaient des recettes qui ne ressemblaient en rien à celles de sa grand-mère. Derrière la vitrine, elle pointait bientôt un étrange mets : des boulettes recouvertes de feuilles. De la vigne ? Elle comprenait que dans la nature, tout, ou presque, pouvait servir à envoûter les papilles. Cette épicerie, véritable cache aux trésors, était la meilleure des écoles.

« Comme c'est loin tout ça », songea Jehane en vérifiant la cuisson de son gigot. Ainsi, dès l'âge de quinze ans, elle avait compris que les épices étaient un univers à part entière, et qu'il fallait connaître leurs secrets. Aussi, elle ajoutait alors un mélange de basilic et de menthe à son agneau. L'improvisation pouvait avoir du bon au début, mais il fallait apprendre à respecter certaines notions pour faire un bon repas.

— Jehane, lui avait dit un jour un ami, vous êtes une véritable esthète !

Cette remarque l'avait flattée, car elle était juste. Oui, faire à manger ne se résumait pas à faire cuire un aliment. C'était un art de vivre à part entière, sans doute l'un des plus primitifs. Il faut manger pour vivre. Mais, en y ajoutant une touche particulière, cela devient un plaisir pour les sens et pour l'âme. Elle répéta pour elle-même le fameux aphorisme de Juvénal : *Mens sana in corpore sano.* Un esprit sain, c'était l'évidence même, ne pouvait se développer que dans un corps bien nourri. Il ne s'agissait pas d'être riche pour respecter cette leçon de vie. Quand elle discutait de tout cela avec Bernard, elle insistait : la cuisine était là pour rassembler les gens. C'était un geste d'amour.

Vêtue d'une robe simple et élégante, comme à son habitude, Jehane noua son tablier des grands jours, blanc, et brodé de petites roses. Elle posa sur la table son morceau de viande et l'examina sous tous ses angles. L'agneau sentait bon. Elle le palpa, puis le piqua : il était bien rose et juteux. Tout cela était fort appétissant. Du reste, elle ne pouvait douter de la fraîcheur de la viande car la bête avait été abattue chez eux. C'était pour se livrer à l'élevage de moutons que les Benoit, surtout, s'étaient établis à la campagne. Et déjà, ce projet allait bon train. Grâce au talent et à la passion de Bernard, le domaine se transformait chaque jour. La maison n'était pas très grande, on aurait même pu la qualifier de modeste, mais elle était typique de cette région. Toit pentu, fenêtres à carreaux, belle galerie, entourée d'arbres, elle était fort accueillante et chaleureusement meublée. Sur le comptoir du bar, Jehane avait posé un santon acheté en Provence et représentant un berger. Elle avait pour quelques objets une affection particulière, comme pour celui-ci.

Elle écarta délicatement les rideaux de la cuisine et contempla la beauté de la nature. Elle eut envie d'appeler

Bernard pour partager avec lui ce moment de joie. Mais quand il lisait son journal, il ne fallait surtout pas le déranger. Elle se laissa encore aller à quelques pensées. Dans peu de temps, ses invités arriveraient, elle serait alors une hôtesse parfaite. Pourtant, le travail à la ferme était éreintant. Heureusement, il était récompensé par le calme dont on profitait une fois les besognes accomplies. Au début, le voisinage avait considéré le couple avec une certaine méfiance. Cette madame Benoit n'était-elle pas une vedette de la télévision ? Combien de fois avait-on vu des fourgonnettes à l'enseigne de Radio-Canada débarquer chez ces Benoit ! Des cameramen en sortaient, que madame Benoit accueillait en souriant. Mais on avait vite compris que cette femme était simple et accessible. Elle allait droit au but et n'avait pas la langue dans sa poche. On n'était pas surpris de la voir s'occuper elle-même de son jardin, sa grosse écharpe autour du cou, même si une jeune fille de Nouvelle-Écosse était assignée à ce travail. À ceux qui l'approchaient, alors qu'elle s'affairait dans son potager, Jehane affirmait :

— J'aime ce qui vient de la terre.

Jehane fut tirée de ses réflexions par Bernard. Il s'assit à la table.

— Ah ! dit-il en soupirant. Tous les jours, je bénis le ciel d'avoir eu l'idée de venir ici.

— Et toi, rétorqua Jehane en riant, tu m'as convaincue et je t'ai suivi. Jamais la citadine que j'étais alors n'aurait imaginé finir ses jours à la campagne !

Bernard, qui adorait parler de ce parcours presque épique, rappela à sa femme tous ces gens qui les avaient découragés de quitter Montréal.

— Comme si la campagne était le bout du monde ! s'écria Jehane. Les gens ont vite oublié leurs origines. La vie urbaine, au Québec, est somme toute assez récente.

— Mais tu sais bien, Jenny, que c'est à cause de ta notoriété. Tu es une vedette et non une fermière, ajouta-t-il d'un ton narquois.

Jehane sourit, mais elle détestait qu'on puisse avoir cette image fausse et figée d'elle-même. Une vedette ! Ce seul mot la faisait rire tant elle le trouvait ridicule. Jehane avait simplement eu la chance de participer à des émissions lors desquelles elle avait pu transmettre son savoir culinaire. De cela, elle était fière. Les vraies stars sont bien autrement.

Elle se perdit encore dans ses pensées. Décidément, cet anniversaire la rendait nostalgique. Ce n'était pas son genre ! Elle se revit jeune fille à Paris, rêvant de devenir actrice.

— Je suis une communicatrice, dit-elle à Bernard. J'ai ce talent, je le reconnais. J'ai hérité cela de mon père. C'était un professeur né. Mais tu sais bien que j'aurais voulu être comédienne.

— Crois-tu que vivre loin du centre-ville pourrait éventuellement nuire à ta carrière de star de la cuisine à la télévision ? demanda Bernard en riant.

— Cesse ces flatteries, je t'en prie ! Une star… Parce que j'ai écrit quelques livres de recettes ? Et, qui plus est, que des fascicules au début ? Les allers-retours Sutton-Montréal ne me gênent pas, si cela répond à ta question. Et je n'ai pas l'intention de ralentir le rythme de mon horaire.

Les deux se regardèrent et éclatèrent de rire. Ils avaient cette complicité unique, rare, et jusqu'alors indéfectible. À première vue, aux yeux de tant de gens, ils avaient formé un couple un peu désassorti. Au début de leur romance, plusieurs avaient douté de la force de leurs sentiments.

Jehane baissa les yeux. Elle aimait tant cet homme qui lui avait fait confiance dès les premiers moments de leur rencontre. Elle était fondamentalement indépendante, mais elle ne niait pas avoir besoin de ce soutien affectif. Elle avait besoin de conseils, d'échos. Bientôt, le jour viendrait où ils fêteraient le trentième anniversaire de leur union. Jehane remerciait la vie d'avoir mis Bernard sur son chemin. Grâce à lui, et avec lui, à soixante-trois ans, elle avait encore bien des années de grandes réalisations devant elle. Ce jour-là encore, elle s'émerveillait de cette rencontre qu'elle avait espérée mais qu'elle n'aurait jamais pensé connaître au milieu de sa vie. Il était réellement un homme à sa mesure.

— Ouvre donc une bouteille de vin, dit Jehane, qu'on boive un tout petit verre avant l'arrivée des invités.

Bernard s'exécuta.

— Trinquons, mon cher Bernard ! s'exclama Jehane, émue.

— À toi, ma Jenny, bon anniversaire !

44

Robert fut très surpris d'entendre la sonnette de l'entrée en plein après-midi. Ouvrant la porte, il fut encore plus étonné de voir Nicole. Jamais, depuis son départ, elle ne s'était présentée chez lui sans s'annoncer.

— J'étais dans le quartier, dit-elle assez fébrilement.

Robert lui retira son imperméable et l'invita à entrer.

— Et que faisais-tu donc dans le quartier ? demanda-t-il.

Dans la cuisine, elle mit de l'eau à chauffer, puis ouvrit la fenêtre au-dessus de l'évier pour fumer une cigarette, comme si elle était chez elle. Après tout, elle l'était, en quelque sorte, ayant passé tant d'années à vivre là avec Robert.

— Tu permets ? J'ai envie d'un truc chaud, dit-elle.

Robert l'observait, impassible. Elle paraissait à présent parfaitement à l'aise et ne semblait préoccupée par rien. Sauf qu'elle ne semblait pas souhaiter répondre à sa question.

— Où en es-tu avec Jehane ? demanda-t-elle.

Robert désigna sur la table le dernier chapitre imprimé. Nicole s'assit et lut en attendant qu'il lui serve une tasse de Kombucha, qu'ils aimaient désormais autant tous les deux.

— Eh bien ! s'exclama-t-elle. À quinze ans, Jehane était tout de même assez débrouillarde et hardie pour traîner dans cette épicerie grecque… On voit clairement à quel point la cuisine était son domaine, même à cet âge. On remarque aussi qu'elle était très ouverte d'esprit. En 1919, tu te rends compte ? Aller à la rencontre de ces ethnies et apprendre sur leurs habitudes alimentaires est assez avant-gardiste.

— Oui, acquiesça Robert, sinon visionnaire. J'en suis bientôt à attaquer sa découverte du micro-ondes. Et tout ce qu'elle a fait pour l'améliorer. Cette Jehane est fascinante, inventive, et toujours prête à relever de nouveaux défis. Franchement, elle m'impressionne.

Nicole but une gorgée de son thé et soupira d'aise.

— Mais à lire ton dernier chapitre, enchaîna-t-elle, on se demande si elle aurait connu la même réussite sans Bernard…

Robert fut soudain pris par un sentiment de nostalgie. Celui d'être en couple. À décrire cette histoire d'amour exceptionnelle entre Jehane et Bernard, il pensait à la sienne, ratée, gâchée. Pourtant, Nicole était encore là, ravissante ce jour-là, comme d'habitude, et le secondant sans qu'il n'y paraisse dans son écriture.

— Aurait-il réussi sans elle ? murmura-t-il.

Il y eut un silence. Robert regarda Nicole intensément et elle ne baissa pas les yeux. Il se demanda encore ce qu'elle faisait là, mais n'osa pas lui poser la question.

— Pourquoi ont-ils nommé leur domaine Noirmouton, s'enquit-elle. Le sais-tu ?

— Oui, tout à fait. Il y avait d'ailleurs un panneau au-dessus de la porte de la bergerie, peint par Bernard lui-même, avec les lettres de ce nom bien gravées. Comme tu sais, Bernard élevait des moutons Hampshire. L'une des caractéristiques de ces bêtes, c'est qu'elles sont toutes bouclées et blanches, sauf leur tête, leurs pattes et leur museau qui sont noirs.

— Leur parcours est tout de même étonnant, poursuivit Nicole. Les Benoit incarnent le rêve de combien de gens ? Le fameux retour aux sources… C'est tout un défi pour des gens de la ville, et surtout des gens qui ont voyagé partout en Europe, comme eux, de se consacrer à l'élevage du jour au lendemain, non ?

— D'abord, les familles de Jehane et de Bernard venaient de la campagne, comme la plupart des familles du Québec à cette époque. Ils sont la deuxième génération citadine. Ils vivaient en pleine révolution sociale. Et s'ils ont souhaité retrouver les coutumes de leurs grands-parents, c'est que Bernard Benoit a toujours considéré le travail de la ferme comme l'un des plus nobles. Il ne jouait pas à être paysan, il savait que c'était un travail de titan, très risqué d'ailleurs.

— Berger… dit Nicole. C'est romantique. Il y a quelque chose de biblique dans cette fonction.

— Bien vu, approuva Robert. Je vais développer cet aspect, tiens ! Je n'y avais pas pensé. L'agneau est une bête sacrée. Elle évoque aussi le sacrifice… Le don…

— Pas un peu tiré par les cheveux, ça ? dit Nicole en riant.

— Il y a toujours un sacrifice dans une vie… Un sacrifice est un vrai don. On ne peut revenir en arrière.

— Celui de Jehane ?

— Pour accomplir tant de choses, répliqua Robert, il faut renoncer à d'autres choses, et à bien des plaisirs. Il est impossible d'écrire quelque vingt-cinq livres dans une vie et faire la grasse matinée à longueur d'année. Le sacrifice peut être de moins se divertir, moins voir de choses pour passer des heures et des années dans le silence qu'exige l'écriture. Et la recherche ! Les ouvrages de Jehane étaient rigoureux et fouillés. Cela lui demandait à chaque fois une grande préparation.

— Et le sacrifice de Bernard ?

— Bernard… Aimer une femme qui ne peut plus te donner d'enfant peut être un sacrifice. Mais tu le fais parce que tu aimes cette femme.

Nicole fit une petite grimace. La conversation prenait une tangente qu'elle redoutait. Eux-mêmes n'avaient jamais eu d'enfant. Le sujet les avait longtemps absorbés et perturbés. Nicole était stérile, et Robert peu enclin à l'adoption. Ayant été élevé par une veuve, il savait plus qu'un autre ce que représente la réalité de l'éducation d'un enfant. Le couple s'était naturellement tourné du côté de la carrière. Pourtant, en en parlant ce jour-là, Nicole et Robert constataient qu'ils étaient toujours très sensibles à ce souvenir.

— Mais Bernard a eu ce fils, déclara Nicole.

— Oui. Et Jehane l'a accueilli, comme tu sais. Ce couple était soudé, un vrai modèle… Du reste, chacun a mis de l'eau dans son vin pour durer si longtemps. Il n'y a pas de secret…

— Tu en es presque à la fin de ton livre, dit-elle avec admiration.

— Il reste tout de même quelques chapitres…

— Tu as une idée de la conclusion ?

Robert se tut un instant avant de répondre.

— Je crois que la plus grande réussite de Jehane est d'avoir fait comprendre à ses compatriotes qu'ils avaient une cuisine bien à eux, et qu'ils n'avaient rien à envier aux autres. Elle a donné ses lettres de noblesse à notre tradition culinaire. Il fallait que quelqu'un le fasse ! Or, c'est Jehane Benoit qui l'a fait.

— Il faut ajouter, souligna Nicole, tout ce qu'elle a fait pour alléger le travail des ménagères. Elle a montré qu'il n'était pas nécessaire de vivre derrière un fourneau pour arriver à nourrir une famille. Elle était logique et pragmatique.

— Ça oui, approuva Robert. Et elle aurait déploré beaucoup d'aspects de notre alimentation d'aujourd'hui.

— Que veux-tu dire ?

— Jehane était *groundée*, comme on dit de nos jours. Elle était solide, bien enracinée, structurée. Manger des fraises, des asperges et des bleuets en plein hiver lui aurait paru complètement détraqué. Elle gardait un lien très ferme avec les façons de faire anciennes, et par conséquent naturelles. Manger des fruits et des légumes de saison. De Pomiane le lui avait bien enseigné : faire la cuisine selon ce que la nature nous donne. Or, si l'on étudie un peu l'alimentation, et c'est bien ce que je dois faire pour rédiger ce livre, on comprend d'autant mieux à quel point la tradition a du bon.

— Donne-moi un exemple.

— Dans *Un homme et son péché*, le roman de Claude-Henri Grignon, il est régulièrement fait allusion aux galettes de sarrasin. Jehane, dans ses livres, va rappeler toutes les vertus de cette céréale, une des meilleures à manger, bien avant le blé ou l'épeautre, que l'on a remis à la mode.

— Donc ?

— C'est la victoire de Jehane. Les galettes de sarrasin de Séraphin, cet avare, ne sont qu'un exemple de ce qu'elle a remis au goût du jour. Grâce à elle, on a réappris à ne pas mépriser les patates, le chou ou encore les épis de maïs pour comprendre que ces produits de la terre sont aussi nobles qu'un pois mange-tout ou un salsifis.

— La part du pauvre est souvent la meilleure.

— Tu l'as dit, ma chère Nicole. Mais, au fait, que faisais-tu dans le quartier ?

Nicole tourna la tête vers la fenêtre, puis regarda Robert sans sourciller.

— J'avais tout simplement envie de te voir…

45

Au-dessus de la porte d'entrée, une icône en bois, toute simple, aussi belle qu'une relique médiévale, semblait protéger la maison des Benoit. À quelques kilomètres de là, sur les bords du lac Memphrémagog, on avait érigé une abbaye à la mémoire de saint Benoit. Étrange coïncidence ? Signe de l'au-delà ? Depuis leur arrivée dans cette campagne non loin de Sutton, les Benoit étaient conviés à la paix et à la sérénité. À Noirmouton, les années passaient, heureuses, pleines, et les soirées s'écoulaient paisiblement après de longs jours consacrés au travail. Une fois par semaine, le soir, Jehane et Bernard s'installaient confortablement dans leurs fauteuils, et mangeaient devant la télévision. Jehane leur avait préparé un excellent plateau-repas. C'était leur petit moment. Du reste, quand il faisait doux, Jehane et Benoit s'asseyaient sur la galerie, et prenaient un apéritif. Des odeurs appétissantes leur parvenaient de la cuisine. Jehane avait toujours concocté un mets succulent avant de s'accorder quelques minutes de repos.

— Dire que la première fois que je suis entrée dans cette maison, j'ai voulu repartir aussitôt, dit Jehane en riant.

Bernard sourit. Son épouse lui rappelait souvent cet épisode. Cela ne faisait que souligner à quel point ils avaient fait des progrès depuis ce premier jour. Il leva son verre en trinquant aux belles années qu'ils vivraient encore, ensemble, dans ce domaine unique.

— On en a fait du chemin, déclara Jehane, l'heure de l'apéritif la rendant toujours plus encline aux épanchements. Mais... Je sais, moi, quels regrets te taraudent.

Bernard la regarda. Jehane enchaîna :

— Tu aurais voulu avoir plus d'enfants, n'est-ce pas ?

— Peut-être... J'aurais surtout voulu avoir un enfant de toi. Mais j'ai Monique et ses enfants. Je suis leur grand-père. C'est ma famille. Il n'y a pas de regret à avoir quand on est comblé de la sorte... Mais laisse-moi deviner tes regrets, Jenny...

Elle sourit. Puis éclata de rire quand Bernard lui rappela ses velléités de devenir actrice.

— J'étais si jeune, dit-elle tout bas. Je désirais jouer avec Sacha Guitry. Tu imagines la petite Canadienne avoir cette ambition ! Mais je ne regrette pas d'avoir suivi des cours chez Dullin. Il n'était pas commode. Il faisait même peur. Il faut dire qu'il aimait les femmes et que j'avais vingt ans. Je n'étais pas si mal, mais malgré mes efforts, je n'avais pas de talent.

— Allons, Jenny ! Que dis-tu là ? s'écria Bernard. Je ne suis pas le seul à penser que tu es une véritable comédienne quand tu expliques tes recettes à la télévision, avec autant de sérieux que d'humour. Elles sont rares les femmes qui, comme toi, ont tant d'aisance devant la caméra. On dirait que tu as fait cela toute ta vie. Et pourtant, quand on y pense, la télévision n'a pas encore vingt ans...

— En effet, et c'est le meilleur moyen de diffuser la connaissance.

Elle ferma les yeux un instant, transportée dans le Paris des années 1920 qu'elle avait bien connu. Ce vieux désir de jouer la comédie venait de loin. Si elle avait été plus élégante, comme sa mère, elle aurait sans doute persévéré dans le monde du théâtre. Mais Jehane avait toujours été lucide : elle n'était pas une beauté. Dans ce métier, cela pardonnait rarement. Les actrices dites laides, Bette Davis, Alice Sapritch, se le faisaient rappeler tout au long de leur carrière. Jehane était bien en chair, joyeuse, charmante, certes. Mais elle ne possédait ni le visage parfait ni la silhouette impeccable des Greta Garbo, Joan Crawford ou Michèle Morgan qui scintillaient au firmament de la gloire.

Jehane se leva pour aller vérifier son repas, et Bernard se resservit un autre verre de vin. Lorsqu'elle revint s'asseoir, il lui raconta que le jour même encore, des voisins lui avaient dit être encore tout étonnés que le couple Benoit ait pu redonner vie à ce qui ressemblait autrefois à un chantier.

— Grâce à toi ! dit-elle.

— C'était risqué et nous nous sommes lancés dans cette entreprise tous les deux. Au fait, j'ai parlé au vétérinaire, le docteur Saint-Pierre. Il travaille sur notre idée de faire en sorte que nos moutons aient le plus souvent des jumeaux. Si on ne tente rien, on n'a rien. Cela pourrait doubler le cheptel, et nous permettre de moins souffrir des pertes inévitables des bêtes malades, perdues, ou dévorées.

— Bonne nouvelle ! s'enthousiasma Jehane. De mon côté, tout roule. Même si Monique enseigne à Sherbrooke, elle me donne un sérieux coup de main. Je ne croyais jamais, à mon âge, pouvoir mener une école et une boutique de front dans un coin aussi éloigné de la ville. Il faut dire que lorsqu'elle séjourne ici, notre chère Sylvie

Delbuguet nous est d'un grand secours. Et à mon âge, j'ai bien besoin d'elle.

— Ton âge ? s'exclama Bernard. Mais tu n'as pas d'âge. Tu es plus vivante que tous les gens qui viennent acheter dans ta boutique. Tu mourras en travaillant, je te le dis. Que le plus tard soit le mieux !

Jehane et Bernard manifestaient souvent à haute voix leur gratitude. Ils demeuraient humbles et reconnaissants, savourant les chances qu'ils avaient eues de vivre ce qu'ils vivaient. Il y avait eu les journaux, la radio, la télévision, les publicités. À leur façon, ils étaient chacun des célébrités. Bernard, pour être maire du Canton depuis longtemps, et Jehane, pour ses incessants accomplissements.

— L'encyclopédie a vraiment tout déclenché, affirma Bernard, toujours admiratif de cet extraordinaire succès de librairie.

Ils se souvinrent de ce jour où ils avaient décidé ensemble que ce projet serait certainement l'un des plus percutants de Jehane. C'était un soir de 1960. Comme ce jour-là, ils étaient assis sur la galerie, un verre à la main, et Jehane n'avait pu garder pour elle son secret.

— Pendant ton séjour en Europe, avait-elle dit, un éditeur m'a appelée. Il s'agit d'une très grosse affaire.

Bernard s'était calé dans son fauteuil de rotin, buvant son vin à petites gorgées pour faire durer le plaisir.

— Je te connais bien, Jehane, quand tu commences une phrase avec ce genre de préambule, c'est que ton projet a de bonnes chances de réussite.

Jehane avait toujours été sensible aux mots d'encouragement de son époux.

— Cet éditeur est un Français qui habite New York. Il travaille pour le Cercle du livre de France. Imagine-toi qu'il voudrait que j'écrive une encyclopédie de la cuisine canadienne.

Bernard n'avait eu aucun sursaut de surprise : il lui semblait naturel que sa femme puisse se lancer dans une telle entreprise.

— Bravo ! s'était-il exclamé. Quelle idée excellente ! Je ne sais pas pourquoi on n'y avait pas pensé plus tôt. Il fallait bien un Français pour y songer. Je ne suis pas surpris qu'on ait pensé à toi.

— Bernard, tu me connais... Tu sais bien que je suis une femme prudente, et que je ne fais rien sur un coup de tête, même si je suis Bélier ! Tout cela m'enchante, mais je ne veux pas me faire dicter quoi que ce soit. Je suis indépendante. Je ne cherche pas la célébrité à tout prix.

Jehane avait soupiré.

— Ce sera toute une besogne, ils veulent au moins 1200 pages. Tu sais ce que signifie le mot encyclopédie... Bien sûr, il s'agit de recettes, de simples recettes, pourraient dire les gens qui ne savent pas combien d'heures de travail je consacre pour qu'un mets soit excellent. Heureusement, tu m'aideras en goûtant à tout ce que je préparerai pour mieux le décrire. Tu es gastronome dans l'âme. Bref, si je fais cette encyclopédie, ce sera ce que je laisserai en héritage à mon pays.

Elle voyait juste. Et, bien après sa mort, son travail gigantesque resterait toujours inégalé. En ces années 1960, l'Occident bougeait, les temps changeaient, les modes, les mentalités. C'était un grand bouleversement de mœurs et d'idées. Jehane était consciente d'être appelée à jouer un rôle personnel très précis sur cet échiquier. Pourtant, plusieurs, avant la sortie de ce livre aussi traditionnel que révolutionnaire, s'étaient demandé en quoi Jehane Benoit pouvait bien innover. Tout le monde peut faire cuire un œuf! C'était bien le genre de cliché qu'elle comptait démolir en prouvant que la cuisine était un art à part entière, tributaire des trésors transmis de mères en filles, sinon de pères en fils.

Auprès de cet éditeur qui avait parfaitement compris le marché à conquérir avec les jeunes femmes d'une époque en train de naître, Jehane avait dû montrer des qualités d'historienne. Elle ne niait pas son contentement de fort bien gagner sa vie, mais ne supportait pas le mercantilisme, et encore moins les préjugés. Lorsque l'éditeur lui avait demandé de décrire son éventuelle méthode de travail, Jehane avait répondu, très enthousiaste :

— Je n'ai aucune peine à imaginer que ce sera un livre volumineux, une encyclopédie, comme vous le dites bien. Je crois même qu'il ne me sera pas facile de faire le tri dans tout ce que je vais trouver : nous avons une véritable tradition culinaire, même si notre pays est jeune. J'admets qu'on ne saurait se comparer à l'Europe. Ce serait ridicule. Mais n'oublions pas que nous avons hérité des influences de la France et de l'Angleterre, et qu'il y avait ici ce que nous appelions autrefois des Indiens. Je préfère les appeler des Autochtones. Plus je les fréquente, plus j'apprends d'eux. Leur cuisine particulière a largement influencé la nôtre.

C'est alors que Jehane avait senti de la part de son éditeur une pointe de curiosité amusée.

— Mais, avait-il rétorqué, je pensais que la cuisine canadienne était surtout d'origine française.

Jehane l'avait aussitôt interrompu, ne pouvant retenir la fougue qui la caractérisait, mais également sa passion.

— Vous exprimez là une idée reçue. Depuis que j'anime des émissions de cuisine, j'ai appris pas mal de choses étonnantes. Figurez-vous que l'influence des Français n'est pas si importante. Bien sûr, nous devons aux Poitevins les cretons et l'omelette au lard, par exemple, aux Normands la perdrix au chou, aux Bretons la miche de pain au levain… Mais il n'en reste pas moins que les colons qui sont venus s'installer ici sont vite devenus des paysans, ce qu'ils étaient chez eux, d'ailleurs, pour la plupart. Ils ont dû faire avec ce qu'ils trouvaient, et surtout se lier d'amitié avec les Autochtones qui, eux, connaissaient parfaitement leur terre. J'insiste : les gens qui venaient s'établir en Nouvelle-France étaient pauvres, la plupart du temps, et surtout ceux qui sont restés après la Conquête. Ils travaillaient fort et ils avaient faim. Ce sont les femmes qui ont dû inventer des mets, et se renouveler sans cesse, pour nourrir leurs grosses familles. Elles faisaient des miracles avec rien ! Un morceau de pain trempé dans du lait sucré était un dessert du dimanche.

Bernard et Jehane rirent à ces souvenirs déjà lointains.

— Ainsi, enchaîna Bernard, ton encyclopédie a remis les pendules à l'heure car elle était doublée d'une bonne leçon d'histoire. On sait si peu de choses sur nos ancêtres. Mais, à bien y penser, on se rend compte qu'ils étaient des débrouillards hors pair. Et qu'ils étaient ouverts… Ils ont appris des Indiens à fumer les viandes, à reconnaître certaines herbes dans les bois, comme le persil et la sarriette.

— Oui, approuva Jehane. Et j'ai également montré qu'il est agréable de cuisiner, que c'est un plaisir que l'on peut partager en famille et non une tâche difficile et rebutante. Aussi, je crois avoir aidé à ce qu'on reconnaisse que l'on doit la tarte à la citrouille à la Nouvelle-Angleterre et le goût de la mélasse, de la muscade et de la cannelle aux Anglais, grands explorateurs.

— Cet éditeur a vu juste en tout cas, déclara Bernard. Surtout en te demandant de faire le travail… Car qui d'autre aurait été à même d'abattre une telle besogne ? Les religieuses avaient énormément de connaissances et, sans elles, nous serions ignorants, mais toi, tu as eu le talent de concilier l'image d'une femme active avec celle d'une autre époque.

— Sur ce, mon cher époux, dit Jehane en riant, acceptez-vous de passer à table ? Je sens que ma quiche aux poireaux et mon cerf braisé sont prêts à servir.

Bernard se leva. Avant d'entrer dans la maison, il serra fort Jehane dans ses bras et lui dit qu'il l'aimait.

46

Robert appréhendait cette soirée. Une initiative de Thomas Lapierre et de sa femme, après que Sophie eut manifesté le désir de revoir Nicole après toutes ces années. Il sonna à la porte de la maison de ses amis. Bien sûr, il avait accepté l'invitation, mais il n'était pas très enthousiaste à l'idée de revoir Patrick. Cependant, Thomas avait également invité Marc et sa femme. Il pourrait se réfugier près d'eux au cas où. Depuis qu'il travaillait intensément sur la vie de Jehane Benoit, Robert naviguait dans le passé. Celui de la grande dame de la cuisine, d'abord, mais aussi le sien, dont il parlait invariablement avec ses amis à chacune de leur rencontre car, à discuter d'une époque ou d'une autre, l'un ou l'autre finissait toujours par évoquer ses propres souvenirs.

Sophie avait eu la bonne idée de faire un buffet. Les convives purent ainsi s'assoir où ils le souhaitaient dans le salon. C'était moins contraignant qu'un dîner autour d'une table. Robert adressa quelques mots polis à Patrick, rit même à quelques reprises avec lui, sous le regard amusé et soulagé de Nicole. Plus tard, au dessert, elle demanda assez haut pour que tout le monde entende quel chapitre il avait travaillé dans la journée. Tout le monde se tut. Robert se sentit gêné.

— On pourrait parler d'autre chose, vous ne trouvez pas ? dit-il. Sophie a bientôt un concert à Calgary, Thomas a l'idée d'écrire un livre sur un sujet que, d'ailleurs, je lui ai sans doute inspiré…

— La cuisine dans le roman québécois, précisa Thomas.

Tout le monde y alla d'un commentaire positif.

— Je continue, enchaîna Robert. Nicole, n'as-tu pas eu un contrat la semaine dernière ?

Nicole sourit à l'intention de Marc et sa femme.

— Eh oui… Nos chers amis me font confiance et m'ont demandé de faire la décoration du chalet qu'ils viennent tout juste d'acheter à Val-David.

— Alors, reprit Robert, je crois que chacun ici a quelque chose à raconter.

— Sans aucun doute, répliqua Sophie. Pourtant, tu ne nous as encore rien dit de tes nouvelles découvertes sur Jehane.

— Rien de particulier, je vous l'assure, affirma Robert. Ces derniers jours, j'ai surtout écrit sur la portée de son encyclopédie.

À ce seul mot, la conversation s'anima. Thomas rappela que la publication de l'encyclopédie avait correspondu à une nouvelle façon de commercialiser le livre au Québec, puisque l'ouvrage avait été vendu dans tous les magasins de la chaîne d'alimentation Steinberg, et non uniquement dans des librairies. Un procédé tout à fait nouveau pour l'époque. On était alors loin des pharmacies qui vendent autant de chocolat et de serviettes de plage que de médicaments, et des épiceries proposant des produits de beauté, ou encore des plantes d'intérieur. L'idée de Steinberg agit comme un boomerang, car, après, la formule, forcément très lucrative, fut adoptée, raffinée et exploitée sous tous ses angles.

— Quelle fortune Jehane a dû se faire ! déclara Patrick.

Robert fut agacé par ce commentaire. Déjà, il supportait mal que son ami d'autrefois soit parti avec sa femme, même s'il comprenait parfaitement les circonstances qui avaient conduit à cette situation, mais il était allergique à ce qu'il se mêle de juger son sujet.

— Tu as tort, dit-il sèchement. C'est d'ailleurs ce que j'explique en détail dans le livre pour bien montrer, justement, que Jehane n'était pas une vendue comme il en traîne tant aujourd'hui. Elle avait le sens de l'honneur, tout comme celui de la cause. Elle respectait profondément les femmes. Quand l'éditeur lui a annoncé qu'il souhaitait vendre son livre vingt dollars, elle a failli avoir un malaise. Elle a imaginé sa lectrice cible : une femme au foyer, mère de famille, devant administrer un budget peut-être serré. Comment demander à cette ménagère de trouver vingt dollars pour un livre, fut-il le plus beau, le plus indispensable du monde ?

— Un autre beau trait de sa personnalité, renchérit Nicole en regardant Robert avec autant de tendresse que d'admiration. Il y a si peu de gens qui réussissent et qui gardent la tête sur les épaules… Mais ce mouvement de loyauté est-il donc à l'origine des fascicules ?

Robert sourit à Nicole. Un court instant, tout sembla s'arrêter. Il la sentait complice, proche de lui comme jamais.

— Tout à fait ça, répondit-il. Jehane avait déjà une image médiatique. Une réputation de cuisinière modèle. Elle aurait détesté que ses lectrices, forcément des admiratrices, ne puissent acheter son livre. Tout en reconnaissant que son excellent travail méritait d'être bien payé, elle refusait qu'on exploite les gens. Elle a alors pensé à une autre façon de vendre cette encyclopédie. Soit de la découper en quelque sorte en chapitres, et vendre chaque semaine des fascicules qui seraient annoncés chez Steinberg.

— Cette aventure a contribué à la rendre vraiment célèbre, dit Marc. Je lui trouve des talents de marketing singulièrement modernes. Elle était non seulement une créatrice, une artiste culinaire, mais elle savait gérer un projet afin de le maximiser.

— Elle était allée à bonne école, reprit Robert. Son père avait un don pour la gestion et avait su s'imposer dans le milieu de la finance à Montréal. Puis Bernard… Diplômé de HEC, féru de publicité, etc. Elle n'était pas laissée pour compte. Elle avait des appuis. Jehane Benoit est devenue une entreprise en soi.

— Quelle carrière ! s'exclama la femme de Marc. Je me souviens évidemment de cette grande vente à l'Hôtel des Encans. Il y avait beaucoup de monde. Une amie m'avait demandé d'y aller et j'avais accepté, car je gardais un souvenir très fort de Jehane Benoit puisque je l'avais vue présenter, dans un grand magasin du centre-ville, un des premiers micro-ondes. Cette femme aurait dû être professeur. Je ne voulais alors rien savoir de cet engin. Mais ses explications étaient tellement claires, étayées et convaincantes que j'en avais acheté un. Tu te souviens, Marc ? Mais bon, cet encan… Il y avait un côté très regrettable à cela. Que toutes ses choses, si intimes au final, et celles de Bernard, forcément, soient ainsi dispersées… Comment se fait-il que ce domaine ne soit pas resté dans la famille ?

— Je l'ignore, déclara Robert. Le petit-fils de Jehane avait eu un grave accident de moto, et elle était très inquiète pour lui. Il ne pouvait plus, physiquement, aider à Noirmouton comme il l'avait fait. Elle était très inquiète pour lui et s'est arrangée pour qu'il gère le petit restaurant qui accueillait les groupes arrivant de Montréal en autobus. Monique, sa mère, est morte jeune, d'un cancer. Ce fut bien entendu une très lourde et douloureuse perte pour Jehane. Elle a toujours précieusement gardé dans son salon un ouvrage de petit point fait par sa fille et qui représentait un chat, cette bête qu'elle aimait. À part ça, je sais très peu de choses de la fille de Monique, sauf qu'elle est restée en Estrie et qu'elle a épousé quelqu'un qui a été maire de Sutton pendant des années. Bref, il ne faut pas se le cacher, cela prend beaucoup d'argent pour gérer un troupeau, des bâtiments, une boutique, une école, et entretenir une maison. Ce couple Benoit avait réussi un tour de force en menant ce domaine presque seuls. Tout finit par s'effriter, tôt ou tard…

— Oui, mais c'est tellement dommage, déplora Thomas. Dans ces conditions, comment peut-on se souvenir de notre histoire ? Je pense à l'appartement parisien de Victor Hugo, place des Vosges, qui se visite toujours, à la maison de Balzac, ou encore à celle de Dickens, à Londres.

— Nous n'avons malheureusement pas pris exemple sur les Européens à ce titre, regretta Nicole. C'est navrant… Quoi qu'il en soit, Jehane aura laissé le principal, avec cette encyclopédie.

— Oui, approuva Robert sur un ton plus gai. D'autant plus que ce livre, qui est son chef-d'œuvre, il va sans dire, a donné le coup d'envoi à tant de publications ! Je pense à tous les livres qu'elle a écrits seulement sur les sauces… Avec le poisson, la volaille, la viande. Et tous les livres qu'on publiera après sa mort.

— Elle était devenue une machine à produire, dit Sophie.

— C'est la rançon de la gloire, rétorqua Patrick. Le succès a ses exigences. Et derrière Jehane, il y avait les éditeurs. Ils devaient lui réclamer des titres et, dans la foulée, elle devait en proposer aussi.

— En tout cas, reprit Nicole, pour écrire tant de choses, il a fallu qu'elle rédige pendant des années. Et avant l'ordinateur. Aujourd'hui, on écrit bien plus vite. Tout se fait plus rapidement. Les résultats ne sont toutefois pas toujours reluisants…

La conversation bifurqua sur la culture en général. Chacun proposa une définition moderne de ce mot. On se quitta vers minuit en riant. Juste avant de sortir, Robert salua une dernière fois Nicole. Elle le regarda longuement. Robert eut l'étrange impression qu'elle était triste. Il se promit de lui téléphoner le lendemain.

47

Dans les bureaux de Panasonic, on se réunit depuis plusieurs semaines pour discuter de la promotion et de la commercialisation du micro-ondes. L'invention de Percy Spencer, d'abord mise en marché par la compagnie Raytheon, bouleversera les habitudes culinaires. Des milliards de dollars seront à gagner avec cette création. Quelle personnalité canadienne pourrait être en mesure de vendre adéquatement ce nouveau produit ? Autour de la grande table de conférence, plusieurs citent des noms connus. Aucun ne fait l'unanimité. Puis, quelqu'un dit : « Madame Jehane Benoit. » Quelle folie ! Madame Benoit pour vendre un micro-ondes... Une vraie farce. Pourtant, pendant un moment, c'est le silence. Puis, une voix s'écrie :

— Non, elle ne voudrait pas.

Un autre ajoute que l'image qu'elle projette depuis le succès de sa fameuse encyclopédie ne correspond pas à ce produit électroménager d'avant-garde.

— Mais pourquoi dites-vous cela ? Au contraire, cette femme m'apparaît des plus ouvertes pour tout ce qui touche à la cuisine.

— C'est un produit jeune, révolutionnaire ! Quel âge a donc cette madame Benoit ? On ne veut pas d'une grand-mère pour publiciser ce four principalement destiné aux gens actifs...

— Peut-être, mais c'est une savante de la cuisine. Il faut prendre cette idée en considération. C'est indispensable.

Madame Benoit donnera justement du sérieux et une grande crédibilité à l'appareil. Je propose qu'on lui suggère d'en faire la publicité. Si elle refuse, on tentera notre chance avec une autre personnalité. Mais je crois bien que nous tenons là notre meilleure représentante.

Cela prit une semaine avant que Jehane apprenne au téléphone que l'on songeait à elle pour ce défi. Aussitôt, elle fut tentée. Depuis la mise en marché de ce nouvel appareil, elle s'y intéressait et avait elle-même fait plusieurs expériences. Avant de répondre, elle hésita toutefois, préférant toujours avoir d'abord l'avis de Bernard.

— Depuis des années, dit-elle, je ne fais rien sans en parler à mon époux. Il est un peu mon agent, vous savez. Bien que je sois seule à décider, j'aime bien profiter de ses conseils.

Quand il apprit cette nouvelle, Bernard se montra très enjoué.

— Il faut accepter cette offre, Jehane. Tu ne te rends pas compte ! Panasonic est un empire. Cela te rendra célèbre partout dans le monde ! Ils te font confiance, c'est quand même assez flatteur, non ?

Il hocha la tête, épaté.

— Franchement Jenny, je n'en reviens pas. C'est une proposition béton, incroyable… Tellement moderne ! C'est bien ce que je dis. Tu n'as pas d'âge. Ces gens sont assez intelligents pour faire appel à la compétence au lieu de nous balancer une fois de plus une fille en bikini pour nous vanter les mérites d'un nouvel appareil. Te choisir est tout à leur honneur…

— Mais Bernard, si je n'ai pas accepté d'emblée, c'est parce que je me demande si mes lecteurs et, particulièrement mes lectrices, sont prêts à faire la cuisine au micro-ondes.

Ce serait tout un travail, en effet, une fois de plus, pour changer les mentalités et inviter les consommateurs à s'ouvrir à la nouveauté, et à l'inconnu. Jehane savait qu'elle devrait avoir des arguments solides et nombreux pour en arriver à convaincre les gens de délaisser leurs vieilles habitudes. L'ère des plats mijotés s'achevait. En cinq minutes, on pouvait cuire un poisson.

— Mon défi sera de montrer que l'on peut faire des mets succulents dans cette boîte magique. Le micro-ondes l'est, en effet. C'est fou ce que cette chose, lorsqu'elle est bien comprise, peut accomplir. Je suis absolument certaine qu'un jour le micro-ondes détrônera le four traditionnel.

— Il y aura toujours quelqu'un quelque part qui critiquera ce que tu fais, ma Jehane. Et des gens qui préféreraient qu'un grand chef japonais explique les vertus de cet appareil. N'oublie pas que tu as fait bien des envieux avec ton encyclopédie.

— Je ne m'en fais pas avec cela, Bernard, tu le sais bien. Les chiens aboient, la caravane passe... D'aucuns pourront dire encore une fois que je n'ai pas le physique de l'emploi... Mais je pense d'abord et avant tout à mes propres désirs. Est-ce que je cuisine moi-même avec le micro-ondes ? La réponse est oui, bien sûr ! Il faut être de son temps, non ?

— C'est ce que j'ai toujours aimé chez toi, Jehane. Tu sais prendre ce qu'il y a de mieux dans ton époque. Je t'ai connue alors que tu innovais dans la restauration. En ce temps-là, ça pouvait te paraître banal, pourtant, une fois de plus, tu as lancé un concept.

— Le Salad Bar, quelle aventure !

— S'il n'y avait pas eu cet incendie, l'aurais-tu gardé ?

Jehane hésita un instant, puis répondit :

— Non, je ne suis jamais restée longtemps au même endroit. Les projets font leur temps. Il faut savoir passer à autre chose. Quand la télévision m'a demandé d'y travailler, j'étais très contente. C'était nouveau.

— C'est pour cela que Panasonic a tout à fait raison de souhaiter que tu sois la porte-parole d'un nouveau type de cuisson.

— Si tu le dis, murmura Jehane.

Ils se sourirent. Puis, Jehane reprit :

— Quand même... Comme les temps ont changé ! J'aurai connu le four à bois, la cuisson dans la cheminée, puis la cuisinière à gaz, et électrique. Il n'y a pas longtemps, on se méfiait de ce mode de cuisson, puisqu'on ne voyait pas la flamme. L'électricité est aussi énigmatique que les ondes... Il me faudra adapter mes recettes à ce type de cuisson. C'est tout un travail !

— Et combien de livres encore à publier !

— Ah ! Je n'avais pas pensé à ça...

Jehane rit doucement.

— Panasonic se montre tout de même assez audacieuse en sollicitant la septuagénaire que je suis maintenant !

Jehane ne tarda pas à s'enthousiasmer pour ce nouveau projet de longue haleine. Elle en discuta longuement avec Sylvie Delbuguet, son assistante et sa protégée. Car il lui faudrait de l'aide, là encore, pour arriver à bien publiciser le produit. Quand Panasonic la joignit pour s'enquérir si elle acceptait, ce fut d'un ton réjoui qu'elle répondit : elle était prête à signer son contrat.

Depuis les années 1950, Jehane, inlassable étudiante, connaissait ce four miraculeux créé presque par hasard par un Américain. Le tout premier appareil mesurait six pieds et pesait 750 livres. Aucune femme n'aurait voulu de ce mastodonte dans sa cuisine. Mais l'idée était géniale, et un groupe de scientifiques travailla d'arrache-pied pour développer une version pratique de ce four. Jehane, à distance, en suivait l'évolution. Si elle devait un jour cuisiner avec cet engin, et que ses recettes soient aussi bonnes, il lui fallait en comprendre parfaitement le fonctionnement, percer son mystère, et surtout ne pas en être effrayée. C'est ce qu'elle rappela à son collègue de Panasonic, lorsqu'elle le rencontra pour discuter de l'approche à adopter pour promouvoir le micro-ondes.

— Vous comprenez, je fais toujours une préface à mes livres. Il est certain que plusieurs auront des réticences à l'égard de ce four bizarre, et dont le fonctionnement n'est pas évident. C'est comme ça pour tout. Au début du siècle, des femmes avaient peur de l'aspirateur, ou du sèche-cheveux. On s'habitue. Je dois convaincre mon public que la cuisson est sécuritaire, et que les morceaux de viande seront goûteux, cuits à point et tendres, même s'ils ne mijotent pas pendant des heures. Il faut montrer avec de bons arguments que nous en sommes à une autre époque.

— Madame Benoit, peut-on vous demander si vous-même vous avez des réticences ?

— Non. Je ne suis pas un esprit borné, j'aime tenter de nouvelles expériences et, surtout, j'ai étudié la chimie. Je comprends surtout, et c'est l'idée que je vais vendre avec votre aide, que les femmes n'ont plus le temps de cuisiner pendant des heures. Elles travaillent à l'extérieur. Quand elles arrivent à la maison, elles veulent bien nourrir leur famille, ne rien laisser au hasard. Or, sur la table, rien ne vaut un bon repas chaud et appétissant. Le micro-ondes leur permettra d'offrir ces mets dont je leur dévoilerai les secrets.

Les patrons de la compagnie se déclarèrent ravis d'avoir fait un choix aussi judicieux avec la célèbre Jehane Benoit. Finalement, elle avait tout à fait le profil, car elle était rassurante.

Les rendez-vous entre Jehane et les représentants de Panasonic se multiplièrent, et cette collaboration devait durer des années. Le plus souvent, ils se rencontraient à Montréal ou à Toronto. Parfaitement bilingue, Jehane était à l'aise avec tous les gens qu'elle rencontrait. Son image convenait parfaitement aux attentes de la compagnie. Une femme trop jeune n'aurait pas eu le même effet. Jehane Benoit incarnait le calme, le savoir et, surtout, l'expérience. Elle, mieux qu'une autre, pouvait faire comprendre à des millions de clients que le micro-ondes était un must. En ce milieu des années 1970, prétendaient les représentants de Panasonic, tout foyer devrait posséder ce type de produit. Or, jeune septuagénaire, Jehane était aussi pétillante et curieuse que bien des gens d'une autre génération.

La tâche, du reste, était fort exigeante. Jehane devait essayer tous les modèles dont elle devait ensuite, d'un magasin à l'autre, lors de conférences, faire la promotion. À Sutton, dans sa cuisine, elle eut plus d'une douzaine de micro-ondes, constatant que chacun avait ses qualités respectives. Elle essayait ses recettes les plus anciennes dans ces fours pour s'assurer de les adapter correctement, et même de les améliorer. Cela n'allait pas de soi : il ne s'agissait pas seulement de convertir le temps de cuisson d'un poêle traditionnel à une cuisson de micro-ondes. Il fallait comprendre comment, exactement, l'aliment cuisait. Bernard était tout aussi excité que sa femme par cette invention évoquant quelque voyage sur la lune à cette époque.

— Crains-tu encore les réticences, Jehane ? demandait-il, à l'occasion.

— À quel sujet ?

— Que les ondes sont dangereuses. Donc que ce four l'est aussi. Que ça peut exploser…

— Les gens qui pensent cela ne comprennent pas, répondait-elle. Une fois de plus, il faut combattre l'ignorance. Ce qu'on ne connaît pas fait peur. Une fois le fonctionnement démystifié, ce sera un jeu d'enfants.

— Sans doute, mais il n'en reste pas moins que cette technologie peut paraître terrifiante. Des ondes minuscules, ça voyage partout, ça s'introduit dans les moindres pores de la peau.

— De la science-fiction ! répondait Jehane en riant.

— Je me fais l'avocat du diable, ma chère femme. Exerce-toi, car tu auras à répondre à tes détracteurs.

Jehane donnait une petite caresse affectueuse à Bernard.

— Merci, s'écriait-elle. Tes commentaires me sont toujours précieux. Tu as raison de me provoquer, car je pars en mission, n'est-ce pas? Mais ce n'est pas la première fois que j'aurai à me défendre. Cependant, je suis loin de mes débuts où, seule laïque parmi une horde de religieuses, j'ai dû tailler ma place à coups de spatules et de cuillers en bois. Mon Dieu que nous étions arriérés quand on y pense.

Jehane s'exprimait souvent crûment. Elle n'était jamais arrogante, mais ferme et souvent moqueuse. Elle avait un ton, des yeux rieurs lorsque, régulièrement, elle émettait des jugements tranchants. Cela n'était pas sans étonner ceux qui la rencontraient pour la première fois, car il n'était pas si courant qu'une femme prenne position de façon aussi ferme. Cependant, Jehane était tout aussi rafraîchissante, avec cette pensée sans cesse en avant, tonique. Chez elle, pas de regrets. Elle ne voyait pas le passé comme un temps idyllique. Le mot arriéré lui venait naturellement quand elle décrivait le temps de sa jeunesse. Son contexte social, professionnel et familial contribuait beaucoup à ce qu'elle ait pu affirmer cette personnalité intraitable sans toutefois être désagréable. Elle avait peu de contraintes. Elle était libre. Et cela en faisait une femme forte et parfois autoritaire. Aussi, quand elle s'engageait dans un projet, elle ne le faisait jamais à moitié. Lorsqu'elle accepta d'être la porte-parole des fours à micro-ondes Panasonic, elle fut visible partout, à la télévision, dans les journaux. De pleines pages de publicité vantaient les mérites de ce produit qui attisa subitement la curiosité. Jehane Benoit, avec sa force de conviction, lui donna une crédibilité à toute épreuve.

Elle parlait de ce four comme d'un appareil qu'elle aurait utilisé toute sa vie. En voyant cette femme bien campée, forte de sa maturité et de ses connaissances, les consommateurs fondaient. Et achetaient.

Jehane Benoit, visionnaire.

48

— En quelle année a-t-elle donc disparu ? demanda Nicole.

— Le 24 novembre 1987, répondit Robert.

— Alors, dix ans seulement avant sa mort, elle se lance dans cette aventure du micro-ondes, au point d'aller au Japon ?

— Trois fois au moins…

Nicole eut un regard d'admiration.

Depuis deux heures, assis côte à côte à la table de travail de Robert, le couple passait le texte en revue, modifiant tel passage, en approfondissant un autre. Nicole ne se lassait pas. Elle avait l'œil. Voyait des lacunes. Proposait des solutions.

— Franchement, je te félicite Robert. On en apprend vraiment beaucoup, sans compter toutes les anecdotes que tu rapportes.

Robert hocha la tête, perplexe.

— Pourquoi fais-tu cet air ? s'enquit Nicole. Tu es satisfait de ton travail, non ?

— Oui, oui, dit-il. Mais souvent, l'idée de ne pas avoir eu davantage de témoignages me désole. Je sais que de nombreuses personnes qui ont connu Jehane vivent toujours. Peut-être liront-elles ce livre… Tout cela pourrait leur paraître superficiel.

— Que veux-tu y faire ? Toi, tu fais de ton mieux pour dire tout ce que tu sais sur cette femme à partir de ta documentation. Tu n'es pas responsable du silence de ceux qui auraient pu parler.

Robert repensa à son dernier week-end amoureux avec Hélène, quelques mois plus tôt, juste avant qu'elle ne parte vivre en Suisse. Ils avaient alors sillonné la région de Sutton, et s'étaient arrêtés devant l'ancienne maison du couple Benoit. Robert n'en avait jamais parlé à Nicole, par gêne ou pudeur. Il gardait ses moments d'intimité pour lui. Ce jour-là, donc, avec Hélène, ils avaient sonné à la maison voisine, moderne et vaste, des propriétaires de Noirmouton. La femme, très aimable, les avait accueillis, avait répondu à leurs questions et proposé de les aider. Robert avait appris que Jehane avait eu plusieurs amis dans la région et que certains vivaient encore. Mais, malgré les efforts de cette femme, cela s'était arrêté là, et Robert avait compris qu'il devrait se fier à lui-même pour décrire cette figure de son mieux.

— Tu as raison, rétorqua-t-il. Et je comprends chaque jour davantage que la biographie est une entreprise gigantesque. On ne peut finalement que donner sa propre lecture d'un personnage à partir des faits que l'on connaît, dates, accomplissements, témoignages, archives, etc. Mais je pense à comment je réagirais si, un jour, je lisais une biographie de ma mère… La reconnaîtrais-je avec le regard d'un autre ?

Nicole se tourna vers lui, très concernée.

— Robert. C'est un portrait que tu fais. Forcément, il aura ta patte. L'important, pour le public, est de se souvenir de cette femme, qu'elle ne soit pas oubliée après tout ce qu'elle a fait ! Ton livre sert à honorer ses accomplissements.

À rappeler sa contribution à l'histoire d'une société. Ne t'appesantis pas! Parle-moi plutôt du Japon!

— Elle faisait ses tournées là-bas avec Masaaki Ohira. Le premier voyage est en 1977. Un séjour de promotion pour le compte de la compagnie Matsushita Electric. Jehane a été traitée comme une ministre. Tapis rouge. Honneurs. Elle a été éblouie par le pays. Sous le choc. Pour mieux saisir l'essence de cette culture, elle a exigé qu'on lui serve des mets exclusivement japonais. Elle a visité de nombreux temples bouddhistes. Elle voulait tout connaître de cette fascinante civilisation.

— Elle n'a pas dû être déçue…

— Souvent, enchaîna Robert, elle a parlé en effet de la gentillesse naturelle de ce peuple très digne, de la splendeur des jardins, du raffinement des mœurs et de la cuisine.

— A-t-elle poursuivi dans cette voie en écrivant des recettes japonaises?

Robert sourit avant de continuer:

— Non… Curieuse et consciencieuse, Jehane a toutefois cherché à connaître les secrets de la cuisine nipponne. En ce début des années 1970, cette gastronomie était très peu connue ici. On la confondait presque avec celle que l'on pouvait déguster dans le quartier chinois. Ce voyage en était également un d'études. Jehane, chaque fois, apprenait sur le four micro-ondes. Elle en arriva même, à force d'étudier, à proposer des améliorations aux Japonais.

— Donc Jehane ne désirait pas introduire de nouveaux aliments ni de nouveaux modes de présentation dans ses recettes, déclara Nicole. Elle faisait une cuisine qui lui ressemblait en y ajoutant des touches étrangères au fur et à mesure qu'elle les découvrait, c'est bien ça ?

— Oui, toute sa vie, Jehane a surtout voulu implanter ici le goût de cuisiner, le désir de faire des repas simples, pas trop coûteux et sains. Mais également variés. Donc elle était ouverte à tout et, en ces années 1970, surtout fascinée par la facilité d'adapter toute recette au micro-ondes.

— Je suppose que si elle n'avait pas cru aux qualités de cet électroménager, elle n'aurait pas prêté son image, son savoir et sa voix au produit.

— C'est clair, dit Robert. Et cela souligne une des très grandes qualités de cette femme : l'intégrité. Avec elle, tu avais l'heure juste. René Delbuguet nous l'a bien expliqué la dernière fois que nous avons dîné à La Mère Michel. Elle était passée maître dans la manipulation de ce four. Elle le comprenait aussi bien que si elle l'avait inventé.

— Oui, Delbuguet t'aura été d'un grand apport dans cette biographie.

— Il était bien placé pour la connaître, ayant fait les photographies de plusieurs de ses livres, dans sa propre cuisine de Sutton, au point de l'en chasser !

Nicole rit et enchaîna :

— C'était drôle quand il nous a raconté qu'au début elle voulait tout superviser et que, quelques heures plus tard, il fouillait dans ses tiroirs comme s'il avait été chez lui et qu'elle le laissait faire.

— Avec des personnalités comme celle de Jehane Benoit, il n'y a pas d'autre attitude à avoir. Elle ne devait supporter ni l'obséquiosité, ni le mensonge, ni le léchage de bottines, pour être clair.

— J'aurais aimé la voir quand René Delbuguet lui a dit : « Chacun son domaine. Vous, c'est la cuisine, moi, c'est la photographie. »

— Elle l'a aimé pour cela, répliqua Robert. Elle l'a respecté. Ils sont devenus amis. Jehane a même fait un voyage en Californie avec madame Delbuguet, dans les vignobles. Elles ont appris beaucoup là-bas sur la cuisine et les vins. Aussi, la fille des Delbuguet, Sylvie, a travaillé dès l'âge de quatorze ans quelques étés avec Jehane, qui l'a prise sous son aile. Puis, en 1982, elle a passé avec elle presque une année.

— Que faisait-elle exactement ? s'enquit Nicole.

— Sylvie m'a longuement parlé au téléphone à ce sujet, répondit Robert. C'était très touchant de l'entendre parler de Jehane, qu'elle considérait comme sa grand-mère. En fait, Sylvie était sa principale assistante. Elle faisait la cuisine avec elle, transcrivait les recettes, les testait, les préparait lorsque l'équipe de Radio-Canada venait tourner à Noirmouton. Jehane et elle faisaient la cuisine pour tout le monde, midi et soir. Après la mort de Monique, qui a terrassé Jehane, bien entendu, Sylvie est devenue plus proche encore. Je crois bien que Jehane fondait beaucoup d'espoir sur elle. Elle était une sorte d'enfant adoptive. Jehane espérait en secret qu'un jour, elle prenne même sa relève.

— Mais reviens à l'intégrité de Jehane, insista Nicole. Tu veux dire que jamais elle n'aurait fait l'éloge d'un produit seulement pour gagner sa vie ?

— Exact. Il faut insister sur le rôle de Jehane dans la publicité. Elle est indissociable de multiples produits, comme Yves Corbeil est associé à d'autres électroménagers, par exemple. Ainsi, Jehane a bien défendu la chocolaterie Cadbury, dès 1941, les riz Dainty, alors fort populaires, l'entreprise Frigoseal. Elle disait justement à Sylvie que c'était bien d'être le prête-nom d'un produit, car le nom survit à la personne même.

— Et l'agneau…

— Ah ça, c'était son grand cheval de bataille. En 1979, elle publie encore un livre sur cette viande en insistant sur le fait de ne pas trop la cuire.

— Et cet autre livre, les recettes autour du monde, quelque chose du genre ? s'enquit Nicole.

— Les Benoit étaient de grands voyageurs. Ils partaient parfois pendant des semaines. Un jour, un éditeur anglophone a proposé à Jehane d'écrire un livre de recettes de plusieurs pays, et elle a fait de nombreux voyages juste pour cela. *Madame Benoit's World of Food* a connu un succès immense.

— Tout cela pendant ses promotions du micro-ondes ?

— Oui, elle menait plusieurs projets de front.

— Quelle santé ! s'écria Nicole.

— Quelle volonté… Il lui fallait mettre les bouchées doubles. Jusqu'à sa mort, elle va œuvrer pour le micro-ondes mais également pour le four à convection, en faisant paraître chaque fois un bouquin sur le sujet.

— Chaque fois un best-seller.

— On peut le dire. Et une des clés de son succès c'était cette connivence qu'elle établissait avec son lecteur dès les premières pages, en faisant le récit de ses voyages et de ses expériences. C'était sa signature, son *trademark*.

— Jehane aurait fait une excellente sociologue, constata Nicole. Elle pouvait en quelque sorte saisir l'âme d'un peuple juste par ses habitudes alimentaires. J'ai lu qu'à Perth, en Australie, un chef lui avait servi du *jugged lamb*. Jehane et Bernard s'étaient régalés. Le chef, trop content, leur a donné le cahier de recettes de sa grand-mère. C'était en gaélique ! Il avait tant de respect pour madame Benoit qu'il l'a aidée à traduire la plupart des recettes de ce trésor patrimonial.

— Tes connaissances sur Jehane me stupéfient, ma chère Nicole.

Ils se sourirent. Robert était réellement étonné, saisissant que, de loin, chez elle, Nicole abattait un travail d'archives elle aussi. Parce que cela l'intéressait ? Parce qu'elle désirait le soutenir et participer ?

— Ce qui m'a surtout amusée, continua-t-elle, c'était les mesures… Pour dire « un peu de sel », la grand-maman écrivait : un petit soupir de sel. Mais quand j'ai lu un « bonnet d'épinards », j'ai sursauté. Cette femme avait un grand jardin de légumes et elle transportait ses cueillettes dans un bonnet de laine.

Mine de rien, à discuter, Robert et Nicole avaient passé toute la matinée dans son bureau.

— As-tu faim ? demanda-t-il.

Nicole le regarda avec un air ahuri comme s'il lui avait posé la question la plus sotte du monde.

— Tu sais bien que j'ai toujours faim !

— Bon, question de garder l'ambiance, allons donc chez Mikado.

Nicole approuva. Ils parlèrent encore longuement du Japon, de Jehane, des recettes qui se lèguent de génération en génération. Lorsqu'ils se quittèrent enfin, il faisait nuit.

49

« Comment écrivez-vous vos livres ? » demandait-on souvent à Jehane Benoit. À cette question, elle n'avait pas de réponse, car il y en avait tant, entre le choix du sujet, la documentation, l'organisation des idées, la méthode de rédaction, mais elle précisait se laisser aussi guider par ses sensations. Elle disait : « Une pêche est une pêche. Mais si je la pèle, la pose sur un nid de roses roulées dans du sucre, et que je saupoudre le tout d'amandes grillées, j'ai un dessert simple et original. Pour une sensation plus fraîche et acidulée, pourquoi ne pas ajouter quelques gouttes de citron ? Plus corsé ? Des grains de café. Les possibilités se multiplient à l'infini. »

Jehane travaillait également comme l'on s'amuse. Tout était matière à la découverte et à l'étude. Lors d'un déjeuner, en voyage, chez des amis, dans sa propre cuisine. Un jour, à Londres, elle fut invitée dans un club privé. Son hôtesse lui servit un scotch avec de l'eau, sans glaçons. C'était ainsi que Jehane apprit la vraie façon de boire cet alcool. Puis, en guise de canapés, on lui offrit des sardines norvégiennes sur un morceau de pain aux grains et gratiné de parmesan. Un jet de citron, un peu de ciboulette, c'était un délice de gourmet ! Jehane, comme elle le faisait chaque fois qu'elle était invitée dans un restaurant, n'hésita pas à demander le détail d'une si bonne recette. Après tout, il ne s'agissait que de sardines, de pain brun et de fromage. Le secret était l'amalgame.

Jehane n'oubliait pas non plus ses longues années d'études en France et les nombreux séjours qu'elle y avait faits, y apprenant chaque fois quelque chose. Souvent, avec son époux, alors qu'ils se livraient à leur rituel de l'apéritif sur la galerie de la maison de Sutton, et que Jehane était confortablement assise dans sa chaise berçante de prédilection, il lui arrivait de se remémorer quelques bonnes histoires. Ainsi, elle avait gardé intacte son admiration pour les grands chefs.

— Auguste Escoffier était encore très connu à l'époque où je l'ai croisé, expliqua-t-elle un soir. Il avait eu sa véritable heure de gloire au début du siècle et détrôné le fameux sieur Carême.

— Intéressant ce que tu dis : un chef en chasse un autre.

— Oui, on n'a pas idée à quel point la cuisine est un domaine frappé par les modes. Ainsi, des plats font des époques, tout comme des époques font des plats. Or, derrière la plupart des mets, il y a un chef. Escoffier, lui, a beaucoup simplifié la cuisine et je m'en inspire encore aujourd'hui.

— Mais si tu aimes tant ce chef, murmura Bernard, c'est aussi parce qu'il te rappelle tes années en Europe.

Jehane approuva, pour aussitôt répliquer :

— Sans doute, même si sa gloire commençait à décliner. Dans les années 1920, déjà, on parlait de lui à l'imparfait. On répétait surtout qu'il avait créé la pêche Melba.

— En l'honneur de la grande cantatrice Nellie Melba.

— Oui, c'était une idée de génie, reconnut Jehane. Et aussi un dessert tellement simple ! Une pêche, de la crème glacée, des framboises. Mais ce qui compte, c'est le tour de main. Le petit quelque chose, la signature Escoffier. Je me souviens surtout de cette anecdote qu'on se racontait en classe. Lors d'un banquet, au Ritz, à Londres, Escoffier servit au prince de Galles des cuisses de nymphe l'aurore. Tout pour intriguer, n'est-ce pas ? D'ailleurs, on nous avait posé la question. Qu'est-ce que c'était que cela ?

— Laisse-moi deviner ! s'écria Bernard qui aimait bien ces petits jeux avec sa Jenny.

— Je t'écoute…

— Ça devait être une préparation froide, dans une gelée à la crème, parfumée au paprika. Qu'était-ce ? Une volaille ?

— À moins que je ne me trompe, après toutes ces années, c'étaient des cuisses de grenouilles… Le prince de Galles cobaye de cet étrange mets…

Jehane rit de bon cœur. Chaque peuple, en matière culinaire, avait ses préférences et ses dédains. Et les Anglais se moquaient souvent de ce goût des Français, qu'ils surnommaient des *frogs*.

— Eh oui, tout cela est bien loin, souffla Jehane. Dans mes cours, on nous faisait remarquer que les mères disparaîtraient des cuisines, car le rôle social du cuisinier ne cesserait de grandir.

— Mais ne m'as-tu pas déjà dit que les premiers grands chefs étaient des femmes ?

— En France, oui, répondit Jehane. Il y a des figures mémorables, comme la mère Guy à Lyon. J'y ai dégusté, d'ailleurs, ses fameuses anguilles. On pense à la fameuse omelette de la mère Poulard, au Mont-Saint-Michel. Il y avait aussi la mère Fillioux, célèbre parce qu'elle découpait elle-même les volailles qu'elle servait à ses clients. On dit qu'elle en aurait découpé plus de cinq cent mille !

— Voilà une chose que l'on ne sait pas assez : l'importance de la découpe en gastronomie. Je l'ai appris avec nos moutons. Pour servir un bon gigot, il faut savoir dépecer la bête. Suivre minutieusement le dessin de son corps. D'ailleurs, cette tâche a très longtemps été réservée aux hommes, aux pères de famille plus précisément.

— En effet. Et puis, à Paris, on parlait aussi de la mère Brazier.

— Eugénie Brazier… Je me souviens d'une photo que tu as dans tes affaires. On la voit en marmiton devant une grosse casserole qui fume.

— C'est avec elle que le fameux Paul Bocuse a fait ses gammes. La mère Brazier préparait des quenelles qui fondaient dans la bouche. Bocuse a certainement amélioré la recette, mais il n'en reste pas moins qu'il a appris son métier avec une femme !

Jehane tenait à ce que l'on rende à César ce qui lui appartenait. C'était une femme juste. Elle ne se serait jamais approprié le travail d'un autre. Elle-même aimait rappeler le souvenir de toutes ses influences, à commencer par l'enseignement de sa grand-mère.

— Tu aurais peut-être pu rester en France, dit Bernard.

— Je n'aurais jamais pu rivaliser avec ces femmes qui ont dû céder leur place à des hommes. J'ai un côté trop féministe pour cela.

— Tu préfères la restauration rapide, se moqua Bernard.

— Ne me parle pas de cela, dit Jehane, énervée. Quand je pense à ces frères McDonald qui ont ouvert ces restaurants *drive-in*, je suis découragée. Comment peut-on dîner dans une voiture ? C'est un non-sens.

Bernard riait toujours quand Jehane s'emportait. Ses colères étaient à la mesure de sa passion pour son métier. Chaque fois, il était ému de l'aimer autant. Elle avait ce côté petite fille enjouée qui l'attendrissait toujours.

Cependant, en ces années, leur temps était compté. Jehane était en forme malgré des douleurs à sa hanche, qui l'obligeaient parfois à marcher avec une canne. Elle prenait l'avion presque chaque semaine, écrivait, prononçait des conférences, servant de son mieux Panasonic, accordant des interviews et travaillant à Noirmouton à la première occasion. Sylvie Delbuguet l'aidait beaucoup. Elle était dans l'ombre de Jehane, ou plus précisément à ses côtés, veillant aux préparatifs de chaque démonstration dans les grands magasins. Un jour, à La Baie, Jehane eut un malaise et se sentit incapable de cuisiner devant l'assistance la recette prévue : un poulet aux dumplings au micro-ondes. Tout le monde était assis, attendant la grande dame de la cuisine. Mais ce fut Sylvie que les gens accueillirent. La toute jeune femme s'en tira très bien et, dans les coulisses, elle fut chaudement félicitée par Jehane qui, du coup, lui confia ce qui lui tenait à cœur. Sylvie pourrait prendre sa relève avec Panasonic, dans quelque temps. Elle incarnerait parfaitement le nouveau visage de la compagnie. Elle avait pour cela toutes les qualités nécessaires, d'autant plus que ses parents étaient restaurateurs depuis son enfance. Mais bientôt, Sylvie se marierait et ferait sa vie. Jehane n'aurait pas d'héritière.

Simultanément, Jehane tenait sa maison, cuisinait et continuait de raffiner ses connaissances culinaires. Tous les murs de son bureau, à Noirmouton, étaient couverts de livres et de magazines de cuisine. Dès six heures et demie le matin, elle lisait, étudiait, sans relâche. Elle vivait pleinement chaque instant, peu portée sur le passé et toute tournée vers le présent et l'avenir, récoltant les succès qu'elle méritait. Chaque parution de ses livres faisait l'objet de grands lancements, à Toronto, à Montréal, mais aussi à Tokyo et à Singapour. Parfois, Bernard l'accompagnait, mais en général, il restait au phare, à Noirmouton. Avant de partir, avec l'aide de Sylvie, Jehane lui préparait des repas congelés et étiquetés. Bernard n'aurait qu'à ouvrir le congélateur pour savoir que lundi midi, il mangeait un bœuf aux carottes, mardi midi, une blanquette de veau, et ainsi de suite. De plus en plus, entre ses voyages d'affaires, Jehane aimait rester en famille. Ses amis en faisaient partie. À Sutton, elle était vraiment chez elle, d'autant plus que Bernard, conseiller municipal dès 1963, fut maire du Canton jusqu'au milieu des années 1970. Jehane admirait son mari. Chacun d'eux avait fait un choix de profession qui lui allait parfaitement et, elle en était presque sûre, c'était la clé de leur réussite.

Au loin, lentement, pourtant, le soleil déclinait. Mais Jehane connut un merveilleux crépuscule.

50

Robert compilait ses notes, préparant le dernier chapitre, celui de la fin de Jehane. Ce travail le plongeait dans son propre passé, et surtout dans le souvenir de sa mère. C'était à son décès qu'il avait eu cette idée de rendre hommage à Jehane Benoit, et par ricochet à Berthe, qui devait tant à la propriétaire du Salad Bar. Bientôt, Robert bouclerait la boucle, et passerait à autre chose. Mais à quoi ? À la veille de rédiger ces dernières lignes, il aurait cru être heureux et soulagé. Pourtant, il n'en était rien. Il se sentait vidé, inquiet et triste à l'idée que Jehane n'accompagnerait plus ses jours. C'était un deuil. Il appréhendait ce moment où il serait livré à lui-même. Il craignait surtout de voir moins Nicole qui, fidèle, était de plus à plus à ses côtés, étant donné ce livre. Il eut un moment d'espoir, en songeant qu'il avait les moyens d'aller rendre visite à Hélène en Suisse. Cela le distrairait. Mais aussitôt, il se rembrunit. Y aller seul, vivre quelques semaines auprès de ce couple amoureux le déprimait d'avance. Ce n'était pas la solution pour se remonter le moral.

Quand il entendit sonner à sa porte, il se sentit instantanément mieux. Il attendait Nicole. Dès qu'elle entra, son humeur changea.

— Viens, tout est prêt.

Robert avait préparé un céleri rémoulade, des œufs durs, une salade de roquette aux noix.

— Formidable ! s'extasia Nicole. Ça sort de l'encyclopédie ?

— De moi aussi, répondit-il, l'œil rieur.

Ils mangèrent, discutèrent, puis se mirent vite au travail.

— Avec tout ce que cette femme a fait dans sa vie, je suis étonnée qu'elle n'ait pas eu un prix quelconque, déclara Nicole.

Robert eut l'air surpris.

— Mais elle a été décorée de l'Ordre du Canada ! dit-il.

— Aucun souvenir de cela, rétorqua Nicole. C'était quand ?

— En 1973.

Elle réfléchit.

— Cette année-là, tu avais 33 ans, j'en avais cinq de moins… Nous étions déjà revenus de France.

— Oui, approuva Robert, et toi tu avais tes premiers contrats de déco à Ville Mont-Royal pendant que je bûchais à *La Patrie*. J'avais fait ce grand papier sur Robert Bourassa et ses projets à la Baie James qui m'avait valu une promotion…

— On avait fêté ça à La Mère Michel ! s'exclama Nicole.

— Tiens… Je ne me souvenais plus de ce détail. Comme quoi, on marche sur les traces de son destin sans s'en rendre compte. C'est vrai, ce soir-là, comme tous les autres, les Delbuguet nous avaient accueillis très chaleureusement.

Robert se leva et se dirigea vers son bureau. Il en revint quelques instants plus tard et tendit un texte à Nicole.

— Le passage sur l'Ordre du Canada, précisa-t-il.

Nicole lut aussitôt à haute voix.

— À l'aube de ses soixante-dix ans, Jehane Benoit eut la surprise et le plaisir de recevoir des mains mêmes du Gouverneur général la médaille de l'Ordre du Canada. Jehane avait toujours été fédéraliste. Quand elle parlait politique, elle proclamait son attachement pour le Parti libéral. Elle ajoutait qu'elle lui vouait allégeance depuis qu'elle avait entendu un discours de Sir Wilfrid Laurier. Elle était très jeune alors, puisque l'illustre Premier ministre décéda en 1919. Du côté de sa famille maternelle, les Cardinal, ont eu sûrement beaucoup de chagrin à la mort de Laurier, comme les milliers de Canadiens français qui assistèrent aux funérailles du grand homme. Du côté paternel, les Patenaude, ce fut différent. Personne ne se réjouit de cette disparition, mais on espérait que le départ de Laurier marquerait le déclin définitif des Rouges. La jeune Jehane ne partageait pas la ferveur des Patenaude. Elle ne fut jamais militante, mais partisane déclarée d'un Canada fort et uni. On ne l'entendait jamais, ou bien rarement, se poser en Québécoise, mais bien davantage en Estrienne. Noirmouton était sa véritable patrie. C'est là qu'elle reçut une lettre lui apprenant qu'elle recevrait l'Ordre du Canada, la plus haute distinction au pays, créée en 1967 et visant à honorer ceux qui sont des exemples de dévouement et d'initiative pour le pays. Jehane était au comble du bonheur. Bernard aussi.

Nicole s'interrompit.

— Tu penses qu'elle était au comble du bonheur ? demanda-t-elle.

Robert se pencha sur son texte.

— Ouais… Je vais arranger cela… Mais bon, je suis persuadé qu'elle était très heureuse et fière de cela. Elle ne courait certainement pas les honneurs mais, comme le dit René Delbuguet, elle aimait bien qu'on la traite avec égards. Elle était sensible au faste qu'on déployait pour elle.

— De toute façon, une chose est certaine, c'est que cette médaille a judicieusement été attribuée : Jehane Benoit était un exemple pour ses compatriotes. Elle le méritait. Mais y a-t-il eu une fête, une célébration ?

— Bien sûr, répondit Robert. Il y avait un côté comique car cela l'a un peu embêtée. Tu penses bien que Jehane a été obligée pour la circonstance de porter une robe longue, elle qui détestait les toilettes.

Nicole reprit sa lecture.

— Le 19 juin 1973, dans la grande salle de Rideau Hall, Jehane Benoit avança solennellement dans l'allée. Elle pensait à sa mère en se disant que Marie-Louise l'aurait trouvée bien élégante dans la robe marron de soie transparente qu'elle avait fait faire pour cette occasion spéciale, comme toutes ses robes, d'ailleurs, toujours amples à la taille, pour dissimuler son problème à la hanche. Elle savait toutefois qu'elle rangerait cette toilette du soir sitôt de retour à la maison, et que, sans doute, elle ne la porterait plus jamais. Le Très Honorable Jules Léger se pencha sur elle et accrocha à son corsage la médaille d'officier de l'Ordre du Canada. Toute la salle applaudit. Alors Jehane eut un moment d'émotion. Qui aurait dit que la jeune fille partie en France étudier la chimie alimentaire serait reconnue dans son propre pays cinquante ans plus tard pour son dévouement et son talent ? Ce soir-là, tous reconnaissaient que Jehane Benoit était incontestablement la grande dame de la gastronomie canadienne. Elle avait redonné aux siens la fierté d'avoir sa véritable cuisine, trop longtemps ignorée et même snobée.

À la réception qui suivit la cérémonie, Jehane retrouva le premier ministre qu'elle admirait le plus : Pierre Elliott Trudeau. Accompagné de sa femme Margaret, il vint l'embrasser. Les deux s'étaient connus dans leur jeunesse. Avec la filleule de l'Honorable lieutenant-gouverneur Esioff Patenaude, Pierre, comme elle l'appelait affectueusement, échangea des souvenirs touchants, et lui rappela, comme il le faisait chaque fois, leur lointaine parenté, la grand-mère paternelle de Jehane étant une Trudeau.

Nicole posa le texte sur la table.

— Bernard était là ?

— Oui, oui, répondit Robert.

— Alors tu dois le préciser. Sinon, c'est bien. Et ton prochain chapitre porte sur quoi ?

— La fin, dit Robert avec un air sombre.

Nicole lui adressa un sourire affectueux et saisit sa main.

— Ça te rappelle ta mère, n'est-ce pas ?

Il approuva de la tête.

— Même si le livre est terminé, enchaîna-t-elle, tu sais bien que tu as encore un long travail de relecture à faire… Tu vas peaufiner ton texte, le resserrer, non ?

— Tout à fait, confirma Robert, mais ce n'est pas comme écrire. Ce n'est plus la même exaltation, la même découverte. Mais tu m'y fais penser ! Je veux rajouter cet épisode que Sylvie Delbuguet m'a raconté l'autre jour. C'était à Noirmouton. Toutes deux attendaient l'équipe de Radio-Canada. Ils tournaient des capsules de Jehane en train de cuisiner et les photos à prendre des recettes accomplies étaient évidemment très importantes. Ce jour-là, elles n'avaient pas eu le temps de préparer ce qui était prévu : des fèves au lard. Sylvie était un peu inquiète. Mais Jehane, toujours positive et d'humeur égale, a tranché : elle a sorti des conserves de fèves, les a versées dans un plat, les a recouvertes de pommes et de rhum. Après le travail, l'équipe a fait honneur à la recette, jugée délicieuse !

— Tu vois ! Tu pourras tout de même raffiner certains passages qui te permettront encore d'être créatif. Avec le recul, tu pourrais même approfondir ta réflexion et ton analyse sur certains aspects de la psychologie de Jehane. Pour ce que j'ai lu de ton livre, ici et là, je ne crois pas par exemple que tu abordes la question des complexes. Chacun en a. On les surmonte, on les vit mal, on les ignore, on les refoule. Qu'en dis-tu ?

— Mmm, marmonna Robert. Mais c'est délicat. Je crois que j'ai bien montré le complexe qu'elle pouvait avoir avec sa mère, sinon avec son physique, mais surtout que Jehane pouvait compter sur un caractère fort, énergique et surtout très positif, comme me l'a précisé Sylvie. Jehane a fait sa route, sa place. Aujourd'hui, on ne se souvient plus de la très élégante Marie-Louise Cardinal, mais plutôt de la productive Jehane Benoit.

— C'est vrai, acquiesça Nicole en poussant un soupir. Cette femme est en apparence si lisse, sûre d'elle, solide. On l'imagine mal traumatisée ou coincée. On peut difficilement imaginer ses névroses.

— Je crois que Jehane doit beaucoup à son éducation. Son époque, et surtout son milieu, se prêtaient mal à l'étalage de problématiques familiales ou individuelles. Le « moi » existait, mais la dignité et la tenue, de rigueur dans le comportement, faisaient qu'on gardait pour soi ses bibittes, contrairement à aujourd'hui, où on en rajoute sans arrêt une couche tandis qu'on raconte son « vécu » *ad nauseam*…

Nicole rit.

— Je suis d'accord avec toi. Jehane a toujours donné d'elle-même une image louable. Laissons-lui ses peines et ses secrets. Respecte-la jusqu'à la fin et décris-la comme elle se montrait elle-même.

— Merci de tes conseils. Ça m'aide.

Nicole se leva.

— Allez, c'était très bon, merci. Je te laisse. Bonne inspiration pour la fin. Tu m'appelles quand tu auras fini ? On se fera une soirée.

Lorsque Nicole partit, Robert, motivé, se dirigea aussitôt à sa table de travail.

51

En avril 1986, Jehane s'envola une dernière fois pour le Japon. Chaque fois qu'elle avait la chance de séjourner dans ce pays, elle était ravie. L'archipel nippon était une telle merveille que la distance à parcourir pour s'y rendre lui paraissait moins pénible. Quelque quinze heures, voire plus avec l'attente dans les aéroports, d'une correspondance à l'autre, valaient la peine. Bernard, qui accompagnait Jehane, s'inquiétait cependant un peu de sa santé. Il la trouvait légèrement moins alerte depuis quelque temps et, parfois, il constatait qu'elle avait le souffle court. Dans l'avion, il lui demanda si elle allait bien.

— Il me semble que tu as maigri depuis quelque temps, insista-t-il.

— Ce n'est rien, dit-elle. Je viens d'avoir quatre-vingt-quatre ans. Comme on dit, j'ai un certain âge… Mais rassure-toi, Bernard, je me porte comme un charme. À la seule idée de revoir nos amis japonais, je rajeunis.

Le tour promotionnel se fit sans difficulté. Au demeurant, toujours discrète en ce qui la concernait, Jehane n'osait confier qu'elle ressentait une grande fatigue. Ce n'était plus comme autrefois. Elle devait se ménager et surtout reconnaître que l'opération au fémur qu'elle avait dû subir l'année précédente l'avait affaiblie. Sa hanche aussi lui causait des problèmes. C'était contrariant, mais elle devait admettre que, pour se remettre, les os devaient être épargnés. Il fallait du repos. Or, Jehane se poussait toujours à bout. Son corps la servait, un point c'est tout.

Elle n'était pas du genre à s'écouter, et à se complaire. On avançait, c'était tout. Cependant, c'est au bras de Bernard qu'elle dut se présenter aux conférences et aux cocktails offerts en son honneur. Comme elle éprouvait de plus en plus de difficulté à marcher, elle dut même renoncer, à son grand regret, sinon presque humiliée, à revoir les temples et les jardins, ces splendeurs dont elle ne se lassait pas.

— Tu iras seul, dit Jehane tendrement à Bernard. Et tu me raconteras ce que tu as vu.

Elle se disait que si elle avait accepté ce contrat lucratif avec la compagnie Matsushita, dont les fours à micro-ondes portaient la marque Panasonic, ce n'était pas uniquement pour l'argent. Jehane et Bernard étaient d'excellents investisseurs, certes, et savaient gérer leur petite fortune, mais l'argent leur permettait surtout d'améliorer continuellement l'immense domaine de Noirmouton, leur trésor. Faire équipe avec Panasonic, par ailleurs, leur avait permis à très peu de frais de découvrir le pays du Soleil Levant. Ce n'était pas donné à tout le monde. Curieuse de tout, Jehane avait voulu en savoir davantage sur cette culture, si exotique aux yeux des Occidentaux. Dès son premier voyage, elle s'était même intéressée au bouddhisme. Les temples où la statue du Sage était vénérée lui paraissaient d'une beauté saisissante. Elle s'était mise à lire beaucoup sur tout ce qui touchait à cette philosophie. Jehane croyait aux forces de l'esprit. Quand elle s'était installée à Sutton, elle avait noué des liens d'amitié avec une voisine. Jehane se passionnait alors pour les phénomènes de transmission de la pensée à distance. Cela agaçait Bernard. Mais Jehane savait le faire taire :

— Si je n'avais pas cru à de telles sornettes, comme tu dis, je n'aurais pas eu la force de t'attendre, dès 1940, et de me rendre jusqu'à toi. Quand tu es parti en Angleterre, je pensais fortement à toi. Je visualisais notre rencontre. J'ai eu raison.

Au Japon, Jehane avait l'impression de se trouver dans un pays où tout est sacré. Avec les guides, et la délégation Panasonic, qui l'accompagnaient, elle s'émerveillait de la beauté paisible des lacs et de la splendeur de la végétation. Il s'y dégageait une atmosphère de sérénité et d'éternité que Jehane goûtait au plus haut point.

— Alors, cette visite ? demanda-t-elle à Bernard quand il revint dans leur chambre d'hôtel.

Sans attendre sa réponse, elle ajouta :

— Je crois bien que c'est le dernier voyage que je fais ici…

— Ne dis pas cela, Jehane. Tu vas prendre du mieux, j'en suis certain. Et tout va redevenir comme avant…

À leur retour à Sutton, en effet, Jehane reçut une autre offre impossible à refuser. La compagnie voulait mettre en marché un four qui porterait ses initiales personnelles. Il fallait évidemment qu'elle en fasse la promotion dans tout le pays. Lourde tâche, grand honneur. Jehane pesa le pour et le contre, en sachant d'avance qu'elle avait déjà accepté.

— Je ne peux refuser une telle offre, affirma Jehane, se confiant à Bernard. Mais ce sera la dernière. Après, nous prendrons de longues vacances, peut-être en Europe, comme l'an dernier.

— À Florence, précisa Bernard, admiratif du courage et de la volonté de sa femme.

Pendant cette promotion, tous deux devaient prendre l'avion chaque jour pour se retrouver dans une ville, puis dans une autre, suivant un horaire serré. En septembre, ils furent invités en Colombie-Britannique. Le couple s'entraidait, tout se passait bien. Mais, soudainement, ce fut Bernard qui se sentit mal. Il dut annuler un séjour sur les plages d'un parc national pour préparer ses valises en vitesse et se rendre à l'aéroport. À Montréal, il serait hospitalisé et subirait une série de tests et de traitements.

— Ne t'en fais pas pour moi, assura Jehane, plus inquiète pour lui que pour elle. Je continuerai les conférences toute seule. Ce qui compte, c'est que tu reviennes en santé. Quand on vieillit, il faut vivre avec la menace de la maladie.

Bernard embrassa sa femme et lui donna rendez-vous une semaine plus tard.

Quand ils se retrouvèrent à Sutton, ils furent heureux de pouvoir enfin profiter en toute tranquillité de ce paysage auquel ils étaient si attachés. L'année 1987 s'annonçait paisible, Jehane ayant décidé, après que Bernard eut insisté, de diminuer son rythme de travail. Elle se plaisait à Noirmouton et ne chômait pas, passant des heures dans sa cuisine, devenue, avec les années, un véritable laboratoire d'expérimentation. Au loin, elle apercevait Bernard chevaucher parmi les moutons. Leurs bêlements se perdaient dans la douceur du vent, et Jehane savait très bien que Bernard parlait à chacune de ses bêtes. Tout allait bien. Pourtant, Jehane perdait du poids. Elle n'avait jamais été complexée par son embonpoint. Elle s'acceptait. Elle avait tôt appris, dans son existence, ce que certains mettent des années à comprendre : ne pas se dénigrer, composer de son mieux avec ce qu'on l'on a, selon l'adage anglais

Count your blessings. Jehane avait la tête sur les épaules, elle était, ou du moins avait la chance d'être fondamentalement saine.

Au début du mois de novembre, elle eut une défaillance et on dut la transporter à l'hôpital. Son médecin diagnostiqua un léger malaise cardiaque.

— Tu devrais rester plus longtemps ici, recommanda Bernard qui lui rendait visite tous les jours. Tu as une bonne chambre, tu es bien servie.

— Ne me dis pas que nous mangeons bien à l'hôpital ! rugit-elle. Je veux revenir à la maison. J'ai demandé au médecin. Il m'a dit que je le pouvais, à la condition de ralentir et de faire plus attention à ma santé.

Les exigences de Jehane n'étaient jamais à discuter. Cet alitement forcé lui puait au nez. Elle ne mourrait pas couchée. Bernard le lui avait toujours dit. Elle avait encore du travail à faire. Déjà, elle se sentait mieux ! Au fond, elle avait désespérément besoin de se sentir en sécurité dans sa maison, auprès de l'homme de sa vie. Même à quatre-vingt-quatre ans, elle pourrait remonter la pente et connaître de nombreux bons moments. À Sutton, quand elle se retrouva en train de cuisiner, elle se félicita en silence d'être si coriace.

Le 24 novembre, pourtant, tout changea. Jehane n'eut pas la force de préparer quelque chose pour Bernard, qui revenait manger à la maison le midi. Elle demanda à la femme de son petit-fils de l'aider. Quand Bernard arriva, il était trop tard. Jehane venait de s'effondrer. On la transporta aussitôt dans sa chambre et on l'allongea sur son lit. Au mur, le crucifix de terre cuite que lui avait acheté Bernard à Vézelay, lors de leur récent voyage en

France, semblait veiller sur elle. Bernard entra précipitamment dans la chambre et s'assit au bord du lit, terrassé de peine. Jehane trouva encore la force de lui murmurer qu'elle lui donnait bien du mal. Elle se sentait comme un fardeau, elle aurait voulu être utile. Toute une vie l'avait unie à cet homme qu'elle n'avait jamais cessé d'aimer, une vie qui allait bientôt se terminer. Tandis que la famille attendait l'ambulance, Bernard se souvint de ce mot que Jehane lui avait écrit dans une lettre, alors qu'il était en Angleterre et qu'elle l'attendait à Montréal – une dernière volonté formulée des années d'avance. Alors, il prit son visage entre ses mains qui tremblaient. Il la remercia du bonheur qu'ils avaient vécu ensemble. Un instant plus tard, Jehane s'éteignit.

52

C'était un soir d'avril très doux. En sortant du restaurant La Mère Michel, où ils fêtèrent le dernier chapitre du livre sur Jehane, Robert et Nicole décidèrent de marcher un peu. Le ciel était magnifique, d'un bleu profond comme en hiver, et pourtant, une légère brise annonçait le printemps. Pour se retrouver au restaurant, rue Guy, ils avaient, sans se consulter, chacun pris un taxi au lieu de leur voiture, difficile à garer dans ce coin. Il était dix heures et demie. Ils avançaient, lentement, semblant d'un accord tacite étirer le temps. À ce rythme, ils parviendraient bientôt à l'angle de Sherbrooke et d'Hutchison. Alors, Nicole pourrait remonter vers le nord, jusqu'à la rue Sainte-Famille, où elle vivait avec Patrick. Robert pourrait, s'il en avait envie, poursuivre sa promenade jusqu'à l'avenue du Parc-La Fontaine, comme il le faisait très souvent.

— Patrick va sans doute trouver que tu rentres tard, dit-il.

Il crut entendre Nicole soupirer.

— Il avait une réunion ce soir à la clinique, répondit-elle. Comme souvent d'ailleurs. C'est un accro au travail, comme tu l'as été jadis.

Robert ne savait pas trop quoi répondre. Pourtant, il se risqua :

— Décidément, tu n'as pas trop gagné au change en me quittant pour lui… Comme on dit en psy, est-ce un pattern chez toi ?

Nicole soupira encore.

— J'ai toujours rêvé d'une histoire comme celle que Jehane a vécu avec Bernard. Une vraie complicité, solide comme le roc, durable. Mais à bien m'analyser, peut-être que je choisis des hommes dont la priorité est le travail pour mieux travailler moi-même…

— Comme Jehane alors, rétorqua Robert.

— Oui. À lire ta biographie, on comprend très bien que le travail passait sans doute avant la famille, dans son cas. Mais au moins, en ce qui la concerne, elle retrouvait son compagnon, le soir, le week-end, lors de voyages. Elle avait cet appui indéfectible.

— Malgré les infidélités…

— Tu sais ce que disait la femme de Fellini, à qui on demandait comment elle vivait les innombrables frasques de son metteur en scène de mari ?

— Non, dit Robert.

— C'est toujours vers moi qu'il revient…

Ils rirent, puis se turent.

Les quelques arbres qu'ils croisaient rue Sherbrooke étaient déjà couverts de bourgeons. Dans quelques semaines, tout serait vert. Robert pensa que dans son cœur, il faisait noir. Depuis quelques jours, c'est-à-dire depuis qu'il avait fait mourir Jehane, il traînait, déboussolé. Il était fatigué, mais, en même temps, une masse d'idées lui venaient à l'esprit, dont certaines lui paraissaient géniales mais irréalisables. Il savait qu'il lui faudrait se poser avant de reprendre sa course. Jehane aurait dit la même chose. On ne sert pas un riz dès qu'il est cuit, ni une viande, encore moins une soupe. On attend un peu, de façon à ce que les saveurs prennent toute leur place. C'était la même chose avec son livre. Dans quelque temps, il le reprendrait, continuerait d'y travailler pour le polir. Mais après ? À cette pensée, sa gorge se nouait. Il s'en voulait d'être aussi émotif. C'était pathétique, à son âge, lui qui avait été un journaliste de terrain sans cesse au-devant des sujets, parfois risqués.

Il se rapprocha de Nicole, qui marchait silencieusement à ses côtés. À quoi pensait-elle ? Il attendit qu'elle parle. Il la trouvait secrète, constatant du même coup que ce n'était que depuis son travail sur Jehane qu'il s'intéressait vraiment à ce qu'elle pouvait éprouver. Autrefois, il était trop pris dans son rythme et sa profession pour se soucier de ses états d'âme. Sa mère, aussi, l'occupait beaucoup. Il était très fier et satisfait de lui avoir rendu cet hommage posthume. Il comprenait beaucoup mieux après toute cette enquête et cette réflexion sur madame Benoit, son temps et son œuvre, à quel point Berthe avait eu de la chance de croiser une telle femme dans son existence. Avaient-elles échangé quelques confidences alors qu'elles travaillaient côte à côte au Salad Bar ? Il ne le saurait jamais. Et il devait admettre que les mystères restent des mystères. Chaque être humain garde le sien pour lui-même. L'important peut-être, en ce qui le concernait, était que cette collaboration de Jehane et de Berthe, ainsi que leur amitié, avait décidé du cours des choses pour Robert. Sans les Beaulieu, à qui Jehane avait recommandé les services de Berthe après l'incendie du Salad Bar, il n'aurait jamais eu ce premier poste dans un journal. Il ne serait jamais devenu journaliste. C'était sans fin. Car c'était ces années-là qui avaient scellé une sorte de pacte invisible : un jour, ce serait Robert Drouin qui signerait la première biographie consacrée à cette femme à laquelle, sans sa mère, il en était convaincu, il ne se serait jamais intéressé. Fallait-il donc croire qu'un sujet choisissait son biographe plutôt que l'inverse ? Si Jehane avait cru à la télépathie et à d'autres phénomènes de l'esprit, alors Robert pouvait croire qu'il n'avait rien à voir dans ce choix d'écrire sur elle. La vie en avait décidé ainsi. Et cette vie avait ses raisons. « Chaque geste compte. » Robert se répétait souvent cette phrase lue et relue dans *Dialogues avec l'ange*.

— Comment te sens-tu, maintenant que tu as terminé ? demanda Nicole, tirant Robert de ses songeries.

Il mit un temps avant de revenir à leur promenade, rue Sherbrooke, à ce soir d'avril si doux.

— Ouf… Je ne sais pas par quoi commencer…

— On dit que les gens qui ont fourni un grand travail intellectuel sont parfois malades après… Il ne faudrait pas que ce soit ton cas.

Nicole avait usé d'un ton sans répliques, comme une mère parle à son enfant, mais aussi comme une femme parle à son mari si elle l'aime.

— Mais non, Nicole, tu me connais… J'ai beau avoir soixante-dix ans, je joue au tennis trois fois par semaine, je marche des kilomètres, je ne prends jamais l'ascenseur… Au contraire, cette biographie m'a obligé à passer des heures assis. J'ai hâte de bouger, j'ai envie d'air, de nouveau !

Nicole mit un temps avant de répondre.

— T'as une idée de ce que tu voudrais faire ? s'enquit-elle.

Le silence retomba. Ils marchèrent encore un certain temps avant que Robert ne se décide enfin à livrer à Nicole le fond de sa pensée. Il se dit en lui-même que qui ne risque rien n'a rien. Aussitôt, une petite voix irritante répondit dans son esprit que qui risque tout perd tout. Eh bien, il n'avait rien à perdre.

— J'ai envie d'aller en Suisse, affirma-t-il.

— En Suisse ? s'écria Nicole. Pour le grand air ? Les montagnes ?

Il raconta, un peu mal à l'aise, qu'il avait revu Hélène, et précisa sans tarder que son ancienne collègue du journal avait souvent demandé de ses nouvelles, ayant pour Nicole du respect et un sentiment amical, même si elles ne s'étaient croisées qu'une fois.

— Ah bon, dit Nicole.

— Elle vit maintenant à Lausanne avec un libraire, enchaîna-t-il.

Et il raconta l'histoire d'amour qu'elle y vivait avec Julien.

— C'est super ! s'exclama Nicole. Refaire sa vie ou, comme tu dis, faire sa vie à soixante-huit ans, c'est un cadeau. Ça donne de l'espoir, l'envie de bouger. Franchement, je ne connais pas Hélène, mais je suis très contente pour elle.

— Tu pourrais la connaître, murmura Robert.

Nicole eut un petit rire.

— Mais voyons, tu divagues. Elle habite Lausanne. Ça me paraît un peu loin pour se donner rendez-vous…

Robert se décida alors et s'arrêta. Puis, il prit Nicole par les épaules.

— Assez perdu de temps, tu ne trouves pas ?

Elle le regarda en plissant les yeux, mais il sentit qu'elle était intimidée.

— Tu me la fais à la Humphrey Bogart, là ? marmonna-t-elle. Que veux-tu dire ?

— Je viens de passer des mois à décrire une histoire d'amour presque idéale, alors que je pourrais en vivre une moi aussi, dit-il.

Nicole toussota. Robert la tenait toujours par les épaules.

— J'ai froid, dit-elle.

— Mais non, tu n'as pas froid. Tu as peur de ce que je vais te dire.

Elle trépigna un peu, puis le regarda sans ciller.

— J'écoute.

— Partons en Suisse. C'est tout ce que j'ai à te dire.

Sous ses mains, il la sentit frissonner. Elle baissa la tête, puis déclara sur un ton moqueur :

— Eh bien, je pensais qu'on n'y arriverait jamais…

— À quoi ? balbutia-t-il.

— À nous ! dit-elle en riant.

Puis, elle ajouta, comme pour elle-même : « Mieux vaut tard que jamais… »

À ce moment-là, ils parvinrent à la rue Hutchison.

— Je t'accompagne jusqu'à chez toi, je ne veux pas que tu marches seule, dit-il.

— Inutile, coupa-t-elle.

Il insista, mais elle prit son bras et continua à marcher rue Sherbrooke.

— On sera mieux chez nous pour travailler ensemble la révision d'*À la découverte de Jehane Benoit*, tu ne penses pas ?

Ils gagnèrent tranquillement l'appartement de l'avenue du Parc-La Fontaine qu'ils avaient longtemps habité ensemble. En refermant la porte derrière eux, ils remercièrent en esprit madame Benoit. D'où elle se trouvait, elle avait joué un rôle dans leurs retrouvailles, et ils auraient toujours pour elle une immense reconnaissance.

Quelques titres de Jehane Benoit

Le chocolat dans la ronde des heures, 1941, pour Fry-Cadbury Ltd.

Les meilleures recettes de Jehane P. Benoit, 1949, Moderne.

Jehane Benoit dans sa cuisine, avec des recettes authentiques du Québec, 1955, Moderne.

Secrets et recettes du cahier de ma grand-mère, 1959, Beauchemin.

L'encyclopédie de la cuisine canadienne, 1963, Messageries du Saint-Laurent.

My Secrets for Better Cooking, 1969, Reader's Digest.

La nouvelle encyclopédie de la cuisine, 1970, Messageries du Saint-Laurent.

Ma cuisine au cidre, 1973, Éditions du Jour.

Rose nanan sucé longtemps, 1973, Éditions Graffofones.

Cooking Lamb – For Sheer Pleasure, 1974, Canada Sheep Marketing Council.

La cuisine micro-ondes, 1976, Éditions de l'Homme.

Ma cuisine maison, 1979, Éditions de l'Homme.

L'agneau, 1979, Éditions de l'Homme.

Je cuisine avec Taillefer, 1981, Stanké.

La cuisine du monde entier, 1982, Éditions de l'Homme.

Les viandes et leurs sauces, 1985, Éditions Héritage.

À l'enseigne du riz Dainty, 1985, Dainty Foods.

Desserts et confitures, 1986, Éditions Héritage.

Riz, pâtes alimentaires et œufs, 1987, Éditions Héritage.

Publications de Marguerite Paulin

Nelly Arcan : De l'autre côté du miroir, portrait biographique, en collaboration avec Marie Desjardins, Les Éditeurs réunis, 2011.

Les derniers feux de la Saint-Jean, en collaboration et sous le pseudonyme Laurence Arnaud, éditions du Carré, 2008.

Jacques Ferron. Le médecin, le politique et l'écrivain, biographie, XYZ éditeur, 2006.

René Lévesque. Une vie, une nation, biographie, XYZ éditeur, 2004.

Le Mot dit pays !, pièce de théâtre écrite en collaboration et présentée dans le cadre de la semaine de la francophonie en mars 2003.

Maurice Duplessis. Le Noblet, le petit roi, biographie, XYZ éditeur, 2001.

Louis-Joseph Papineau. Le grand tribun, le pacifiste, biographie, XYZ éditeur, 1999.

Lukas en son royaume, radioroman scénarisé, réalisé et présenté sur les ondes de Radio Centre-Ville. Premier prix des radios communautaires, 1997.

Félix Leclerc. Filou, le troubadour, biographie, XYZ éditeur, 1996.

Dire le nord (1985), et *Haïkus du Canada français* (2002), en collaboration, anthologies de haïkus.

Publications de Marie Desjardins

Nelly Arcan : De l'autre côté du miroir, portrait biographique, en collaboration avec Marguerite Paulin, Les Éditeurs réunis, 2011.

Sylvie, Johnny love story, Roman, Montréal, Transit éditeur, 2010.

Les Forget, luthiers depuis un siècle, biographie, Montréal, Éditions au Carré, 2005.

L'œil de la poupée, essai en collaboration avec Irina Ionesco, Paris, Éditions des femmes, 2004.

Geishas et prostituées, essai en collaboration avec Hidéko Fukumoto, Nantes, Éditions du Petit véhicule, 2002.

La voie de l'innocence, Roman, Montréal, Humanitas, 2001.

Marie, Roman, Montréal, Humanitas, 1999

Les yeux de la comtesse (Sophie de Ségur, née Rostopchine), biographie, Montréal, Humanitas, 1998.

Femmes à l'aube du Japon moderne, essai en collaboration avec Hidéko Fukumoto, Paris, Éditions des femmes, 1997.

Chroniques hasardeuses, essai, Montréal-Paris, L'Étincelle éditeur, 1994

Biograffiti, Réflexions spontanées sur la biographie, essai, Montréal-Paris, L'Étincelle éditeur, 1993.

Remerciements

Les auteurs tiennent à remercier René Delbuguet et sa fille Sylvie pour leurs témoignages chaleureux et leur souvenir sensible de Jehane Benoit, ainsi qu'André Desaulniers pour sa précieuse participation en matière généalogique.

[illegible]
[illegible]
[illegible]

Marquis imprimeur inc.

Québec, Canada
2012